Délicieux soupçons

Séduit malgré lui

JULES BENNETT

Délicieux soupçons

Passions

éditions HARLEQUIN

Collection : PASSIONS

Titre original : CAUGHT IN THE SPOTLIGHT

Traduction française de AGNES ALIU MARIN

HARLEQUIN®
est une marque déposée par le Groupe Harlequin

PASSIONS®
est une marque déposée par Harlequin S.A.

Photo de couverture
Femme : © PAUL PIEBINGA / GRAPHICOBSESSION
Réalisation graphique couverture : C. GRASSET

83-85, boulevard Vincent-Auriol, 75646 PARIS CEDEX 13.
Service Lectrices — Tél. : 01 45 82 47 47
www.harlequin.fr
ISBN 978-2-2802-8249-9 — ISSN 1950-2761

- 1 -

Bronson Dane resta un moment interdit devant la déesse qui venait d'apparaître devant lui, vêtue d'une simple serviette. Italienne typique, avec sa peau mate et ses cheveux d'un noir d'ébène, la jeune femme était absolument sublime. Il devait s'agir de la nouvelle assistante personnelle de sa mère, Mia Spinelli.

— Monsieur Dane ! fit-elle, en remontant d'un geste précipité la serviette sur sa poitrine.

Sortant tout juste de la salle de bains et encore ruisselante d'eau, elle s'était arrêtée net en l'apercevant assis derrière le bureau de sa mère.

— Inutile d'être aussi formelle, après tout, vous êtes à moitié nue. Appelez-moi Bronson.

Il glissa les mains dans les poches, feignant une décontraction qu'il était loin de ressentir. La veste qu'il portait encore lui sembla soudain bien superflue, tant il avait chaud.

— Où est ma mère et pourquoi utilisez-vous sa salle de bains ? demanda-t-il nonchalamment.

— Olivia est sortie pour la journée. Je fais souvent du sport à midi et elle m'a proposé de me doucher ici plutôt que de retourner à la maison d'invités.

Bronson soupira. Que sa mère pouvait être naïve ! Non seulement elle avait invité Mia Spinelli à vivre sur leur propriété, mais elle lui donnait aussi libre accès à la maison. N'avait-elle rien appris de la désastreuse expérience qu'elle avait vécue avec sa dernière assistante ? Quand comprendrait-elle qu'on ne peut pas faire confiance à toutes les personnes qui ont l'air innocentes ? Ils vivaient à Hollywood, enfin ! Les mensonges et les manipulations y étaient aussi répandus que les implants mammaires et les injections de collagène.

— Je suis désolée, monsieur Dane, je ne m'attendais pas à trouver quelqu'un à la maison, continua Mia sans paraître le moins du monde embarrassée par sa tenue légère. Je vous croyais en Australie jusqu'à la semaine prochaine.

— Appelez-moi Bronson, répéta-t-il, troublé par le parfum floral qui émanait de la salle de bains. Le tournage a fini plus tôt que prévu. Je suis passé pour parler à ma mère du festival de la semaine prochaine. Quand revient-elle ?

— Elle sera de retour dans l'après-midi. Elle déjeune avec son avocat pour finaliser le contrat de son prochain livre. Si vous voulez bien m'excuser, j'ai laissé mes affaires de toilette sur la chaise du bureau.

Comme elle approchait, il saisit le sac noir tout simple qu'elle désignait. Mais, lorsqu'elle tendit la main, sans savoir exactement pourquoi, il le maintint hors de sa portée quelques instants.

Au fond, il se méfiait d'elle. Après tout, son ancien employeur n'était autre qu'Anthony Price, l'homme qu'il méprisait plus que tout autre dans ce métier. Certes, sa mère lui avait assuré que Mia était un « ange », tout à fait digne de confiance, et sa sœur Victoria semblait, elle aussi, avoir été conquise. La dernière fois qu'ils avaient parlé ensemble au téléphone, elle n'avait cessé de lui répéter à quel point Mia était délicieuse. Mais au lieu de le réjouir, ce débordement d'enthousiasme l'avait irrité. Comment était-il possible qu'en six mois à peine, sa mère et sa sœur soient devenues des fans inconditionnelles de Mia Spinelli ?

En tout cas, lui n'était pas aussi aveugle. Il ne se laisserait pas berner. Anthony avait envoyé son assistante pour les espionner, cela ne faisait aucun doute. D'autant que, d'après les rumeurs, la relation entre Mia et Anthony était loin d'être purement professionnelle. La presse hollywoodienne n'avait-elle pas affirmé que Mia était la principale cause des problèmes qu'Anthony rencontrait dans son mariage ?

Certes, la jeune femme pouvait bien coucher avec qui elle voulait, mais il était hors de question qu'elle répète les secrets des Dane à qui que ce soit.

Bronson travaillait depuis des années avec sa mère sur un projet de film, et la presse ne manquerait pas de s'arracher cette information si elle venait à filtrer. Quant à Anthony Price, le plus grand réalisateur d'Hollywood, il brûlait certainement de connaître ce secret.

Si sa mère n'était pas de nature soupçonneuse, lui n'était pas près de baisser la garde ! Il comptait bien découvrir quelles étaient les intentions de Mia avant qu'elle ne tombe sur le scénario et le rapporte à son amant. En imaginant cette déesse au lit avec le diable, il sentit son estomac se nouer.

Finalement, il lui tendit le sac. Il avait besoin qu'elle s'habille — son parfum l'empêchait de se concentrer.

Et le désir instantané qu'il avait ressenti pour la maîtresse de son ennemi n'allait pas lui faciliter la tâche.

— Allez vous habiller. Nous parlerons ensuite.

Elle acquiesça puis retourna dans la salle de bains, refermant la porte derrière elle, tandis qu'il essayait tant bien que mal de se ressaisir. Il ne pouvait pas se permettre de ressentir une telle attirance pour Mia. A l'heure actuelle, son principal souci devait être d'éviter un autre scandale à sa mère et à sa sœur.

La dernière assistante de sa mère lui avait en effet volé près d'un demi-million de dollars en quelques mois. La presse en avait fait ses choux gras et, en ce moment, tout Hollywood avait les yeux braqués sur les Dane. C'est pourquoi ils devaient se montrer particulièrement prudents — en particulier s'ils voulaient garder leur scénario secret. Sa mère était une véritable icône : chérie d'Hollywood, elle avait joué dans plus de films qu'aucune autre actrice et était surnommée « la Grande Dane ». Aucun doute que la presse adorerait dénicher quelques ragots à son sujet. Et, même s'il doutait qu'ils puissent trouver quoi que ce soit à lui reprocher, les tabloïde avaient le don de déformer les histoires les plus innocentes pour les rendre sordides. Il devrait absolument avoir la nouvelle assistante à l'œil.

La porte de la salle de bains s'ouvrit sur Mia, vêtue d'un corsaire blanc et d'une blouse noire sans manches. Ses cheveux noués en chignon, ses pieds nus vernis de rose et le simple médaillon en or sur la peau mate de son décolleté lui donnaient un air d'innocence et de simplicité. Comment une telle femme en était-elle venue à travailler pour l'actrice la plus glamour d'Hollywood ?

Olivia avait affirmé que le passé de Mia était au-dessus de tout soupçon, tout comme les raisons qui l'avaient poussée à quitter son emploi auprès d'Anthony. La jeune femme aurait expliqué ne plus supporter d'être l'objet des rumeurs sur la destruction du mariage d'Anthony. Bien sûr, la mère de Bronson avait admiré le fait qu'une femme puisse ainsi placer le bien-être des autres avant le sien. Elle avait pourtant fait quelques vérifications qui avaient confirmé son impression — Mia était parfaite pour ce travail.

Toutefois, Bronson savait qu'il est facile de paraître irréprochable sur le papier. Et, si Mia semblait tout à fait innocente, il tenait à en savoir plus sur la jolie et gentille Mlle Spinelli. Celle qui, quoi qu'elle ait fait avaler à sa mère, pouvait bien coucher avec son ennemi — et les espionner pour ce dernier par la même occasion.

Et quelle meilleure façon de la garder sous contrôle que de passer un peu de temps en sa compagnie au festival le plus glamour de la planète ? Dans l'atmosphère sensuelle et exotique du Festival de Cannes, elle ne pourrait pas résister à son charme. Après tout, il n'avait pas été consacré « Homme le plus sexy du monde » pour rien.

— J'ai une proposition à vous faire, annonça-t-il. Vous allez à Cannes avec ma mère, n'est-ce pas ?

Mia se contenta d'acquiescer.

— Il y aura des cérémonies tous les soirs, suivies d'une réception. Je voudrais que vous m'y accompagniez.

— Vous accompagner ? répéta-t-elle, les yeux agrandis par la surprise. J'accompagne Olivia uniquement pour le travail, je n'avais pas prévu d'assister aux festivités.

Et il n'avait pas prévu de lui demander de l'accompagner. Mais la vision de Mia à moitié nue avait quelque peu bouleversé ses plans. Et cette idée présentait des avantages. Certes, il aurait pu inviter n'importe quelle femme, mais il n'avait aucune envie de passer ses soirées à divertir et flatter une diva quelconque. L'assistante de sa mère, presque une étrangère à ses yeux, serait la cavalière idéale. Comme il avait passé les six derniers mois en tournage à l'étranger, il n'avait pas eu l'occasion d'apprendre à la connaître et les cinq fabuleuses soirées cannoises lui en offraient les circonstances idéales.

— Je ne pense pas que ce soit une très bonne idée, répondit-elle, tout en s'installant au bureau pour démarrer l'ordinateur. J'ai pas mal de travail avec Olivia et j'en aurai tout autant à Cannes, parce qu'elle veut finir son livre avant l'été.

De l'autre côté du bureau, il observa le mouvement délicat des doigts de Mia sur le clavier.

— Je vous assure que ma mère sera ravie par ma proposition. Contentez-vous d'être à l'aéroport à l'heure et inutile de vous encombrer de bagages. Je demanderai à Victoria d'envoyer toutes les robes dont vous aurez besoin. C'est une experte en la matière.

Mia leva les yeux de l'écran, les sourcils froncés.

— Mais pourquoi moi ?

— Et pourquoi pas vous ? répliqua-t-il, de plus en plus séduit par son idée.

— Je ne suis qu'une assistante.

— Raison de plus. Mais peut-être ne voulez-vous

pas être vue avec moi, à cause de ce récent scandale avec votre ancien employeur ?

Il se pencha plus près d'elle et murmura :

— Ou peut-être à cause d'un amant jaloux ?

— Je n'arrive pas à croire qu'avec toutes les femmes que vous connaissez, vous vouliez que ce soit moi qui vous accompagne.

Sa façon d'éluder la question n'avait rien de très subtile, mais il n'insista pas. Pour le moment…

— Je ne vais pas vous mentir. Je cherche à protéger ma mère. Je veux avoir l'occasion de vous connaître.

A ces mots, son visage s'illumina d'un magnifique sourire.

— Je peux comprendre qu'on cherche à protéger sa famille. Dans ce cas, je serais ravie de vous accompagner, à condition que ça ne dérange pas Olivia.

Il se leva et lui retourna son sourire.

— Ça ne la dérangera pas. Faites-moi confiance.

Faites-moi confiance.

Cela faisait quatre jours que Mia s'était laissé convaincre par Bronson et son sourire envoûtant de transformer ce qui devait être un voyage professionnel en un événement mondain. Comment avait-elle pu accepter une telle proposition ? Jamais il ne lui aurait demandé de l'accompagner aux cérémonies et aux soirées, jamais il ne lui aurait demandé de lui faire confiance, s'il avait su quel secret elle détenait. Un secret qui risquait de détruire sa famille si étroitement liée.

Rejetant la culpabilité qui la tenaillait, elle tâcha de se concentrer sur sa mission : elle était à Cannes et elle allait assister aux fabuleuses soirées du festival au bras du célibataire le plus séduisant d'Hollywood. Elle se devait donc d'être resplendissante. Et elle avait tout ce qu'il fallait pour cela. Le placard de sa chambre d'hôtel renfermait cinq — oui, cinq — extraordinaires robes de soirée signées Victoria Dane, la célèbre styliste de haute couture et sœur de Bronson.

Le souffle coupé, elle admira une nouvelle fois chacune d'entre elles dans les moindres détails. Olivia lui avait expliqué que Victoria gardait toujours avec elle plusieurs modèles au cas où une star aurait besoin d'une robe à la dernière minute. Jamais elle n'aurait cru pouvoir profiter d'un tel privilège.

Elle avait l'impression de vivre un rêve. Etre à Cannes, travailler pour Olivia Dane le jour, revêtir une robe Victoria Dane le soir et se mêler aux célébrités au bras du grand producteur Bronson Dane... Qu'avait-elle fait pour mériter une telle chance ?

Comme Olivia et elle avaient bien travaillé dans l'avion, sa patronne l'avait libérée pour le reste de la journée, sans doute pour aller faire les boutiques de luxe.

Elle sourit en repensant à l'excitation d'Olivia quand elle avait appris que Mia serait la cavalière de Bronson.

— C'est parfait ! s'était-elle exclamée.

Chaque jour, Mia mesurait sa chance de travailler aux côtés de la Grande Dane. Quitter Anthony avait été dur au départ, mais aujourd'hui elle savait qu'elle avait pris la bonne décision. De toute façon, elle ne supportait plus que les tabloïde la décrivent comme la maîtresse d'Anthony. Bien sûr, elle ne l'avait jamais considéré autrement que comme un frère, mais, hélas, les rumeurs avaient terriblement blessé la femme d'Anthony et avaient failli briser leur mariage. Peut-être le couple arriverait-il à se réconcilier à présent qu'elle était sortie du tableau.

Olivia avait, heureusement, tout de suite cru à sa version des faits. Mais Bronson ? Croyait-il le pire à son sujet ? C'était d'autant plus probable qu'Anthony et lui, les deux grands pontes d'Hollywood, ne s'appréciaient guère. Bien que Bronson ne lui ait pas caché ses soupçons, elle espérait pourtant qu'elle parviendrait à gagner sa confiance avec le temps. Lui aussi avait été le sujet de scandales dans la presse. Il était bien placé pour savoir qu'il ne faut pas croire tout ce qu'on lit.

En tout cas, travailler pour Olivia lui apportait son lot de bonnes surprises. Lors de son précédent emploi, elle s'était régulièrement rendue sur des tournages, mais jamais elle n'avait été à un festival, et encore moins un festival aussi glamour que Cannes.

Et voilà qu'aujourd'hui, elle se trouvait en France, dans une suite luxueuse ! Elle avait bien l'intention de profiter de chaque instant de cette vie de princesse sans se poser trop de questions.

D'une main légèrement tremblante, elle effleura les robes fabuleuses qu'elle avait sous les yeux : aussi généreux que fût son salaire, jamais elle n'aurait été capable de s'en offrir ne serait-ce qu'une seule. Et, même si elle n'était pas le type de femme à dépenser une fortune en vêtements, elle ne pouvait s'empêcher d'être émue à l'idée qu'elle allait porter chacune d'elles. Danserait-elle toute la nuit avec Bronson ? Elle frissonna en imaginant son corps se pressant contre le sien au rythme de la musique.

Elle avait encore du mal à croire à ce qui lui arrivait. Il était probablement entouré d'une myriade de femmes susceptibles de l'accompagner à ce genre d'événements, mais c'était elle qu'il avait choisie pour cavalière. Il avait même demandé la contribution de sa sœur pour l'habiller. Que devait-elle comprendre ? Voulait-il simplement apprendre à mieux la connaître, comme il l'avait dit ? Peut-être. Mais il devait aussi la trouver attirante, sans quoi il ne lui aurait jamais proposé de l'accompagner tous les soirs.

Elle ne parvenait pas à oublier la façon dont il l'avait détaillée le jour où il l'avait surprise sortant de la douche. Elle n'était pas vaniteuse, mais elle n'était pas stupide non plus. Bronson n'avait pas été indifférent en la découvrant ainsi presque nue.

Elle était ridicule, songea-t-elle soudain, le cœur battant. Comment pouvait-elle penser que Bronson Dane la trouvait attirante ? Il travaillait avec des stars de cinéma, sortait avec des mannequins et côtoyait chaque jour des femmes incarnant la perfection. Il avait même été fiancé à une superbe maquilleuse.

Et pourtant, elle aurait juré que ses yeux s'étaient agrandis quand il l'avait aperçue. Elle sentit la chaleur envahir son corps en repensant à quel point ils avaient été proches quand il avait saisi son sac. C'était un homme si… viril, si puissant. Si sexy.

Avec un sourire, elle saisit la robe courte en mousseline noire et la tint devant elle en se dirigeant vers le miroir. Toutes les robes étaient splendides, mais celle-ci serait parfaite pour la première soirée. Simple et noire, elle s'accorderait parfaitement à ses cheveux noirs.

Mia devait l'admettre : elle tenait à faire grande impression à Bronson. Elle espérait ne pas détonner au milieu de toutes ces personnalités riches et célèbres, et surtout ne pas embarrasser Bronson. C'était peut-être puéril de sa part, mais elle souhaitait qu'il la voie autrement que comme la simple assistante de sa mère. Quelle femme ne rêverait pas d'être désirée par un homme aussi puissant et dévoué à sa famille ?

Malgré son excitation, elle se sentit soudain envahie par la culpabilité, tandis qu'elle sortait une autre robe du placard. Comment pouvait-elle accepter autant d'une famille, quand elle détenait un secret susceptible de détruire leur bonheur ? Malheureusement, ce secret n'était pas le sien, et elle n'avait pas le droit de le révéler. Elle aurait préféré ne rien savoir, car elle était à présent déchirée entre sa loyauté envers son ancien employeur et sa fidélité à sa nouvelle patronne.

Son téléphone portable sonna, interrompant ses pensées.

— Allô ?

— J'espère que les robes vous plaisent ?

— Oui, Bronson, elles sont magnifiques. Jamais je ne pourrai vous remercier assez, vous et votre sœur.

— Les bijoux vous conviennent-ils ? demanda-t-il. Si ce n'est pas le cas, je peux appeler le joaillier et en échanger quelques-uns.

Mia jeta un coup d'œil à la commode, sur laquelle étaient posés plusieurs écrins de velours. Elle n'avait pas encore eu l'occasion de les ouvrir, mais elle ne doutait pas que leur contenu serait plus fabuleux qu'elle ne pouvait l'imaginer.

— Tout est bien au-delà de mes espérances,

répondit-elle en triturant le simple médaillon qu'elle portait. Merci beaucoup.

— La séance de ce soir commence à 19 h 30. Nous devons être sur le tapis rouge à 18 h 45, donc je vous retrouve dans le hall près des ascenseurs à 18 h 30.

Sur ces mots, il raccrocha. Sa froideur laissa Mia quelque peu déconcertée. Dans l'avion, il avait fait la conversation, en restant, certes, très superficiel. Mais, à plusieurs reprises, elle avait surpris ses yeux d'un bleu intense posés sur elle, comme s'il était aussi intrigué par elle qu'elle l'était par lui. Et à ces moments-là, il n'avait pas détourné le visage, ni même essayé de prétendre qu'il n'était pas en train de la dévisager. Après tout, pourquoi un homme comme lui se montrerait-il réservé ? Il avait toutes les femmes du monde à ses pieds.

De toute évidence, Bronson Dane n'était pas du genre à se dévoiler facilement. Cette conversation téléphonique de vingt secondes ne faisait que la conforter dans cette impression.

Elle se dirigea vers la salle de bains en soupirant. Un bon bain l'aiderait à se détendre. Le poids du secret qu'elle portait l'accablait tout entière. Elle avait été tellement excitée à l'idée de travailler pour la Grande Dane… Mais cela, c'était avant d'apprendre ce que sa patronne cachait au monde entier. Si seulement elle avait quitté Anthony plus tôt ! Son travail aurait été bien plus facile aujourd'hui !

Elle frissonna en songeant qu'un jour, la vérité éclaterait et détruirait la famille préférée d'Hollywood. Comme elle avait détruit la sienne.

Très longtemps auparavant, sa mère lui avait demandé

de garder un secret, mais, à l'âge de cinq ans, Mia n'avait pas imaginé qu'elle devait aussi le cacher à son père. Sa famille avait été brisée par sa faute. Ses parents avaient perdu la vie et, pendant des années, elle était passée d'une famille d'accueil à une autre. Vingt-cinq ans plus tard, elle vivait toujours dans la culpabilité.

Cette fois, elle garderait le secret. Elle refusait d'être à l'origine d'un autre désastre, de la destruction d'une autre famille.

Elle versa une quantité généreuse de savon au jasmin dans son bain, puis se glissa dans l'eau chaude avec un soupir de plaisir. Que penserait Bronson en la voyant ce soir ? Serait-il déçu ? Ou alors séduit ? Anthony l'avait avertie : Bronson était un play-boy. Et elle ferait mieux de ne pas se laisser charmer par un homme qui était connu pour passer d'un lit à l'autre.

Elle avait travaillé pour Anthony pendant trois ans, et pourtant, jamais elle n'avait vu ce dernier dans la même pièce que Bronson. Les tabloïde se faisaient une joie de décrire en détail la haine qui existait entre ces deux géants d'Hollywood, mais chaque fois qu'elle en avait parlé à Anthony, il s'était contenté de rire. C'était tout à fait lui, toujours insouciant, le sourire aux lèvres. Tout le contraire de Bronson.

Il devait bien y avoir un moyen de régler leurs différends. Peut-être qu'elle pourrait être le lien entre eux. Parce que, le jour où Bronson apprendrait qu'Anthony était le fils qu'Olivia avait abandonné quarante ans auparavant, sa haine pour lui s'en verrait décuplée.

Elle n'avait pas pu sauver sa propre famille, mais peut-être saurait-elle réunir cette famille-là…

- 2 -

Bronson en eut le souffle coupé. Aussi incroyable que cela puisse paraître, Mia était plus sexy que jamais dans sa robe haute couture, qui semblait avoir été créée pour elle et épousait parfaitement son corps sublime.

Elle était la tentation faite femme.

— Je vous l'avoue, je suis sans voix, dit-il, charmeur, en portant la main de Mia à ses lèvres. Et je suis heureux que vous soyez ma cavalière.

Elle lui retourna un sourire séducteur.

— Je suis ravie de vous accompagner.

S'il ne s'agissait pas de l'assistante de sa mère, au sujet de laquelle il nourrissait toujours de sérieux doutes, il n'aurait pas mis plus de quelques secondes à lui faire retirer sa robe. En réalité, il n'excluait pas encore cette possibilité. Ils allaient passer une semaine entière à Cannes et, après tout, y avait-il meilleure façon de connaître quelqu'un… intimement ?

Avec une pointe de jalousie, il pensa à tous les hommes qui poseraient des yeux admiratifs sur elle ce soir. Et puis, qu'ils regardent ! Tant qu'ils ne touchaient pas. Ce soir, Mia était à lui, rien qu'à lui. Une victoire d'autant plus douce qu'elle ne faisait qu'accentuer la perte d'Anthony.

— On y va ? fit-il en lui offrant son bras.

Elle y glissa sa main et, hanche contre hanche, ils traversèrent le hall. Ses talons qui claquaient élégamment sur le sol de marbre, son parfum de jasmin, tout en elle semblait vouloir le torturer. Il la désirait, tout en se méfiant d'elle. Elle lui faisait perdre le contrôle de ses émotions, et il détestait cela. Mais il émanait d'elle une telle assurance, un tel sex-appeal qu'il savait qu'avant la fin de la semaine, elle serait dans son lit.

Il soupira. Une libido décuplée était bien la dernière chose dont il avait besoin en ce moment… Il devait garder l'esprit clair pour percer à jour les intentions de cette femme. Pourquoi le simple fait qu'elle puisse avoir couché avec son ennemi ne suffisait-il pas à calmer ses ardeurs ?

Sa sœur avait le chic pour mettre les femmes en valeur, songea-t-il en admirant une nouvelle fois le profil de sa cavalière. Styliste la plus courtisée des vedettes américaines, elle avait su dénicher la robe parfaite pour Mia, celle qui accentuerait sa taille élancée, ses courbes voluptueuses et sa sensualité.

— Victoria sait comment y faire pour qu'une femme se sente belle, remarqua-t-elle, comme si elle avait lu dans ses pensées.

Ils se dirigeaient d'un pas tranquille vers le tapis rouge, entourés de palmiers verdoyants. Il avait posé la main sur son dos, dénudé par le dessin sensuel de la robe. Elle était si douce, si féminine, si… parfaite. L'espionne idéale pour Anthony.

— Victoria sait comment rendre une belle femme encore plus époustouflante.

— Merci, répondit-elle, visiblement aussi surprise que flattée.

Juste avant qu'ils n'atteignent le tapis rouge sur lequel se pressaient des centaines de photographes, il se glissa devant elle.

— C'est moi qui vous remercie, lui murmura-t-il à l'oreille. Ce soir, je vais rendre tous les hommes présents malades de jalousie.

— J'en doute, mais merci encore.

Elle était sérieuse. La plupart des femmes à Hollywood adoraient se montrer… et dépensaient des fortunes pour se mettre en valeur. Mais il était clair que Mia était différente. Elle avait beau rougir à ses compliments, elle n'y croyait pas.

En un éclair, Mia fut submergée par les flashes, le cliquetis des appareils photo et les cris dans lesquels elle distinguait le nom de Bronson. Ce devait être un rêve. Elle n'arrivait tout simplement pas à croire qu'elle était sur le tapis rouge à Cannes, vêtue d'une robe Victoria Dane, guidée par la main ferme de Bronson Dane sur son dos nu.

Elle prit soin de mémoriser chaque instant. Tout cela n'était pour elle qu'une incroyable escapade avant qu'elle ne retourne au monde réel, où elle n'était rien d'autre qu'une assistante. Même si quelque chose lui disait que ce ne serait pas la dernière fois qu'elle sentirait la main de Bronson sur sa peau. Elle frissonna de plaisir à cette idée. Il était vraiment irrésistible.

Il la conduisit d'une caméra à l'autre, avec une aisance déconcertante. Les célébrités se lassaient-elles de cette attention constante ? Appréciaient-elles d'être photographiées à chaque coin de rue ? Probablement pas. Mais c'était si nouveau pour elle qu'elle en savoura chaque minute. Pourtant, elle avait travaillé dans ce milieu assez longtemps pour savoir que les clichés montrent tout. Dévoileraient-ils l'euphorie qui était la sienne ? Saisiraient-ils son sourire éclatant, signe évident qu'elle s'amusait comme une folle, même si elle n'avait encore assisté à aucune cérémonie ou projection ? En tout cas, elle espérait qu'ils ne capteraient pas sa nervosité et ses mains tremblantes.

— Ils se demandent tous qui est la magnifique créature au bras de Bronson Dane, lança-t-il d'un ton amusé.

Elle se crispa légèrement.

— Détendez-vous, ajouta-t-il avec un sourire.

— Plus facile à dire qu'à faire.

De son pouce, il caressa son dos.

— Je vous ai vue vêtue d'une simple serviette. Vous n'avez aucune raison d'être nerveuse devant quelques caméras.

Pourquoi avait-il choisi d'évoquer ce souvenir si embarrassant ? Ou peut-être en gardait-il, lui, un bon souvenir… ?

— Ce n'est pas vous qu'on a accusé d'avoir une liaison avec votre patron.

A ces mots, il éclata de rire, offrant son plus beau sourire aux photographes.

— C'est ce qui vous rend si mystérieuse. Ils ne savent pas quoi penser.

Soudain troublée, elle regarda autour d'elle, et prit enfin conscience des vedettes de cinéma qui se tenaient près d'eux, incroyablement glamour dans leurs tenues somptueuses et arborant des bijoux de luxe. Tous souriaient, le visage tourné vers les photographes, accordant parfois une brève interview à la presse.

— Qu'ils spéculent, ça m'est égal, murmura-t-elle enfin. Je n'ai rien à me reprocher.

— Allons à l'intérieur. Je suis sûre que ma mère nous y attend déjà. Elle arrive toujours avec une heure d'avance à ce genre d'événements pour pouvoir discuter avec tout le monde.

— Et vous, vous ne voulez pas discuter avec tout le monde ?

— Les gens que j'ai envie de voir, je les retrouve aux after-parties.

— Vous n'êtes pas très loquace, n'est-ce pas ? demanda-t-elle en riant.

— Quand il faut parler, je parle. Quand il faut travailler, je travaille.

Il se pencha davantage vers elle, ses yeux d'un bleu d'acier fixés sur ses lèvres.

— Et, quand il faut jouer, je joue. Oh oui, je sais jouer, acheva-t-il dans un murmure.

Elle sentit un frisson lui parcourir le dos. Parfait. Il suffisait d'un regard de Bronson pour qu'elle succombe comme une adolescente !

— D'autres questions ? demanda-t-il, si près qu'elle sentait son souffle sur sa joue.

Elle détourna le visage, dans l'espoir de masquer son trouble.

— Plus tard, peut-être.

— Je n'en doute pas, s'exclama-t-il avec un rire puissant.

Et il l'entraîna dans la grande salle.

*
* *

— *Vous me flattez.*

Bronson se retourna brusquement en entendant Mia parler dans un français irréprochable à un célèbre producteur. Elle riait, la main posée sur le bras de son interlocuteur.

— Désolée, dit-elle en le rejoignant. En revenant de la fontaine de chocolat, je suis tombée sur M. du Muir et nous avons commencé à discuter.

A discuter ? En français ? D'abord, elle apparaissait dans le hall de l'hôtel, l'image même de la tentation sur des talons hauts, le taquinant de manière insupportable avec ses cheveux relevés et son dos dénudé, et voilà qu'elle se mettait à discuter en français comme si elle avait vécu toute sa vie dans ce pays.

— J'avais oublié que vous parliez couramment français. Ma mère m'a dit que vous aviez un don pour les langues.

Et il l'avait aussi lu sur son CV.

— Je parle français, espagnol et bien sûr italien.

Comme elle buvait une gorgée de champagne, il ne put détacher le regard de ses lèvres rosées. Tout en elle le rendait fou de désir.

— Vous maîtrisez aussi la langue de la séduction. Vous avez une façon de parler très sexy, vous savez. Vous êtes sûre de ne pas être actrice ?

En vérité, il ne plaisantait qu'à moitié. Que ce soit à l'ouverture du Marché du film ou lors du cocktail qui avait suivi, il avait été ébloui par la prestance de Mia. Pas une fois elle n'avait semblé intimidée ou mal à l'aise. Son sourire et son regard intense avaient illuminé le tapis rouge et il ne doutait pas que toutes les photos le montreraient dévorant des yeux cette déesse italienne.

— Absolument certaine. Et, pour ce qui est des langues étrangères, j'adore leurs différentes musicalités. Ça a quelque chose de si romantique et mystérieux.

— Voilà deux mots qui décrivent à merveille ma cavalière de ce soir. Mais vous finirez bien par vous mettre à nu…

Il la scruta intensément, juste assez longtemps pour la voir rougir.

— Voilà Olivia, balbutia-t-elle soudain.

— Mes chéris ! dit sa mère en les rejoignant. Je suis navrée de ne pas m'être montrée depuis la projection. Je discutais avec de vieux amis. Mais tout le monde parle de la beauté au bras de mon fils. Aucun homme ici ne résiste à vos charmes, ma chère, ajouta-t-elle à l'intention de Mia.

L'air gêné, celle-ci se mit à rire.

— Vous exagérez. Toutes les femmes ici sont magnifiques.

Pas autant que vous. Les mots faillirent lui échapper. Et c'était la stricte vérité. A ce moment précis, aucune femme ne pouvait rivaliser avec Mia.

Il devait faire attention, résister. Il n'était pas là pour tomber sous le joug de cette femme. Il devait découvrir ce qu'elle voulait réellement à sa famille. Quelle idée Anthony avait-il eu derrière la tête en envoyant son assistante travailler pour sa mère ? Bien sûr, si Mia s'avérait être aussi honnête et innocente que le répétait Olivia, alors il la laisserait tranquille. Mais, s'il apprenait que ses soupçons étaient fondés, et qu'elle travaillait encore pour Anthony, ils regretteraient tous les deux de s'être joués des Dane.

— C'est dommage que Victoria n'ait pas pu venir cette année, dit-il, chassant ses idées noires.

— Le mariage d'une grande célébrité est plus important que nous, mon chéri. Elle travaille beaucoup trop, la pauvre.

— Telle mère, telle fille !

— Sans doute, mais je suis fière du travail de tous mes enfants.

Sur le point de répondre, il s'interrompit brusquement en voyant la lueur de tristesse qui venait d'apparaître dans les yeux de Mia.

— Vous avez beaucoup de chance d'être aussi unis, fit-elle en buvant une gorgée de champagne. Alors, Victoria assiste au festival, d'habitude ?

— Presque toujours. Elle a créé la plupart des robes que vous voyez ce soir et elle adore pouvoir admirer le fruit de son travail sur place.

— Il se fait tard, fit Olivia en déposant un baiser sur la joue de Bronson. A demain, mon chéri. Mia, on se voit demain matin à la première heure.

— Je vous retrouve à votre suite à 8 heures tapantes.

Bronson regarda sa mère disparaître dans le décor de chandeliers de cristal, de fontaines de champagne, de tape-à-l'œil et de glamour, puis se tourna vers Mia, qui étouffait un bâillement dans sa main.

— Le décalage horaire, justifia-t-elle avec un sourire.

Il était déçu que la soirée touche à sa fin, mais il était tard et il avait une réunion dans la matinée.

— Je vous raccompagne à votre chambre.

— Vous n'avez pas besoin de partir vous aussi. Je

suis sûre qu'il y a encore beaucoup de personnes qui aimeraient discuter avec vous.

— Il est déjà plus de minuit. Vous n'êtes pas la seule à avoir besoin de repos.

Sur ces mots, il lui offrit son bras. En se dirigeant vers la sortie, il ne put s'empêcher de remarquer que tous les hommes la regardaient avec convoitise. Mia, en revanche, semblait ne pas avoir conscience de l'attention dont elle était l'objet.

— Et moi qui pensais que les célébrités d'Hollywood ne dormaient jamais.

— C'est vrai qu'il nous arrive de passer quelques nuits blanches. C'est pour ça que nous devons dormir quand nous en avons l'occasion.

Elle avait des yeux magnifiques, des yeux à se damner. Il avait à peine la force de résister à son parfum, une douce fragrance florale. Si elle avait un tel pouvoir sur lui après seulement une soirée, comment survivrait-il jusqu'à la fin du séjour ?

En marchant le long des quais, il sentit un goût de sel sur ses lèvres. Les lèvres de Mia auraient-elles ce goût, elles aussi ? Des dizaines de yachts étaient amarrés les uns à côté des autres, balancés par les vagues de la Méditerranée, auréolés de lumière se reflétant à l'infini sur l'eau — un décor on ne peut plus romantique, digne des plus grands films à l'eau de rose.

— Cet endroit est incroyable, s'exclama Mia. Si je vivais ici, je passerais mes journées à regarder les vagues.

— Nous avons l'océan, chez nous.

— C'est vrai, mais Cannes est bien plus romantique

et… glamour. J'adore Hollywood, mais parfois j'ai l'impression que là-bas tout n'est que faux-semblants.

— Et vous, vous faites semblant ?

— Non, répondit-elle sans hésiter. Je suis comme je suis.

Il la toisa, de bas en haut, jusqu'à poser les yeux sur la perfection de son visage.

— Pour l'apparence, vous n'avez de toute évidence pas besoin de faire semblant. Mais à l'intérieur ? Vous arrive-t-il de mentir ?

— Tout le monde ment un jour ou l'autre, Bronson. C'est dans la nature humaine de ne pas dire la vérité quand un mensonge est préférable.

Il se planta devant elle, l'obligeant à s'arrêter. Elle leva les yeux vers lui, et la lune vint illuminer leur couleur chocolat. S'il ne prenait pas garde, il se laisserait envoûter par leur beauté, il perdrait la bataille qu'il livrait contre lui-même.

— Sur quoi mentez-vous aujourd'hui, Mia ?

La brise fit danser une mèche de ses cheveux. Il la glissa derrière son oreille, passant délicatement son doigt le long de son visage, le long de son cou.

— Je vous l'ai dit, répondit-elle, le souffle court. Je suis comme je suis.

— Vraiment ?

Abandonnant toute résistance, Bronson la saisit par la nuque et posa ses lèvres sur les siennes.

Parfaite. Oui, elle était absolument parfaite.

C'était encore mieux que ce dont il avait rêvé. Il découvrit avec délice la passion qui couvait en cette femme sûre d'elle et secrète à la fois. Elle enroula ses doigts autour de son biceps, mais il ne put dire si c'était pour le repousser ou pour mieux l'attirer contre elle.

Enfin, il caressa librement le dos qui avait attisé son désir toute la soirée. Leurs corps, plaqués l'un contre l'autre, n'étaient plus séparés que par de fines couches de vêtements. Elle frissonnait sous ses doigts, il ne pouvait plus douter de l'effet qu'il avait sur elle.

Un clic, un flash. Il s'interrompit brusquement, juste à temps pour voir le paparazzo disparaître au coin de la rue.

— Oh ! non, est-ce qu'il a… ? fit Mia.

— Oui.

Il recula de quelques pas, rétablissant une distance entre eux, tandis qu'il essayait de refouler sa colère, et sa frustration.

— Il nous a pris en photo et maintenant il doit être en chemin vers le torchon qui l'emploie.

Mia affichait une expression d'effroi.

— Je suis tellement désolée, Bronson.

— Désolée qu'on se soit embrassés ou qu'on nous ait vus ?

— Je ne regrette pas qu'on se soit embrassés. Je suis surprise, mais je ne regrette rien. En revanche, je serais désolée de devenir une source d'embarras pour votre famille dans la presse. En particulier, compte tenu de ce qu'on y a dit de moi il y a quelques mois.

Son inquiétude semblait réelle, mais il n'était pas sûr de pouvoir se fier à ses impressions en ce qui la concernait.

— Je cachais votre visage. Pour la presse, vous êtes une inconnue.

- 3 -

Une inconnue.

Cela faisait deux jours que ces mots résonnaient dans l'esprit de Mia. Etait-ce ainsi que Bronson la voyait ? Leur baiser n'était-il pour lui que le simple prélude à une aventure sans lendemain ? Combien de femmes s'étaient laissé séduire par ce play-boy hollywoodien avant d'être rejetées, le cœur brisé ? Elle était parcourue de frissons chaque fois qu'elle repensait à ce baiser, un baiser passionné comme elle n'en avait jamais connu auparavant. Ne serait-elle qu'un numéro sur une longue liste à la fin de cette semaine ?

Avec un soupir, elle prit le temps d'examiner son reflet dans le miroir. La robe qu'elle portait ce soir, d'une profonde couleur prune, et laissant une épaule dénudée, lui donnait une apparence aussi sexy et féminine que les autres.

Elle en était à sa troisième soirée cannoise et chaque jour elle sentait grandir son désir pour Bronson. Et elle savait aussi à quel point ces sentiments étaient dangereux.

Elle ne devait pas se leurrer. Il la désirait certainement sexuellement, mais cela n'allait pas plus loin. Pourtant, elle ne pouvait s'empêcher de rêver, et le souvenir de leur baiser ne l'aidait pas à apaiser ses sens. Bronson Dane était le fantasme de toute femme ; elle ne faisait pas exception.

Dans l'espoir de calmer sa nervosité, elle inspira profondément. Dans quelques jours, ils seraient tous de retour à Hollywood, et Bronson l'oublierait, pris par ses occupations.

Pendant le festival et les soirées qu'elle avait passées à ses côtés, elle avait pris plaisir à l'observer charmer telle actrice ou flatter l'ego de tel acteur. Elle savait qu'il le faisait par intérêt : il pourrait les vouloir dans un de ses films un jour. La règle à Hollywood est de prendre ce que l'on veut, en usant de tous les subterfuges et les manipulations nécessaires. D'après ce qu'elle avait pu voir, Bronson était un champion à ce jeu.

Souriant à une dame âgée qui venait d'entrer, elle sortit des toilettes — pour tomber quelques pas plus tard nez à nez avec Anthony Price.

— Mia !

Sans lui laisser le temps de réagir, il la prit amicalement dans ses bras.

— Il me semblait bien t'avoir vue l'autre soir. Je ne savais pas que tu serais ici.

D'un mouvement plus brusque que nécessaire, elle se dégagea de son étreinte.

— Ne fais pas ça. Et si quelqu'un nous avait pris en photo ?

Et si Bronson nous avait vus ?

Soudain inquiet, Anthony jeta un regard furtif autour d'eux.

— Les paparazzi n'ont pas le droit d'entrer ici, mais tu as raison, je m'excuse. J'étais juste surpris et ravi de te voir. Tu es venue avec Olivia ?

— Et Bronson.

Le sourire d'Anthony s'estompa.

— Vraiment ? Est-ce qu'ils…

— Je n'ai rien dit, Anthony. Je t'ai promis que je ne révélerai pas ton secret et je tiens toujours mes promesses.

Mais, au fond, elle ne lui reprochait pas de s'en inquiéter.

— Je le sais bien. C'est juste que je ne sais toujours pas quoi faire. Je veux dire, après toutes ces années, tant de vies vont être bouleversées à jamais. Sans compter ma situation à la maison…

— Je sais. Je serai là pour toi si tu as besoin de moi. Ce n'est pas parce que je ne travaille plus pour toi qu'on ne peut pas discuter.

— Merci, Mia. Je ne sais toujours pas comment j'ai pu te laisser partir, ajouta-t-il avec un sourire.

— Ton mariage était plus important que ton assistante, rappela-t-elle. Tout va s'arranger, Anthony. Vous avez tous les deux besoin de temps, c'est tout. Ecoute, je dois y retourner, sinon Bronson va commencer à me chercher. Et puis, mieux vaut éviter qu'on nous voie ensemble. Ça ne t'aiderait pas.

— Tu as raison. Je ne veux pas perdre Charlotte. Mais j'ai été ravi de te revoir.

— Je tombe à point nommé, on dirait.

Mia aurait reconnu cette voix virile entre mille.

— Bronson ! fit-elle en se tournant brusquement vers lui.

— Je ne voulais pas vous interrompre. Je commençais à me demander si vous alliez bien, mais je vois que je me suis inquiété pour rien.

Pourquoi avait-elle l'impression d'avoir été prise en flagrant délit ? Elle ne faisait rien de mal ! Ne pouvait-elle discuter avec un ami sans que les gens imaginent le pire ?

Devant le regard noir que Bronson adressa à Anthony, elle ne put s'empêcher de frissonner. Elle était prise entre deux hommes puissants, et la tension dans l'air était presque palpable. Mais maintenant qu'elle les voyait tous les deux ensemble… Oui, la ressemblance était là. Subtile, mais indéniable.

Quel paradoxe que deux frères biologiques, élevés dans deux foyers distincts, soient devenus tous deux de grands magnats hollywoodiens. Et quelle tristesse qu'ils en soient venus à nourrir une véritable haine l'un pour l'autre…

— Je ne savais pas que Mia était ta cavalière, Bronson, lança Anthony. Tu as beaucoup de chance.

— En effet.

Bronson toisait son ennemi avec un tel aplomb ! Que pouvait bien ressentir Anthony, embarrassé d'un secret si lourd depuis six mois ?

Ce dernier avait promis à Mia de parler à Olivia de ce qu'il avait découvert. Il lui avait aussi promis de ne pas faire éclater un scandale. Il avait beau détester Bronson, il avait toujours eu la plus grande admiration pour la Grande Dane et ne voulait rien faire ou dire qui puisse la blesser. Même s'il avait à cœur de la rencontrer, un jour. Il avait tellement de questions à lui poser !

En attendant, Mia devait à tout prix séparer Bronson et Anthony. Un simple éclat de voix et leur querelle ferait la une de tous les magazines en moins d'une heure. Prenant son courage à deux mains, elle posa une main apaisante sur le bras de Bronson.

— On y retourne ? Je prendrais bien une coupe de champagne.

Ignorant sa mâchoire crispée, elle lui prit le bras.

— J'ai été ravie de te revoir, Anthony.

— Moi de même, Mia. Je suis sûr qu'on se reverra avant la fin du festival, répondit-il en l'embrassant sur la joue.

Avec un soupir de soulagement, elle se laissa mener par Bronson vers les fontaines de champagne. Malgré les célébrités qui l'entouraient, les rires, l'alcool qui coulait à flots, il lui fallut plusieurs minutes pour se remettre de cette rencontre. Anthony et Bronson avaient tous deux quelque chose de redoutable, et elle espérait ne plus jamais se retrouver entre eux.

Tant qu'elle se concentrerait sur son travail, elle n'aurait pas de souci à se faire, se dit-elle pour se rassurer. Oui, même si elle aurait aimé pouvoir aider ces deux frères séparés par la vie à se retrouver, ce n'était pas son rôle. Et elle savait, pour en avoir fait les frais, le mal qu'on peut causer en révélant un lourd secret.

Une coupe à la main, elle se tourna vers Bronson.

— Détendez-vous.

— Je suis détendu.

— Vous l'étiez jusqu'à ce que vous croisiez Anthony. Depuis, vos yeux lancent des éclairs.

— Tout le monde sait que nous ne nous entendons pas. Et je pensais que vous en aviez fini avec lui. Mais visiblement, ça ne vous gêne pas de vous afficher avec lui.

— J'ai travaillé pour Anthony. Nous sommes amis. C'est tout.

— Vous aviez l'air très intimes quand je vous ai trouvés. Et, d'après ce que la presse raconte…

Elle haussa les épaules.

— Parce que vous croyez à toutes les sornettes que publient les tabloïde ? Et puis, en quoi cette histoire vous concerne-t-elle ?

— Je me fiche de ce que vous avez pu faire avec votre ex-employeur, tant que ça n'interfère pas avec ma famille.

De choc, elle manqua s'étrangler avec son champagne. Saurait-il un jour à quel point ces propos étaient proches de la vérité qu'elle dissimulait ?

— Je vous assure que rien n'interférera avec mon travail, fit-elle, mal à l'aise. Je suis ravie de travailler pour votre mère.

Elle se troubla davantage devant l'intensité de son regard.

— Il y a autre chose, n'est-ce pas ? demanda-t-elle, intriguée.

Il y avait forcément autre chose. Bronson respirait la colère.

— Vous avez l'air prêt à…

— Oubliez ça, Mia.

A la fermeté de son ton, elle comprit qu'il était agacé par sa perspicacité. De toute évidence, il s'était passé quelque chose de grave entre Anthony et lui. Mais Bronson était un homme secret. Jamais il ne se confierait à elle. Et cela ne la concernait pas, de toute façon… Finalement, la curiosité l'emporta.

— Pourquoi est-ce que cela vous énerve tant que je parle avec Anthony ?

— Ça n'a rien à voir avec vous. Et tout avec un autre jour. Un autre lieu.

Une autre femme, comprit-elle. La jalousie était bien la dernière chose à laquelle elle s'attendait de la part de Bronson. Pourtant, elle avait le très net sentiment que passé et présent s'étaient mêlés ce soir, l'espace d'un instant.

— Il est tard. Je vous ramène à votre chambre.

— D'accord, répondit-elle, vaincue.

Si Bronson était en colère maintenant, elle osait à peine imaginer sa réaction quand il apprendrait qu'Anthony était son frère.

Bronson était bien en peine de dire ce qu'il désirait le plus : savoir de quoi Mia et Anthony avaient parlé ou s'ils avaient couché ensemble. Mais, s'il voulait être honnête avec lui-même, il devait reconnaître que ce désir-là n'était rien, absolument rien, à côté du désir qu'il éprouvait pour Mia. Pourquoi se souciait-il de ce qui avait pu se passer entre elle et Anthony ? Quoi qu'il en soit, il ne revivrait pas la même situation que la dernière fois. La fois où il s'était laissé aller à avoir confiance en une femme qu'il aimait, au point de vouloir passer sa vie avec elle et leur enfant. *Leur enfant.* Encore un mensonge.

Aujourd'hui, il était bien décidé à laisser de côté ses émotions et à ne vivre que pour le plaisir. Le sexe. Il désirait plus que tout la voluptueuse Italienne qui le torturait avec sa beauté, son délicat parfum de jasmin et le pouvoir qu'elle exerçait sur lui.

Il guida Mia hors de l'ascenseur, un bras autour de sa taille, puis en direction de sa suite au bout du couloir. Ils n'avaient pas prononcé un mot depuis qu'ils avaient quitté la soirée. La tension sexuelle entre eux était presque insupportable. La gorge nouée, il l'observa, tandis qu'elle sortait la clé de son sac et ouvrait la porte, les doigts tremblants.

— Vous voulez entrer ?

C'était tout ce qu'il avait besoin d'entendre.

— Oui.

Puis, incapable d'attendre une seconde de plus, il l'attira contre lui.

Il en avait rêvé depuis qu'il l'avait vue à moitié nue dans le bureau de sa mère. Depuis qu'il l'avait aperçue lors de leur première soirée à Cannes dans cette robe drapée au dos nu ravageur.

Celle qu'elle portait ce soir serait si facile à retirer !

Pour le moment, il se concentrait sur sa bouche. Ses lèvres parfaites et si généreuses. Ses lèvres qui l'obsédaient depuis qu'il les avait goûtées deux nuits plus tôt. Toujours enlacés, ils entrèrent à reculons dans la suite. Il entendit à peine la porte se refermer et le sac de Mia tomber par terre. Les mains agrippées à ses biceps, elle laissa échapper un gémissement.

— Ça fait des jours que j'attends ça, fit-il en s'arrachant à leur étreinte. Dis-moi que tu n'es plus avec Anthony.

— Je ne l'ai jamais été, répondit-elle en s'emparant de nouveau de sa bouche.

Elle était aussi brûlante et passionnée que dans ses fantasmes, et plus encore que l'autre soir. Peut-être parce qu'ils étaient en privé, cette fois. Et il avait bien l'intention de profiter de cette intimité. Pas de paparazzi, pas de médias.

Redoublant d'ardeur, il continua d'avancer dans la chambre jusqu'à ce qu'ils heurtent une table. Il perdait tout pouvoir, tout contrôle. Il fit glisser sa bouche le long de son cou, de son épaule dénudée, jusqu'à atteindre son décolleté. En réponse, Mia se cambra, les mains appuyées sur la table, offerte comme si elle avait désiré ce moment autant que lui. D'un geste souple, il la débarrassa de son unique manche puis fit descendre sa robe jusqu'à sa taille, découvrant une lingerie de fine dentelle.

Soudain, une idée lui traversa l'esprit.

— Je n'ai pas de protection.

Quel imbécile il faisait ! Comment avait-il pu oublier ?

— Il y a ce qu'il faut dans le vanity sur la table derrière toi.

Une femme prévoyante. D'une main fébrile, il fouilla le sac et en sortit un préservatif.

Pendant ce temps, elle avait fini de retirer sa robe, les talons hauts toujours aux pieds. L'image même de la tentation.

— Magnifique, murmura-t-il, tout à sa contemplation.

En un éclair, il se débarrassa de son pantalon et enfila le préservatif.

— Tu n'as pas idée à quel point tu me rends fou.

— Alors approche, parce que l'attente me rend tout aussi folle.

Il la fit asseoir au bord de la table, elle enroula ses jambes autour de sa taille et, sans plus attendre, il la pénétra.

Oui… Oui. Les mouvements de leurs corps s'accordaient à la perfection. Il devait se retenir d'être trop brusque, trop rapide. Il voulait que l'euphorie dure. Il comprenait enfin que les deux derniers jours n'avaient été que les préliminaires de ce moment. Les contacts subtils, le flirt innocent n'étaient rien à côté de cette brûlante étreinte. Enfin, Mia était exactement là où il l'avait voulue depuis tout ce temps.

Il guidait leur va-et-vient, accueillant avec plaisir les gémissements qui s'échappaient de ses lèvres humides. Ces lèvres qui le rendaient fou, qui l'excitaient au moindre sourire, à la moindre parole. Au moindre souffle haletant. Elle agrippa ses épaules à travers la chemise qu'il portait toujours, car il avait été incapable d'attendre assez longtemps pour se déshabiller entièrement. Avec avidité, il glissa ses lèvres sur son sein.

Peu importait qu'elle soit l'assistante de sa mère, ou qu'elle ait eu ou non une relation avec Anthony Price. Il voulait cette femme plus que de raison. Et il prenait toujours ce qu'il voulait.

Quand il la sentit vibrer, il s'abandonna enfin à son plaisir. Ils jouirent à l'unisson, et il sut sans le moindre doute qu'ils n'en avaient pas fini tous les deux.

Le tremblement de leurs corps s'apaisa enfin, et Mia ouvrit les yeux avec un sourire.

— Je dois dire que j'aime assez ta façon de me raccompagner à ma chambre.

— Je te préviens : j'ai l'intention de recommencer dès que possible.

D'une main tremblante, elle entreprit de défaire les boutons de sa chemise.

— Peut-être qu'on devrait se débarrasser du reste de nos vêtements, dans ce cas.

— Absolument, répliqua-t-il, le désir montant de nouveau en lui.

Oui, peu importait que Mia soit l'assistante de sa mère, et qu'il n'ait aucune confiance en elle. Peu importait qu'elle ait couché avec Anthony Price. Parce qu'il n'avait aucune intention d'éprouver des sentiments pour elle, ou pour qui que ce soit, d'ailleurs. Pas après ce qu'il avait vécu, quand sa fiancée l'avait quitté après avoir perdu l'enfant qu'il croyait être le sien.

Lorsqu'ils avaient commencé à se disputer après sa fausse couche, elle lui avait balancé qu'elle avait eu une liaison avec Anthony et l'avait quitté. C'était la raison pour laquelle il n'avait que du mépris pour Anthony. Et qu'il n'avait plus la moindre envie d'une relation sérieuse avec une femme.

Le plaisir et le sexe : c'était tout ce qu'il voulait dans sa vie, désormais. Et la femme nue dans ses bras était exactement ce dont il avait besoin.

- 4 -

Six semaines plus tard…

Qu'avait-elle mangé qui ait pu la mettre dans cet état ? Fermant les yeux, Mia reposa la tête sur les coussins du canapé. Elle travaillait pour Olivia depuis sept mois, et elle n'avait encore jamais pris un seul jour, ni même une seule heure de congé. Mais aujourd'hui, elle se sentait incapable de travailler toute une journée sans tomber dans les pommes ou se précipiter aux toilettes toutes les cinq minutes. Et elle était tout à fait incapable de suivre la cadence de l'infatigable Olivia Dane.

Celle-ci avait eu pitié d'elle et l'avait renvoyée à la maison, en lui faisant promettre qu'elle appellerait si son état empirait ou si elle avait besoin de quoi que ce soit. Mia avait promis. Elle était touchée par l'attitude maternelle qu'Olivia avait adoptée envers elle, une attitude qu'elle n'avait pas eu l'occasion de connaître de sa propre mère.

Heureusement, elle pouvait faire le plus gros de son travail sur son ordinateur portable, et donc sans quitter son salon. En fait, tout irait très bien si la pièce voulait bien arrêter de bouger et son estomac de grogner. Que lui arrivait-il ? Elle n'avait mangé au dîner que du poisson et des légumes vapeur. Rien qui puisse justifier cet état, et pourtant elle se sentait vidée de son énergie à la lecture des quelques e-mails qu'elle avait reçus.

Avec un soupir, elle cliqua sur le message suivant. Encore un qui voulait savoir quand Bronson produirait un film avec sa mère dans le premier rôle. Le public adorait cette famille hollywoodienne si étroitement liée, et tous attendaient le film qui réunirait la mère et le fils.

Encore une fois, elle en revenait à Bronson. Il était parti juste après Cannes en voyage d'affaires pour son prochain film. Cela faisait six semaines qu'elle n'avait aucune nouvelle de lui. De toute évidence, il était passé à autre chose. Pourquoi ne pouvait-elle aussi tourner la page ? Pourquoi était-elle toujours hantée par le souvenir de ses baisers, de sa peau contre la sienne ? C'était Hollywood, après tout. Les partenaires sexuels allaient et venaient. Mais pas pour elle. Pour elle, le sexe avait toujours été plus qu'une pulsion physique sans lendemain.

Bronson avait pourtant été clair. Il ne voulait pas d'une relation, elle l'avait compris et accepté. Et, pour une nuit de passion avec le célibataire le plus sexy de la planète, elle avait été prête à oublier ses principes. Mais la petite fille en elle rêvait toujours du conte de fées hollywoodien, de l'homme séduisant qui tomberait amoureux d'elle et l'emmènerait dans sa villa où ils vivraient heureux à jamais.

Saisie par le souvenir de ses parents, elle agrippa le médaillon à son cou. Ils avaient quitté l'Italie pour poursuivre leurs rêves. Avec un tel héritage, comment pouvait-elle ne pas rêver ? Et pourquoi s'en empêcherait-elle ? Cela lui donnait le courage de se battre pour avoir ce qu'elle voulait.

Hélas, une partie d'elle voulait Bronson. Elle ne le connaissait peut-être pas très bien, mais elle voulait plus que tout apprendre à le connaître. Il avait été si attentif, si généreux avec elle, et il s'était comporté en vrai gentleman pendant toute la semaine qu'ils avaient passée ensemble. Pouvait-elle réellement espérer qu'après avoir couché avec elle, il tomberait fou amoureux et qu'ils vivraient heureux tous les deux dans une ville respirant le mensonge et la tromperie ? A Hollywood, aucun couple ne semblait échapper au divorce.

Chassant ces troublantes pensées, Mia entreprit de répondre au fan. Si Bronson et Olivia n'avaient à ce jour aucun projet de film commun, cela ne signifiait pas qu'ils ne travailleraient jamais ensemble. En vérité, ils aimeraient beaucoup travailler sur un même film, ils n'avaient tout simplement pas trouvé le bon. C'était en tout cas ce qu'elle avait entendu. Tout en tapant le message, elle songea que c'était la partie de son travail qu'elle préférait — communiquer avec des gens du monde entier évoquant avec nostalgie les vieux films de la Grande Dane et louant tout autant ses dernières apparitions sur le grand écran aux côtés des jeunes acteurs les plus en vue d'Hollywood.

Quand Olivia Dane apparaissait à l'écran, le public était instantanément séduit, quelle que soit la génération. Personne n'avait sa beauté, sa classe ou son intelligence. Tous les jours, Mia recevait un nombre incalculable de messages de tendresse et d'affection pour cette famille si liée, si brillante.

Petit à petit, la culpabilité recommença à l'envahir. Quand Anthony dirait-il enfin à Olivia qu'il avait découvert la vérité ? D'un côté, Mia était impatiente qu'il le fasse, que le secret soit éventé et qu'elle puisse enfin se débarrasser de l'angoisse qui la tenait en permanence. D'un autre côté, elle avait peur. Peur de ce que la vérité ferait à cette famille, aux vies qui seraient altérées à jamais. Les Dane seraient-ils capables de s'en relever ? Bien sûr, ils avaient déjà survécu à quelques scandales sans importance, mais là, c'était autre chose. Une situation pareille pouvait causer des dommages irréparables. Anthony et Bronson se détestaient déjà. Comment Bronson réagirait-il en apprenant que son pire ennemi était en réalité son frère ? Sans compter qu'un tel scandale dans la presse ternirait l'image irréprochable d'Olivia.

A cette idée, Mia fut de nouveau prise de nausées. Entre cette angoisse et le virus qu'elle semblait avoir contracté, elle n'avait qu'une envie : celle de se blottir sous sa couette et d'en finir avec cette journée. Malheureusement, c'était impossible. Il n'était que 10 heures du matin, elle avait encore une cinquantaine d'e-mails à lire, et des coups de fil à passer au sujet de l'émission télévisée à laquelle Olivia devait participer. Pas de repos pour les mourants.

Elle fut interrompue par la sonnette, qui résonna bien trop fort à son goût à travers le cottage. Enfin, cottage était un mot inapproprié pour décrire la maison d'invités de cinq cents mètres carrés dans laquelle elle vivait, équipée d'une piscine individuelle, d'un

Jacuzzi et d'une salle de projection. Bien sûr, à côté de la maison principale de deux mille mètres carrés, celle-ci s'apparentait davantage à un cottage.

En se dirigeant vers la porte, Mia eut un aperçu de sa tenue plutôt négligée. Elle avait enfilé des vêtements plus confortables en rentrant, car elle n'avait pas pensé voir qui que ce soit aujourd'hui. Tant pis. De toute façon, si ce n'était pas Olivia, c'était probablement un domestique qu'elle avait envoyé à sa place pour prendre de ses nouvelles. Elle espérait qu'il n'amenait pas de la nourriture, car la seule idée de manger décuplait ses nausées.

Lorsqu'elle ouvrit la porte, elle resta un moment interdite. Bronson se trouvait sur le seuil, resplendissant avec son bronzage californien et ses cheveux coiffés en bataille. Tout le contraire d'elle. Certes, ses cheveux étaient aussi en bataille, mais l'effet n'était pas le même.

— Je suis passé à la maison. Ma mère a dit que tu étais malade, lança-t-il, négligemment appuyé à un pilier. Tu as besoin de quelque chose ?

Sérieusement ? Il se pointait ici après des semaines sans la moindre nouvelle ? Un coup de fil aurait fait l'affaire, et elle n'aurait pas été aussi mortifiée par son apparence. S'il n'avait pas déjà oublié leur relation sexuelle, elle lui donnait là toutes les raisons du monde de se précipiter dans les bras d'une starlette quelconque.

— Mia ? Tu as besoin de quelque chose ?

Oui, qu'il disparaisse et revienne quand elle serait lavée, maquillée et coiffée.

— Tout va bien. Tu es venu uniquement pour voir comment j'allais ?

— Je suis revenu en ville il y a deux ou trois jours et j'avais l'intention de passer te rendre visite de toute façon.

— Vraiment ?

Après six semaines de silence radio, elle avait du mal à le croire.

— Pourquoi ? poursuivit-elle.

— Eh bien, en toute honnêteté…

Se sentant faiblir, elle s'appuya au mur, curieuse malgré elle d'entendre la suite.

— J'avais envie de te revoir. J'espérais qu'on pourrait dîner chez moi, mais, si tu es malade, on peut remettre ça.

Si elle avait eu assez d'énergie pour sauter en l'air, elle l'aurait probablement fait.

— Je n'ai même pas accepté de dîner avec toi et tu parles déjà de remettre ça. Tu es bien sûr de toi, dis donc !

Avec un sourire de vedette, il attrapa un tabloïde froissé dans sa poche arrière et le lui tendit. En le saisissant, elle aperçut la couverture. Une photo d'eux dans les bras l'un de l'autre. Leur premier baiser, capturé et exploité par un escroc de paparazzo. Et ce n'était pas tout. La photo était entourée de plusieurs autres plus petites, d'eux sur le tapis rouge ou pendant les soirées de gala. Finalement, son regard captura le titre : « ROMANCE A CANNES ? » Elle avait vu ces photos et des titres similaires, voire plus indiscrets, sur internet dans les quelques jours qui avaient suivi leur semaine à Cannes, puis l'histoire avait laissé la place à d'autres drames hollywoodiens.

— Qu'est-ce qui t'a fait croire que ça me convaincrait de sortir avec toi ? Et ce n'est pas toi qui voulais que cette nuit reste sans lendemain ?

Bronson fixa ses yeux bleus sur elle, la réchauffant et l'apaisant à la fois.

— C'est ce que je croyais, mais, après avoir vu ces photos, j'ai compris que ce n'était pas fini entre nous. A la façon dont tu me regardes, dont on s'embrasse, il est évident qu'il y a une réelle attirance entre nous, Mia. Une photo ne ment jamais.

Cherchant à masquer son trouble, elle posa le tabloïde sur la table à côté de la porte.

— Sur la plupart des photos, tu me regardes aussi. Je dirais que l'attirance est réciproque.

— Comme j'ai dit, une photo ne ment jamais. C'est pour ça que j'ai envie de te revoir.

Et aujourd'hui n'était pas exactement son meilleur jour. Etait-ce un signe ? Devait-elle comprendre qu'elle ferait mieux de chérir le souvenir de la nuit qu'ils avaient passée ensemble et de passer à autre chose ? Après tout, elle connaissait un secret qui bouleverserait la vie de Bronson. Mais quelque part au fond d'elle, elle voulait plus que tout revoir cet homme si sexy, si charmant, loin de l'atmosphère romantique de Cannes. Elle voulait savoir s'il y avait vraiment quelque chose entre eux.

— Je repasserai plus tard. J'ai prévu un magnifique dîner pour nous deux.

— Tu vas cuisiner ?

— En fait, je suis interdit d'accès à ma propre cuisine. En revanche, mon cuisinier nous préparera un véritable festin. Je donnerai congé à mes domestiques pour la soirée, bien sûr, ce sera juste toi et moi. Mais, si tu ne te sens pas bien, on peut remettre ça. Demain soir ?

— Non, ça ira. Je suis sûre que ça passera avec un peu de repos.

Bronson fit quelques pas dans la maison, la forçant à reculer. Il passa son doigt sur sa joue, la renvoyant en un éclair à leur nuit de passion, aux frissons qu'elle avait ressentis au contact de sa peau. A ses caresses qui l'avaient rendue folle de désir à Cannes, et dont elle rêvait depuis. Elle refusait d'être malade.

— Tu es plutôt pâle. On fera ça demain.

Il posa la main sur son front. Irritée par son geste, elle l'écarta avec brusquerie.

— Je ne suis pas vraiment d'humeur à jouer au docteur, Bronson. Demain, j'irai mieux et nous pourrons dîner chez toi. Peut-être que j'amènerai mon stéthoscope.

Il eut un sourire aguicheur.

— J'ai hâte de voir ça. Mais soigne-toi d'abord.

— D'accord. A demain, alors.

— Je passerai te chercher. A 17 heures.

Et sur ces mots, il retourna à sa voiture de sport, la laissant bouche bée à la porte. Cet homme avait débarqué de nouveau dans sa vie aussi vite qu'il en était parti. Et, comme la première fois, il lui avait fait perdre tous ses moyens. Qu'importe son apparence : elle ne voulait rien d'autre qu'être de nouveau avec

Bronson, l'homme aux lèvres et aux doigts si excitants qu'elle en tremblait au simple souvenir.

Elle ne laisserait pas le secret d'Anthony ou ce stupide virus l'empêcher de dîner avec lui le lendemain soir. Pas s'il y avait la moindre chance de revivre ce qui s'était passé à Cannes. Si Bronson avait un tant soit peu pensé à elle ces dernières semaines — comme tendait à le montrer le tabloïde qu'il trimbalait dans sa poche —, il avait probablement envie d'elle autant qu'elle avait envie de lui. Il était temps de sortir sa plus belle lingerie…

Bronson plongea la tête la première dans sa piscine privée. Il s'adonnait souvent à la nage, non seulement pour garder la forme mais aussi pour se détendre après une longue journée. La piscine était son endroit préféré dans cette énorme villa de Beverly Hills. Il pouvait y passer des heures, souvent jusqu'à ce que le soleil se couche. Rien ne l'aidait mieux à réfléchir aux événements de sa vie. Et aujourd'hui, l'événement principal dans sa vie était la magnifique Mia Spinelli.

Jamais il ne s'était laissé distraire de son travail par une femme. Pourtant, depuis Cannes, il était incapable de se concentrer sur quoi que ce soit. Le premier tabloïde qu'il avait vu l'avait révolté, une réaction qui lui était devenue automatique face aux médias. Puis, en regardant les photos de plus près, il avait vu l'évidence. Une preuve de plus qu'une photo ne ment jamais. Le paparazzo avait capturé leur premier baiser au moment idéal et à un angle parfait pour cacher le visage de Mia. Sur la plupart des photos, elle était dos à l'appareil. C'était alors qu'il avait remarqué la façon dont il la regardait. Son regard était débordant de désir. D'un désir presque animal. Son attirance était évidente, et, depuis qu'ils avaient couché ensemble, il avait été incapable de penser à autre chose. Heureusement, il avait pu raccourcir son voyage d'affaires. Aujourd'hui, tout ce à quoi il pouvait penser était à la façon de mettre l'éblouissante Mia dans son lit une deuxième fois.

Sans compter qu'il n'était toujours pas convaincu qu'elle ne cachait pas quelque chose. Se hissant sur le rebord de la piscine, il se jura de découvrir ce qu'elle cachait. Tout ce qu'elle cachait…

Le lendemain matin, Mia repoussa sa couverture à la hâte et se précipita aux toilettes. Il était moins une. Que lui arrivait-il ? Elle s'était sentie mieux dans l'après-midi et la soirée, mais ce matin, sa nausée semblait être revenue aussi violemment que la veille. Ce fut alors, au moment où elle s'apprêtait à tirer la chasse d'eau, qu'elle se figea, paralysée par une révélation. Non. C'était impossible. La vie ne pouvait pas être si cruelle ! Faisant quelques pas en arrière, elle se mit à faire le calcul dans sa tête. Ses règles avaient toujours manqué de régularité, mais jamais à ce point. Etait-il possible qu'un bébé soit en train de grandir dans son ventre ? Elle ne pouvait pas le croire. Malheureusement, les faits étaient là. Le cœur battant, elle sentit la nausée la gagner de nouveau, pour une tout autre raison cette fois.

Bien sûr, elle n'avait pas de test de grossesse sous la main. Certaines femmes prenaient cette précaution, mais elle n'avait jamais pensé qu'elle en aurait un jour besoin. Et étaient-ils réellement fiables ? Elle ne savait pas quoi faire. C'était la première fois qu'elle se retrouvait dans cette situation.

Un médecin. Elle devait voir un médecin. Tout de suite. Elle devait en avoir le cœur net.

Les jambes tremblantes, elle se passa de l'eau sur le visage, se brossa les dents et enfila à la hâte une robe bustier et des tongs. La minute suivante, elle attrapait ses clés et son sac à main, et filait vers le garage tout en pianotant sur son téléphone portable. La réceptionniste l'informa qu'elle pouvait faire un test sans rendez-vous. A présent, il fallait seulement que sa nausée passe, le temps qu'elle ait le résultat. Qu'importe sa nausée ! Ne devait-elle pas plutôt espérer que le test soit négatif ?

Mia accéléra sur l'avenue bordée de palmiers. Jamais elle n'avait eu aussi peur d'aller chez le médecin. Et jamais elle n'avait été aussi impatiente. Une fois l'alerte passée, elle pourrait se concentrer sur son dîner avec Bronson et ce qui suivrait. En revanche, si le résultat se révélait positif, la soirée risquait de prendre une tout autre tournure. Elle n'avait vraiment pas besoin d'un autre scandale. Elle ne s'était toujours pas remise du portrait que les médias avaient fait d'elle en étalant sa supposée liaison avec Anthony. L'esprit ailleurs, elle entra dans le bâtiment, prit l'ascenseur jusqu'au troisième étage et pénétra dans la salle d'attente, heureusement vide.

Trente minutes plus tard, elle sortait du cabinet.

Elle s'adossa au mur du couloir, essayant de mesurer ce que serait sa vie à présent. Car, dans trente-quatre semaines, Bronson et elle allaient avoir un bébé.

Scandale avec un géant d'Hollywood : deuxième partie.

- 5 -

Mia aurait voulu pouvoir oublier son rendez-vous imminent avec Bronson et s'enfermer chez elle pour le reste de sa grossesse.

Sa grossesse. Elle avait encore du mal à y croire. Les seules fois où elle s'était imaginée enceinte, elle s'était toujours vue amoureuse, mariée peut-être, et surtout prête à avoir un bébé. Mais il était trop tard, à présent. Elle n'avait plus qu'à faire avec et affronter Bronson. Ce soir. Pourtant, quelle que soit la réaction qu'il aurait, elle refusait de voir ce bébé comme une erreur ou un fardeau. Après tout, ce n'était pas sa faute s'il avait été conçu par deux personnes incapables de contrôler leurs pulsions.

La belle lingerie attendrait. Quand elle aurait lâché cette bombe, elle doutait fort que Bronson ait envie de la voir dans ses plus beaux atours. Comment pouvait-elle seulement penser à cela ? C'était exactement ce qui l'avait mise dans cette situation.

Ils avaient pourtant pris leurs précautions.

En fin de compte, la nervosité qu'elle avait ressentie en attendant les résultats du test n'était rien à côté de celle qui la prenait à la perspective d'annoncer à Bronson qu'il allait être père. Elle savait par la presse qu'il avait été auparavant sur le point de se marier et d'avoir un enfant, et que sa fiancée avait fait une fausse couche avant le mariage. Comment prendrait-il cette nouvelle grossesse ? Peut-être serait-il heureux d'avoir ce bébé, un enfant qui viendrait agrandir la dynastie des Dane ? Après tout, Bronson était un homme attaché à la famille. Et il avait probablement été dévasté par la perte de son enfant. Elle avait beau chercher encore et encore la meilleure façon de lui annoncer la nouvelle, rien ne semblait convenir. Y avait-il une bonne façon de changer la vie de quelqu'un ? Elle n'était pas sa fiancée, pas même sa petite amie. Elle n'était personne pour lui. Juste la mère de son futur enfant.

Elle osait à peine imaginer les gros titres des journaux quand la presse s'emparerait de l'histoire. Après avoir été accusée de coucher avec Anthony et d'avoir brisé son mariage, aujourd'hui, elle portait ni plus ni moins l'enfant de Bronson !

Prise par ces sombres pensées, elle sursauta en entendant la sonnette. Inspirant profondément, elle quitta le fauteuil dans lequel elle s'était recroquevillée, lissa machinalement sa robe et ouvrit la porte. Elle accueillit Bronson avec un sourire forcé, essayant de dissimuler la douleur qui la foudroya à sa vue.

— Je suis ravi qu'on ne sorte pas ce soir. Tu es superbe.

Mia s'efforça de refouler sa culpabilité autant que le frisson qui la parcourut à ces mots.

— Merci.

Fermant la porte derrière elle, elle accepta la main qu'il lui tendait et se laissa conduire à sa voiture. Il lui ouvrit la portière, mais, avant qu'elle puisse monter, il la saisit par les épaules et l'adossa au véhicule.

— J'ai bien peur de ne pas pouvoir attendre plus longtemps.

Une seconde plus tard, les lèvres de Bronson étaient sur les siennes. Incapable de résister, elle se sentit fondre, tandis qu'il posait les mains sur sa taille et attirait ses hanches contre les siennes. Savourant l'instant, elle agrippa ses bras musclés et s'abandonna à son baiser avec toute la passion dont elle était capable. Enceinte ou pas, elle désirait toujours cet homme de toute son âme. Et, de toute évidence, il la désirait toujours, lui aussi.

Enfin, Bronson s'écarta.

— Je crois qu'on va devoir passer directement au dessert.

Le message était clair. Le dessert dont il parlait n'avait certainement rien à voir avec un plat préparé par son cuisinier.

Elle grimpa dans la voiture avec un soupir. Elle pouvait le faire. Tous les jours, des milliers de femmes annonçaient une grossesse. Et une fois la nouvelle annoncée, ils pourraient aller de l'avant et faire face aux conséquences de la nuit qu'ils avaient passée ensemble.

— Tout va bien ? Tu es silencieuse, demanda-t-il après quelques minutes sur la route.

— Tout va bien, répondit-elle, ignorant sa nervosité grandissante à chaque seconde.

— Tu n'es plus malade, j'espère ?

Mia étouffa un grognement.

— Non, je ne suis plus malade.

Jusqu'à demain matin.

— Tant mieux, parce que mon cuisinier a préparé

des lasagnes absolument divines. J'ai aussi prévu du pain italien et du tiramisu pour le dessert.

Elle ne put s'empêcher de sourire.

— Tu sais que je suis italienne, n'est-ce pas ? Je risque de me montrer difficile.

— Je cherche toujours à plaire, Mia, et je suis sûr que tu apprécieras tout ce que j'ai prévu pour nous deux ce soir.

Avec une pointe de regret, elle songea à quel point les plans de Bronson seraient bouleversés ce soir. Elle avait la nette sensation qu'au lieu du dîner sensuel et romantique qu'il avait prévu, la soirée allait plutôt tourner au drame.

Et quand devait-elle lui annoncer la nouvelle ? Avant le dîner, alors qu'ils n'auraient échangé que quelques mots ? Ou après, quand la pièce serait chargée de tension sexuelle ? Non, elle ne devait pas attendre aussi longtemps. Elle savait très bien qu'elle serait incapable de dire quoi que ce soit si elle le laissait opérer son charme sur elle, poser ses mains sur son corps. Et, si elle le laissait faire, elle ne se pardonnerait jamais de tirer avantage de la situation en gardant un tel secret pour elle.

Elle avait toujours imaginé la maison de Bronson comme une maison du même style méditerranéen que celle de sa mère. Mais, en passant le portail de fer forgé, Mia découvrit une résidence on ne peut plus masculine. Sur trois étages, la maison était bâtie en briques sombres et éclairée de grandes baies vitrées.

— Ta maison est magnifique, Bronson.

— Je ne suis pas là assez souvent à mon goût, mais j'y suis très attaché.

Après avoir refermé la porte du garage, Bronson la fit entrer dans la maison par la cuisine. Et quelle cuisine ! N'importe quel cuisinier se serait damné pour y passer quelques heures, avec ses quatre cuisinières encastrées, un four à pizza en briques et trois éviers montés sur un plan de travail en béton. Des placards en acajou complétaient l'ensemble et donnaient à la pièce un aspect viril.

— Je donnerais n'importe quoi pour avoir une cuisine comme celle-là. J'adore cuisiner. Je dois être abonnée à tous les magazines de cuisine qui existent. Tous ces plans de travail, ces cuisinières…

Bronson jeta négligemment ses clés sur le comptoir.

— Tu peux venir cuisiner ici quand tu veux. Pour ma part, je suis une catastrophe en cuisine.

Elle ne tint pas compte de l'invitation. Inutile de se laisser tenter. Il ne manquerait pas de changer d'avis dès qu'il aurait découvert ce qu'elle cachait.

— Ça sent vraiment bon. J'ai hâte de goûter tout ça.

Bronson la guida vers le coin repas.

— Alors, passons à table.

Elle eut un sourire à la vue de la table ronde décorée d'une orchidée blanche dans un vase filiforme et d'assiettes d'un blanc éclatant.

— Très romantique ! remarqua-t-elle d'un ton légèrement moqueur. Tu as vraiment mis le paquet. Ou plutôt ton cuisinier a mis le paquet.

Bronson tira une chaise, l'invitant à s'asseoir. Puis il écarta les cheveux de son épaule pour déposer un baiser délicat dans le creux de son cou.

— Je n'ai peut-être pas fait la cuisine, mais le reste

vient de moi. Je n'ai pas besoin d'aide pour impressionner une femme.

L'excitation de Mia se mêla à la culpabilité.

— C'est donc ce que tu essayes de faire ? M'impressionner ?

— Comment je m'en sors ?

Parfaitement. Magnifiquement.

Pourquoi ne pouvait-elle laisser la soirée suivre son cours ? Les guider là où ils désiraient être tous les deux — dans les bras l'un de l'autre ? Ne pouvait-elle attendre le lendemain pour révéler sa grossesse à Bronson ?

Rien qu'une nuit avec lui, voilà ce qu'elle désirait par-dessus tout. Une dernière nuit dont elle se souviendrait pendant des années.

— Tu ne t'en sors pas mal du tout, répondit-elle en s'asseyant.

Bronson servit l'entrée, une salade avec une délicieuse vinaigrette et du pain croustillant, mais elle était incapable de manger. Pas avec ce secret qui lui pesait. Tant qu'elle n'avouerait pas, elle aurait l'impression de lui mentir. Et elle détestait ce sentiment.

Elle ne résista que quelques minutes avant de reposer son morceau de pain beurré.

— Je ne peux pas.

Bronson se figea.

— Pardon ?

Elle ne supportait plus d'être assise. Se levant d'un bond, elle agrippa le dossier de sa chaise et se força à le regarder dans les yeux.

— Je ne peux rester assise ici comme s'il allait se

passer quelque chose entre nous, alors que je sais que ça n'arrivera pas.

— De quoi tu parles, Mia ? Tu ne veux pas passer la soirée avec moi ?

— Au contraire, mais tu risques de ne plus vouloir passer la soirée avec moi quand tu apprendras…

Elle ne pouvait pas. Elle ne pouvait pas le dire à voix haute. Elle n'était pas prête. Soucieux, Bronson se leva à son tour et lui prit les mains.

— Allons dans le salon. Tu as l'air sur le point de tomber dans les pommes.

Se laissant conduire, elle s'installa dans un énorme canapé de cuir. Elle prit une inspiration profonde, cherchant les mots justes. Elle espérait tant que l'annonce de sa grossesse ne changerait rien entre eux, et que Bronson accepterait ce bébé. Leur bébé. Oui, après avoir grandi dans des dizaines de familles d'accueil, elle désirait plus que tout qu'il accepte et aime ce bébé. Elle pouvait accepter qu'il ne l'aime pas, elle, mais cet enfant ne méritait pas d'être rejeté et de ne pas connaître sa famille.

— Il s'est passé quelque chose ? Hier, tu avais l'air d'aller bien quand on parlait de notre dîner.

— Parce que j'allais bien, hier. Aujourd'hui, en revanche… En fait, tout a changé depuis hier.

— Tu n'as pas l'air différente. Que se passe-t-il ?

— Je suis enceinte.

Voilà, elle l'avait dit. Elle l'avait dit et la terre n'avait pas arrêté de tourner. Pour elle en tout cas. Bronson, de son côté, était soudain d'une pâleur extrême.

— Enceinte ? répéta-t-il.

Mia se contenta d'acquiescer lentement.

— Maintenant, je comprends pourquoi tu ne voulais pas être ici avec moi.

Il se leva brusquement, comme s'il craignait le moindre contact avec elle.

— Est-ce que le père est au courant ? Vous ne devez plus être ensemble ou tu n'aurais pas accepté mon invitation à dîner, je suppose ?

Il n'avait pas compris. Elle avait imaginé un grand nombre de scénarios ces dernières heures, mais jamais celui-là. La gorge nouée, elle se força à relever la tête, à croiser son regard.

— C'est toi le père, Bronson.

- 6 -

Bronson avait entendu les mots que Mia avait prononcés, mais il n'arrivait pas à y croire. Un autre bébé, une autre femme. En un éclair, la douleur, la trahison qu'il avait cru enterrées vinrent le submerger de nouveau.

— Je ne suis pas le père, Mia.

Elle sursauta, les yeux écarquillés.

— Pardon ?

— Je te crois quand tu dis être enceinte, mais je ne peux pas être le père. Nous avons pris nos précautions.

En se remémorant la scène, il sentit son estomac se nouer.

— Avec tes préservatifs.

L'instant d'après, elle était debout, à quelques centimètres de lui à peine.

— Est-ce que tu sous-entends que je l'ai fait exprès ? Tu te souviens de cette nuit-là, je suppose ? Que je t'ai souhaité bonne nuit et que tu m'as embrassée ? Que tu m'as entraînée dans la chambre et que tu as commencé à me retirer ma robe ?

Oh oui, il se souvenait. Cette nuit était gravée dans son esprit. Il se souvenait de son impatience à lui enlever sa robe, de sa fébrilité en ouvrant le sachet qui contenait le préservatif et surtout du plaisir qu'il avait ressenti. Jamais encore il n'avait ressenti un tel plaisir.

Il repensa aussi à toutes les rumeurs courant au sujet de Mia et Anthony, à leur liaison qui aurait duré plusieurs années, au mariage qu'elle aurait failli briser.

— Je ne fais que constater les faits, Mia. On a utilisé tes préservatifs et maintenant tu es enceinte. Une sacrée coïncidence, non ?

Il réagit à peine à la gifle qu'elle lui envoya. Cette douleur n'était rien face à celle qui le consumait. Il ne pouvait pas se permettre de s'attacher encore une fois à un bébé qui n'était pas le sien. Il refusait de revivre cela. Et, s'il s'avérait qu'il était le père, il refusait de se laisser piéger à s'engager dans une relation ou encore à céder à un chantage pour de l'argent.

— Tu penses que je vais te croire sur parole sur un sujet aussi sérieux ? demanda-t-il en se frottant la joue machinalement.

Etait-ce ce qu'elle cherchait ? Lui soutirer de l'argent pour ne plus avoir à travailler ? Ou peut-être pour devenir célèbre ? Quel que soit le scénario, les tabloïde allaient s'en donner à cœur joie. Après tout, peu importe ce qu'elle cherchait. Son avocat allait la manger toute crue. Et peut-être même qu'ils arriveraient à garder la presse en dehors de cela.

Comment avait-il pu baisser la garde aussi vite, aussi facilement ? Il avait voulu se rapprocher d'elle parce qu'il ne lui faisait pas confiance. En fin de compte, son plan se retournait contre lui.

— Qu'est-ce que tu cherches, Mia ?

Bronson croisa les bras sur la poitrine, sans la quitter des yeux. Il pouvait aussi bien être direct.

— C'était ça, ton plan ? Me piéger ? Est-ce qu'Anthony est au courant que tu es enceinte, soi-disant de moi ?

— Anthony ? Pourquoi j'irais lui parler de ça ? Tu es le seul à être au courant.

Il avait du mal à la croire.

— Vous sembliez bien intimes quand je vous ai surpris à Cannes. Qu'est-ce qui me dit que le bébé n'est pas de lui ?

— Comment oses-tu ? Je ne mens pas et je ne cherche pas à te piéger. Je voulais juste te donner tous les faits pour qu'on puisse gérer la situation ensemble. Après tout, ce bébé n'a rien demandé et je refuse…

Elle s'interrompit sur un sanglot très persuasif, les larmes aux yeux. Impressionnant. Peut-être qu'il devrait l'engager pour son prochain film.

— Je veux un test de paternité, dès que possible. Je suis déjà passé par là, Mia, et ça s'est mal fini pour moi. Mais je suis sûr que tu sais que j'ai déjà perdu un bébé.

— Je me souviens avoir entendu que ton ex-fiancée avait fait une fausse couche. J'en suis vraiment désolée, mais je t'assure que je prendrai grand soin de ce bébé.

— Je refuse de revivre ça, Mia. Je refuse de fonder une famille avec une femme en laquelle je ne peux pas avoir confiance.

A ces mots, Mia devint pâle.

— Je suis tout aussi choquée et effrayée que toi. Je n'avais pas prévu de me retrouver enceinte. Si tu ne veux pas faire partie de la vie de cet enfant, c'est ton problème. J'aimerai ce bébé et je lui donnerai tout ce dont il a besoin, avec ou sans ton aide. J'ai l'habitude de me débrouiller seule, je l'ai fait toute ma vie.

Une part de Bronson voulait croire que ce bébé était le sien. Même s'il n'était pas amoureux de Mia. Il avait toujours voulu des enfants pour agrandir la famille Dane, et une femme. Il voulait vivre ce que ses parents avaient vécu avant la mort de son père. Mais il devait se montrer réaliste. Bien qu'elle affirmât le contraire, Mia cherchait sûrement à lui extorquer de l'argent.

— Tu n'auras pas d'argent de moi tant que je ne serai pas sûr que ce bébé est de moi.

— Je ne veux rien de toi, répondit-elle, la mâchoire crispée. Je me suis dit que tu devais être au courant, mais, vu ta réaction, je ne veux même pas de toi dans la vie de mon bébé. On mérite mieux que ça.

Une ruse psychologique utilisée par des milliers de femmes pour manipuler les hommes. Mais il n'irait nulle part. Il devait plus que jamais rester proche d'elle pour découvrir ce qu'elle voulait.

— Mia, je t'assure que, si ce bébé est de moi, je ferai partie de sa vie. Et je ferai partie de ta vie, que je le veuille ou non. Tu peux compter là-dessus.

— Je ne veux pas que tu fasses partie de ma vie. Pas après tout ce dont tu m'accuses. Je ne mentirais jamais sur un sujet pareil. Je n'ai pas couché avec un autre homme depuis plus d'un an. Et jamais avec Anthony. C'était mon patron et un ami, c'est tout.

Encore une fois, elle avait l'air si convaincante. Et une partie de lui voulait vraiment la croire. La simple idée des mains d'Anthony sur son corps, sur sa peau si veloutée, la pensée qu'elle puisse être enceinte d'un autre le rendaient malade. Toutefois, il n'aimait pas plus l'idée qu'elle soit enceinte de lui. En dehors d'une forte attirance sexuelle, qu'avaient-ils en commun tous les deux ? Bien sûr, avant tout cela, il avait envisagé de voir où cette attirance pouvait les mener. Mais maintenant…

Mia passa en trombe devant lui, se dirigeant vers la cuisine.

— Où est-ce que tu vas ?

— Appeler un taxi, répondit-elle en sortant son téléphone du sac qu'elle avait abandonné plus tôt sur le comptoir. Je pense qu'il vaut mieux qu'on se calme et qu'on réfléchisse chacun de notre côté avant de poursuivre cette discussion.

— Je te ramène, fit-il en lui prenant le téléphone des mains pour mettre fin à l'appel. Si les paparazzi te voient sortant d'ici en larmes, ils en feront toute une histoire.

Elle leva ses yeux rougis vers lui, son mascara avait coulé sur le coin d'un œil. Pourtant, elle demeurait magnifique. Simple et séduisante à la fois. Cependant, la vraie question demeurait : était-elle une menteuse hors pair cherchant à le piéger ? Seul le temps pourrait le dire.

La douleur était presque insupportable. Recroquevillée dans son lit, Mia refusait de pleurer. Une grossesse devrait être un moment de bonheur dans la vie d'une femme. Mais le bonheur n'était pas une émotion qu'elle ressentait à ce moment précis. Agonie, frustration, désespoir, oui. Pas de bonheur.

Elle pensa à la vie qui grandissait en elle. La plupart

des femmes pouvaient se tourner vers une mère, une sœur, ou une meilleure amie même, pour des conseils. Mais elle, vers qui pouvait-elle se tourner ? Elle se donnait corps et âme à son travail pour oublier qu'elle n'avait personne dans sa vie qui se souciât réellement d'elle. Pas depuis la mort de ses parents, quand elle avait cinq ans. Ses quelques amis étaient trop occupés pour qu'elle puisse les appeler et leur annoncer la nouvelle. Ou simplement pleurer sur leur épaule. Cela ne l'avait jamais embêtée jusque-là — elle aimait son indépendance. Mais aujourd'hui, alors que sa vie prenait un tour si dramatique, elle aurait voulu plus que tout avoir quelqu'un à qui parler.

Elle ne s'était pas attendue à ce que Bronson prenne la nouvelle avec le sourire. Mais comment pouvait-il l'accuser d'avoir saboté le préservatif pour le piéger ? C'était absurde. Elle n'avait plus qu'à espérer qu'une fois qu'il se serait calmé, il la croirait. Et Olivia ? Victoria ? Seraient-elles heureuses ou méfiantes elles aussi ? Olivia la laisserait-elle conserver son poste ? Elle avait besoin de ce travail, aujourd'hui plus que jamais — car il était hors de question qu'elle accepte l'argent de Bronson. Ce n'était pas pour cela qu'elle lui avait parlé de sa grossesse. Non, elle lui avait parlé par respect et parce que c'était la chose à faire.

Elle sentit la rage monter en elle au simple souvenir de ses accusations. Il croyait le pire d'elle. Au fond, elle pouvait comprendre qu'il se méfie. Ils avaient utilisé un préservatif après tout — son préservatif à elle — et il ne la connaissait pas vraiment. Pourtant, elle ne pouvait s'empêcher d'être blessée. Toute sa vie, elle avait cherché à se montrer honnête et à dire la vérité.

Bien sûr, c'était avant qu'elle ne tombe sur le fameux dossier posé sur le bureau d'Anthony quelques jours à peine avant de commencer à travailler pour Olivia.

Avec un grognement, elle roula sur le dos et fixa les yeux sur le plafond. Son médaillon glissa sur son cou et vint lui chatouiller l'oreille. Comment sa vie était-elle devenue si compliquée ? Pourquoi ne pouvait-elle faire partie des millions de femmes qui sont si heureuses de la venue de leur enfant ? Elle avait toujours rêvé du moment où elle annoncerait à l'homme de sa vie qu'il allait être père. Quelle ironie !

Et puis, qu'espérait-elle en couchant avec un homme qu'elle connaissait à peine ? Elle n'avait jamais voulu d'une relation avec Bronson, surtout tant que le secret de l'existence de son frère n'était pas révélé au grand jour. Et aujourd'hui, elle se retrouvait bien malgré elle au centre de sa vie — qu'il le veuille ou non.

Elle jeta un œil à son réveil. Le lundi matin était arrivé bien trop vite à son goût. A présent, elle n'avait plus qu'à se préparer, puis à se rendre à la grande maison pour passer la journée avec Olivia tout en lui cachant non plus un, mais deux énormes secrets.

Elle se dirigea d'un pas résolu vers la salle de bains, déterminée à laisser de côté la femme s'apitoyant sur son sort qu'elle avait été tout le week-end et à reprendre le contrôle d'elle-même. Elle devait retrouver sa force, sa joie de vivre, pour elle comme pour son bébé.

Devait-elle mentionner sa grossesse ? se demanda-t-elle en se dirigeant vers la grande maison. A son employeur, oui. Le problème était qu'en l'occurrence, son employeur était aussi la mère de Bronson, ce qui relevait du terrain personnel. La situation était donc très délicate.

Un léger vertige la prit, tandis qu'elle suivait l'allée bordée de palmiers menant au bureau d'Olivia. Désormais, elle devait également penser au petit être qui grandissait en elle. L'idée l'exaltait et la terrifiait à la fois. Les familles d'accueil dans lesquelles elle avait grandi ne constituaient pas de très bons exemples parentaux, et elle n'avait jamais eu de bébés dans son entourage. Pourtant, elle savait, sans la moindre hésitation, que son rôle était de tout faire pour que son enfant ne doute jamais de l'amour qu'elle lui portait. Car n'est-ce pas ce que nous voulons tous ? Etre aimé, de façon inconditionnelle, pour ce que nous sommes et non pour ce que nous pourrions être ? Un jour, elle trouverait quelqu'un qui l'aimerait pour elle-même, se promit-elle.

— Ah, voilà ma jolie assistante !

Olivia était en train de se verser un jus de fruits. Chaque matin, la cuisinière déposait dans son bureau un plateau de fruits frais et de jus en tous genres.

— Tu as envie de quelque chose ?

Mia secoua la tête. Elle n'avait mangé que quelques crackers pour avoir la force d'aller travailler, mais elle ne voulait pas risquer d'être reprise de nausées.

— Pas pour le moment, merci.

Elle s'apprêtait à se rendre dans son propre bureau quand Olivia l'arrêta.

— Tout va bien, ma chérie ?

Ignorant la culpabilité qui l'envahissait, Mia lui adressa un sourire.

— Je n'ai pas très bien dormi cette nuit. Je suis sûre que ça ira mieux dans un instant.

— Tant que tu n'es plus malade.

Mia haussa les épaules, cherchant une réponse qui ne serait pas un mensonge, sans toutefois révéler la vérité.

— Je suis juste contente de pouvoir venir travailler aujourd'hui. Je suis plus productive ici que chez moi. J'ai quand même fini votre itinéraire pour les deux prochains mois. On pourra regarder ça dès que j'aurai démarré mon ordinateur et vérifié mes e-mails. J'attends une dernière confirmation pour une interview.

Pressée de s'éloigner de la grand-mère de son bébé, elle se rendit à son bureau, une pièce spacieuse avec vue imprenable sur la piscine. Plus elle passerait de temps seule ici, mieux ce serait. Quand Bronson et elle auraient mis les choses à plat, peut-être se sentirait-elle moins nerveuse devant Olivia.

Alors qu'elle démarrait son ordinateur, son regard se posa sur le portrait photo au cadre doré suspendu au-dessus du fauteuil à l'autre bout de la pièce. Le portrait qui, depuis des dizaines d'années, était décliné en posters et tableaux de toutes sortes. Une jeune Olivia aux cheveux noirs brillants et à la robe moulante dorée lui souriait en posant pour son premier oscar. Maintenant qu'elle y pensait, cette photo avait dû être prise deux ans à peine après que la star eut fait adopter Anthony dans le plus grand secret.

Captivée de découvrir cette photo sous un tout nouveau jour, elle posa la main sur son ventre. Olivia avait dû ressentir une angoisse terrible, à l'époque. Mia ne pouvait imaginer abandonner un enfant un jour, mais sa patronne devait avoir eu ses raisons. Qu'est-ce qui avait tant changé dans la vie de la diva entre cette adoption et la naissance de Bronson, quatre ans plus tard ? Le père de Bronson et Victoria avait été le seul mari d'Olivia. Il était donc probable que sa situation amoureuse associée à sa carrière naissante l'ait amenée à abandonner Anthony. Qu'avait-elle ressenti en donnant le jour à un autre garçon quelques années après l'abandon de son premier enfant ? La naissance de Bronson avait dû faire resurgir des souvenirs douloureux.

Encore une fois, les pensées de Mia revenaient à Bronson, puis à cette nuit à Cannes où il était entré dans sa suite. Elle aurait dû lui dire non, étant donné ce qu'elle savait à propos d'Anthony. Mais comment aurait-elle pu résister aux lèvres qui s'étaient emparées des siennes, aux mains qui s'empressaient de lui retirer sa robe ? Elle revoyait parfois cette nuit au ralenti, comme si elle l'avait rêvée. Ils avaient fait l'amour des heures durant. Elle entendait encore les murmures dans le noir. Elle revivait ses baisers, ses baisers qui lui coupaient le souffle, qui la tenaient tout entière. Ils avaient partagé une nuit incroyable de plaisir, sans promesses. Leur histoire aurait dû être simple, sans complications. En tout cas, c'était ce qu'elle avait cru jusqu'à ce qu'elle découvre sa grossesse. Car désormais leur relation n'avait plus rien de simple.

— Mia, ma chérie ?

La voix doucereuse d'Olivia interrompit ses pensées. Levant les yeux, elle aperçut la mère de son amant d'un soir de l'autre côté du bureau.

— Ça fait bien deux minutes que tu regardes dans le vide, les yeux fixés sur l'écran. Je t'ai appelée deux ou trois fois sans que tu me répondes. Est-ce que tu veux me parler de ce qui te tracasse comme ça ?

Mia se força à sourire. Si seulement elle pouvait oublier Bronson, elle arriverait enfin à se concentrer.

— Je suis désolée, Olivia.

— Ma chérie, tu n'as pas besoin d'être désolée. Allez, dis-moi. Qu'est-ce que tu as sur le cœur ?

Mia soupira. Olivia était vraiment perspicace, elle n'était pas arrivée là où elle en était sans savoir percer les gens à jour, et elle ne la laisserait pas tranquille tant qu'elle n'aurait pas obtenu une réponse satisfaisante.

— Crois-tu que je sois aveugle ? poursuivit-elle.

— Olivia…

— Je sais reconnaître une femme amoureuse. En particulier quand la femme en question est tombée amoureuse de mon fils.

Avec un soupir de soulagement, Mia se leva de sa chaise.

— Je ne suis pas amoureuse de Bronson. Je suis juste…

Enceinte de lui.

— Mia, je sais que tu n'es pas très entourée. Tu as grandi dans des conditions très difficiles, et tu peux être fière de ta réussite. J'ai été jeune autrefois, et, crois-moi, j'ai connu ça, moi aussi.

Si seulement Olivia savait combien elles avaient en commun. Sa patronne aussi avait connu cette situation : enceinte, célibataire, au début d'une carrière très prometteuse. Ah, comme Mia aurait aimé qu'Olivia ne soit pas la mère de Bronson ! Elle aurait voulu plus que tout pouvoir se confier à elle, demander conseil à cette femme qui avait vécu la même chose.

Elle se dirigea vers les baies vitrées et contempla le magnifique jardin et la piscine en contrebas.

— Que dois-je faire ?

Elle retournait cette question dans son esprit depuis samedi matin, quand elle avait reçu la nouvelle qui avait bouleversé sa vie.

— Toi seule le sais, répondit Olivia en posant une main rassurante sur son épaule. Et, si ce n'est pas le cas, peut-être que tu devrais parler à Bronson.

D'accord, Olivia n'avait pas toutes les informations en main, mais elle avait raison. Elle devait parler à Bronson, encore une fois. Pourquoi n'avait-il pas appelé ? Etait-il toujours convaincu que le bébé n'était pas de lui ? Eh bien, il finirait bien par découvrir qu'elle disait la vérité depuis le début.

— Ma chérie, je sais reconnaître une femme qui se livre une bataille à elle-même. Je veux juste que tu retrouves la paix. Et tu peux toujours venir me parler, pas en tant que patronne, ou mère de Bronson, mais en tant qu'amie.

Dans le reflet que lui renvoyait la fenêtre, Mia vit des larmes perler dans ses yeux. Stupides hormones. Elle qui avait toujours rêvé d'avoir une famille aimante bien à elle, voilà qu'elle se mettait à aimer les Dane comme s'ils étaient sa famille. Tout en craignant — non, en sachant — qu'elle finirait par être blessée. Ravalant ses larmes, elle se retourna avec un sourire.

— Je vous considère comme une amie, Olivia. J'en ai peu dans ma vie et j'apprécie vraiment que vous preniez le temps de me donner vos conseils.

— Je le fais avec plaisir. As-tu dit à Bronson ce que tu ressentais ? Les hommes peuvent être obtus, parfois.

Ce qu'elle ressentait ? Certainement pas. Et ce n'était pas une question qu'elle pouvait se poser pour le moment. Quels que soient ses sentiments, aujourd'hui, le bébé était tout ce qui importait.

Avant qu'elle puisse répondre, elle fut submergée par une nausée. Elle chancela, cherchant l'appui de la fenêtre pour ne pas tomber, mais Olivia la rattrapa avant.

— Mia ?

— Je vais bien, assura-t-elle. Un léger vertige, c'est tout.

Elle ferma les yeux, respirant profondément pour retrouver sa stabilité.

— Tu devrais t'asseoir.

Elle se laissa guider par Olivia jusqu'à la chaise du bureau.

— Tu es très pâle tout d'un coup.

— Vraiment, Olivia, je vais bien. J'ai peut-être besoin de boire ou manger un peu, finalement. Est-ce que je peux aller prendre quelque chose sur le plateau dans votre bureau ?

— Absolument. Va manger quelque chose. Et, quand tu auras retrouvé tes forces, on pourra parler de la grossesse que tu essayes de me cacher.

Stupéfaite, Mia croisa le regard bleu et imperturbable d'Olivia.

— Olivia, je… Je n'essayais pas de vous le cacher. Je viens juste de l'apprendre moi-même.

— Je ne veux pas me mêler de tes affaires, mais

je sais que c'est un moment angoissant, alors n'hésite pas à venir me parler. A n'importe quel moment. Je suis là pour toi.

— Oh ! Olivia, vous n'avez pas idée à quel point j'ai besoin de parler à quelqu'un !

Comme Olivia lui ouvrait les bras, Mia s'y effondra en larmes, soulagée et terrifiée à la fois. Combien de fois en avait-elle rêvé — de la tendresse et l'affection d'une figure maternelle ?

— Je suppose qu'il est de mon fils. J'ai vu de quelle façon vous vous regardiez, à Cannes. L'étincelle entre vous aurait pu mettre le feu au tapis rouge. Est-ce qu'il est au courant ?

— Oui. Nous n'avons pas eu l'occasion d'en parler calmement, en revanche. Il faut qu'on se fasse tous les deux à cette idée.

— Viens dans mon bureau. Tu as besoin de t'épancher.

Enfin, sa grossesse n'était plus un secret. C'était un tel soulagement pour Mia, même si elle avait le sentiment qu'Olivia s'efforcerait de la rapprocher de Bronson. Elle refusait de se laisser embarquer dans une relation par pitié ou par devoir.

C'était peut-être naïf de sa part, mais elle voulait l'amour, le vrai. Un jour, elle le trouverait, et cet homme les accepterait, elle et son bébé.

- 7 -

Quand Bronson revint de son déjeuner avec son avocat — avec lequel il avait discuté de ses options au cas où il serait bien le père du bébé —, son assistante l'informa qu'il avait reçu un appel de Mia Spinelli. Il devait se présenter chez elle à 18 heures, sans faute. Sa mère avait également laissé un message, demandant aussi à le voir ce soir. Sans faute, encore une fois. Depuis quand les femmes contrôlaient-elles sa vie ?

De toute évidence, la grossesse de Mia n'était plus un secret. Il n'avait aucune envie d'en discuter avec sa mère, en tout cas pas avant qu'il ait toutes les données en main et qu'il sache où il en était. Résolu, il se rendit chez Mia.

Elle ouvrit la porte du cottage à la première sonnerie. Elle portait une autre de ces robes bustier en coton. Encore une fois, elle était splendide dans sa simplicité, mais il n'était pas d'humeur. Et, étant donné les circonstances, il allait devoir apprendre à se maîtriser devant cette femme.

— C'est ta nouvelle tactique, de parler du bébé à ma mère ? demanda-t-il de but en blanc.

Sans attendre d'invitation, il entra dans la maison comme une furie. Il entendit la porte claquer derrière lui.

— C'est elle qui t'a dit ça ?

Donc, elle avait bien tout raconté à sa mère. Il n'avait aucune envie que tout le monde soit au courant, pas encore.

— En fait, je ne lui ai pas encore parlé. Elle m'a laissé un message au bureau me demandant de passer à la maison ce soir. J'ai supposé que c'était parce qu'elle était au courant, et ce n'est pas moi qui lui ai parlé.

Il avait adopté une posture agressive, en préparation d'une autre dispute. C'étaient sa vie, sa réputation, qui étaient en jeu. Il refusait de céder un pouce de terrain, et encore moins de laisser Mia prendre le dessus.

— Ecoute, je ne t'ai pas appelé pour qu'on se dispute. Nous devons parler entre adultes de ce que nous allons faire et du rôle que tu veux jouer dans la vie de notre enfant.

— Laisse-moi mettre quelque chose au clair, Mia. La dernière assistante de ma mère lui a volé près d'un million de dollars avant d'être arrêtée et mise en prison. Il y a deux ans, ma fiancée a trahi ma confiance. Tu te trompes si tu penses que je vais te croire sur parole quand tu dis que ce bébé est le mien. Le mensonge est le pain quotidien d'Hollywood, alors n'imagine pas t'en tirer avec ce piège vieux comme le monde.

Mia, qui avait pris place sur le canapé en cuir du salon, croisa ses longues jambes bronzées.

— Si tu as fini, je voudrais dire quelque chose.

Il mit les mains dans ses poches et acquiesça, ignorant délibérément les jambes qui le narguaient.

— Mes parents sont morts quand j'avais cinq ans. J'ai passé le reste de mon enfance ballotée d'une famille d'accueil à une autre. C'est là que j'ai compris que le seul moyen pour moi d'avoir une famille, ce serait d'avoir un mari et des enfants.

Elle détourna le regard, mais il eut le temps d'apercevoir les larmes perler dans ses yeux. Croyait-elle qu'il était assez naïf pour se laisser attendrir ? Pourtant, quand elle se tourna de nouveau vers lui, son regard, toujours humide, était aussi plein de défi. Bien malgré lui, il se prit à admirer sa force de caractère.

— La famille est tout pour moi, Bronson. J'ai toujours rêvé de trouver l'homme idéal. Celui qui me donnerait un foyer, des enfants et avec qui je vieillirais. Je t'assure que ce n'est pas comme ça que j'avais imaginé les choses. Crois-moi ou non, c'est à toi de voir. Je veux que ce bébé connaisse son père, et je trouverais vraiment dommage que tu passes à côté de la vie de ton enfant parce que tu as peur et parce que cette ville t'a rendu cynique.

Il voulait la croire, vraiment. Elle n'était pas la seule qui rêvait d'avoir une famille. Lui venait d'une famille unie, l'une des rares que ce milieu n'avait pas perverties. Il voulait plus que tout peupler sa grande maison d'une femme qu'il aimerait de tout son cœur et de leurs enfants. Oui, Mia n'était pas la seule à avoir des rêves. Mais son travail était toujours passé en premier. C'était d'ailleurs une des choses que son ex-fiancée lui avait reprochées. Et depuis sa trahison, oui, il était devenu cynique.

— Je sais que tu as tes raisons de ne pas me croire, continua-t-elle. Je ne veux pas d'argent de toi, Bronson, ou de ta famille. J'ai l'intention de continuer à travailler pour ta mère et de donner à mon bébé tout ce dont il a besoin. Cet enfant doit passer avant tout.

Elle avait raison. Qu'il soit de lui ou non, ce bébé n'avait pas demandé à exister, et il devait passer avant ses sentiments. A partir de maintenant, et jusqu'à ce qu'il ait les résultats du test de paternité, il partirait du principe que, Mia disait la vérité et la surveillerait de près. Parce que si le bébé était bien le sien, il ne laisserait pas Mia l'élever seule. C'était hors de question.

— Comment te sens-tu ? demanda-t-il, surpris de constater qu'il s'en souciait réellement.

Elle eut un sourire discret.

— En général, ça va mieux après le déjeuner. J'ai lu pas mal de choses sur internet et ma grossesse est on ne peut plus typique. Tout ça est nouveau pour moi. Il n'y a pas de bébés dans mon entourage, donc je n'ai personne à qui poser des questions. Du coup, je dévore toutes les informations que je peux trouver.

Elle caressa son ventre encore plat.

— Le bébé fait à peu près la taille d'un pois pour le moment, ajouta-t-elle. C'est surprenant la façon dont quelque chose d'aussi petit peut bouleverser tout mon corps.

— Je connais une gynécologue que je voudrais que tu consultes. C'est la meilleure, et elle restera discrète si cet enfant s'avérait être le mien. Je ne veux pas que tu sois harcelée par les médias.

Mia se figea, les yeux rivés aux siens.

— Je ne veux pas de ta gynécologue, Bronson. J'en ai déjà une, dont je suis très contente, et elle ne révélera pas qui est le père car elle l'ignore. Je ne dirai rien.

Bronson vint s'installer à son côté sur le canapé.

— J'ai l'intention de t'accompagner à tous tes

rendez-vous médicaux, Mia. Au cas où ce serait bien mon bébé. Et d'assister à la naissance, aussi.

Pendant de longues secondes, elle resta immobile à le regarder. Sa beauté naturelle était époustouflante — sans le moindre défaut. Les photographes allaient l'adorer.

— Tu ne crois tout de même pas qu'avec ce que tu penses de moi, je vais te laisser prendre le contrôle de ma grossesse ? Soit tu agis comme un père, soit tu restes à l'écart. Tu ne peux pas tout avoir, Bronson.

Oh que si ! Elle le découvrirait avec le temps. Mais il n'avait aucun intérêt à forcer les choses pour le moment.

— Bien. Tu gardes ta gynécologue, mais je viens à toutes les visites et je poserai des questions si j'en ai envie. Je demanderai aussi à mon assistante de s'assurer que les rendez-vous restent secrets et que nous entrerons directement. Il vaut mieux éviter la salle d'attente.

Mia leva les yeux au ciel.

— Ils ont des salles d'attente privées, Bronson. Tu n'as pas besoin de jouer les chiens de garde avec moi. Et puis, tu dois parler à ta mère et à ta sœur. On ne peut pas prolonger l'inévitable. La presse finira par découvrir la vérité, quand mon ventre commencera à s'arrondir.

Mia allait être magnifique avec un ventre rond, songea-t-il. Commençait-il à espérer que ce bébé soit le sien ? Jamais il n'avait été aussi déchiré. Il tenait vraiment à être présent à tous les rendez-vous de Mia, alors que le bébé était peut-être celui d'Anthony, celui-là même qui aurait tout aussi bien pu être le père du bébé que sa fiancée avait perdu. N'était-ce pas une raison suffisante de haïr cet homme et de se méfier de son ancienne assistante ?

— Je me rends à la grande maison dès qu'on en aura fini ici. J'ai laissé un message à Victoria pour lui demander de passer. Je compte bien faire d'une pierre deux coups. Tu m'accompagnes ?

— Je… Je ne pense pas être très douée pour les réunions de famille.

En réalité, il n'avait pas eu l'intention de lui laisser le choix.

— Tu viens avec moi parce que, si ce bébé est de moi, tu es liée aux Dane pour le reste de ta vie.

— J'en ai assez que tu essayes de me contrôler. Et arrête de faire semblant de ne pas savoir si tu es le père. Tu sais que je porte ton enfant. Au fond de toi, Bronson, tu le sais.

En un bond, elle fut à la porte d'entrée.

— Finissons-en avec cette réunion de famille.

Avec un sourire, Bronson regarda Mia sortir en trombe du cottage. Si sa vie n'avait pas été si chaotique en ce moment, il aurait probablement admiré son indépendance et sa volonté de garder le contrôle. Mais sa famille était en jeu et il ne pouvait pas se permettre de se laisser séduire.

Crainte, excitation, peur, angoisse, toutes ces émotions se mêlaient en Mia, lorsqu'elle entra dans la maison principale derrière Bronson. Olivia les attendait dans le salon. Sur un des murs de la pièce, une énorme étagère abritait plusieurs photos des premiers films de la star, mais aussi des photos de Victoria et Bronson enfants : tous deux jouant dans la piscine, Victoria en tenue de ballerine, Bronson sur les épaules de son père. En observant ces scènes témoignant d'une vie apparemment parfaite, Mia se prit à rêver qu'un jour, son enfant figure aussi en photo sur cette étagère. Elle-même n'avait que très peu de photos de son enfance, en dehors de deux photos d'elle et ses parents à leur arrivée aux Etats-Unis, des images qu'elle chérissait chaque jour.

Ses pensées furent interrompues par un rire léger. Victoria était au téléphone, parlant en français à un homme appelé Jacques. En apercevant Mia et Bronson, elle raccrocha et rejoignit Olivia, qui les accueillait avec un sourire.

— Je suppose que maman t'a mise au courant à propos du bébé, lança Bronson à sa sœur, qui se contenta d'acquiescer. Je voudrais juste mettre les choses au clair pour que vous sachiez bien ce que j'en pense et ce qui va se passer.

Mia fut soudain prise d'une violente nausée. Bronson avait visiblement l'intention de leur chanter la même chanson qu'elle avait entendue si souvent au cours des deux derniers jours. Mais il aurait beau mettre en doute la paternité du bébé, et elle avait beau le détester pour cela, elle savait qu'il était aussi effrayé qu'elle.

— Pour le moment, je vais partir du principe que ce bébé est le mien. Un test de paternité sera fait dès que possible.

— Je n'ai jamais accepté ça, l'interrompit-elle. Je n'ai pas à t'obéir, puisque je ne veux pas de ton argent.

— Tu feras ce test de paternité, Mia. Arrête un

peu de penser à toi pendant une minute. Si cet enfant est un Dane, il sera l'héritier d'une grande fortune.

— Tu plaisantes, j'espère ?

Mia se tourna vers Victoria qui s'était brusquement levée, les mains sur les hanches.

— Tu parles de tout ça comme d'un contrat d'affaires. Il est question d'un bébé, enfin ! De ton bébé ! Je sais que la dernière fois a été un coup dur pour toi, mais je crois Mia. Elle ne mentirait pas à propos de la paternité.

Soulagée par la confiance que Victoria lui témoignait, Mia fronça néanmoins les sourcils. De quelle « dernière fois » était-il question ?

— Tu meurs d'envie que cet enfant soit de moi, c'est tout. Mais inutile de te mettre tout de suite à coudre des bodies haute couture.

Olivia s'avança entre ses deux enfants.

— Toi aussi, tu veux ce bébé, Bronson. Ce n'est pas la peine de le nier. Je sais que tu es mort de peur à l'idée de perdre un autre bébé. Mais je suis d'accord avec Victoria : Mia ne ment pas. J'ai appris à bien la connaître et c'est la personne la plus honnête qui soit.

Etant donné le secret qu'elle leur cachait à tous, cette description, aussi touchante soit-elle, la mit mal à l'aise. Bien sûr, elle disait la vérité à propos du bébé, et elle aurait aimé pouvoir être aussi honnête au sujet de l'enfant qu'Olivia avait abandonné près de quarante ans plus tôt.

C'était la deuxième fois qu'elle entendait parler du bébé que Bronson avait perdu ainsi. A les entendre, on aurait dit qu'il n'était pas le sien. Aurait-elle déterré un autre scandale à propos des Dane ?

— Je n'ai pas l'intention de discuter de mon passé, affirma Bronson avec un regard noir en direction de sa mère et sa sœur. Je suis juste venu vous faire savoir que ce bébé restera entre Mia et moi pour le moment. Je ne veux pas que vous vous excitiez et vous attachiez à quelqu'un qui ne fait peut-être même pas partie de cette famille.

— Excuse-moi, coupa Mia, indignée. Ce bébé est autant un Dane qu'un Spinelli. Et, si ta mère et ta sœur veulent s'y attacher, c'est leur droit. Ce n'est pas parce que tu as décidé de garder tes distances qu'elles doivent le faire aussi. J'ai attendu toute ma vie de faire partie d'une famille.

Mia agrippa son médaillon et refoula ses larmes. Les yeux fixés sur Bronson, elle se laissa envahir par la colère, sans se soucier qu'Olivia et Victoria l'entendent ou que sa voix soit brisée par l'émotion. Elle défendait son enfant, comme personne ne l'avait fait pour elle après la mort de ses parents.

— Je refuse que notre enfant ne connaisse pas sa famille, ajouta-t-elle. C'est tout ce que je veux pour lui, l'amour d'une famille. Tu peux garder ta fortune, mais ne renie pas ce bébé. Sa place est ici autant que la tienne. Ne refuse pas à ton enfant la sécurité que seule une famille unie peut lui apporter.

Olivia et Victoria avaient toutes les deux les larmes aux yeux et des sourires attendris. Bronson, en revanche, arborait toujours la même grimace qu'il avait adoptée en apprenant la nouvelle. Arriverait-il un jour à regarder les choses du bon côté ? A voir tout cela comme une expérience positive, heureuse même ?

— Vous devez avoir besoin de discuter entre vous. Je vous laisse.

Elle tourna les talons, quittant la pièce à toute vitesse. Elle ne ralentit pas avant d'être assez loin de la maison pour être sûre que personne ne la verrait fondre en larmes. Elle n'avait jamais beaucoup pleuré. La vie l'avait endurcie dès son plus jeune âge, mais ces derniers jours elle n'arrêtait pas. Etait-ce les hormones ou la crainte que son bébé se sente abandonné ? En tout cas, elle était rassurée que les femmes de la famille Dane aient accepté le bébé comme un membre de leur famille. Dommage que ce ne soit pas le cas de Bronson.

Et c'était pourtant ce qui lui faisait le plus mal. L'avait-il toujours jugée aussi malhonnête ? Pourquoi avait-il couché avec elle dans ce cas ? Peu importe. Elle ne voulait plus regarder en arrière. Elle se battrait pour son bébé, pour lui donner ce qu'elle n'avait jamais eu : de l'amour inconditionnel et une famille. Elle n'accepterait rien de moins pour son enfant.

- 8 -

Un mois s'écoula sans autre drame, mais Mia n'était pas tranquille pour autant. Anthony n'avait toujours pas parlé à Olivia, et Bronson, qui appelait deux fois par jour pour prendre des nouvelles, se montrait à chaque conversation toujours aussi froid et distant.

Ce jour-là, elle attendait qu'il l'emmène à sa première visite prénatale chez le médecin. Le trajet s'annonçait pour le moins inconfortable. Après des conversations téléphoniques on ne peut plus tendues, elle allait être coincée dans une voiture avec un homme qu'elle trouvait à la fois insupportable et intensément séduisant. Et elle savait très bien que les hormones n'avaient rien à voir avec ce qu'elle ressentait.

Comme elle aurait voulu pouvoir oublier la sensation de ses mains sur son corps ! Elle n'avait jamais rien ressenti de la sorte et quelque chose lui disait qu'elle ne le ressentirait avec personne d'autre. Leurs corps, leurs rythmes s'étaient accordés à la perfection, et elle avait conscience qu'une telle harmonie était rare.

Quand on sonna à la porte, elle attrapa son sac et ses clés, et rejoignit Bronson. Sans un mot, il la conduisit à sa voiture, un coupé sport trois portes. Elle s'amusa de le voir ouvrir la portière côté passager pour elle. Puis il prit place derrière le volant.

— Tu n'as pas besoin de venir, dit-elle alors qu'il démarrait le moteur. Personne ne trouverait rien à redire si tu décidais de rester à l'écart. Je t'offre une issue de secours — c'est bien ce que tu souhaites, non ? Je n'attends rien de toi.

Elle vit les mains de Bronson se crisper sur le volant.

— J'ai dit que je serai présent à tous tes rendez-vous au cas où ce bébé se révélerait être de moi. Et je le ferai. Mon assistante a déjà appelé le cabinet pour s'assurer que nous pouvions entrer par-derrière et être reçus immédiatement.

Mia soupira. Inutile d'argumenter davantage. Et puis, elle avait envie de partager ce moment avec quelqu'un, même si elle aurait préféré que ce quelqu'un partage son excitation. Car elle était bel et bien excitée — chaque jour davantage. Elle allait avoir un bébé. Peu importe qu'elle ne l'ait pas prévu. Bien sûr, elle était encore saisie d'angoisse par moments, mais elle était heureuse de cette vie qui grandissait en elle. Elle avait même été prise d'un fou rire le matin même en découvrant à quel point sa jupe la serrait, à présent.

— Tu es heureuse.

— Pardon ?

— Tu souris. Tu es heureuse de tout ça.

— Du bébé, oui. De la situation, pas vraiment. Je l'avoue, plus je pense au bébé, plus je suis excitée à cette idée. J'aurais quand même préféré que ma vie soit différente, c'est vrai. J'avais prévu de me marier avant d'avoir des enfants.

Il ne répondit pas. Et, en réalité, elle n'était même pas sûre d'avoir envie de savoir ce qu'il pensait. Elle ne prononça pas un autre mot du trajet, à part pour indiquer à Bronson le chemin, et il se montra tout aussi silencieux. De toute évidence, il ne voulait pas s'impliquer émotionnellement, ce qui lui convenait très bien. Mais, dans ce cas, il était hors de question qu'elle évoque ses sentiments à elle. Il ne le méritait pas.

En arrivant au cabinet du médecin, ils furent installés dans une salle d'attente privée. A Hollywood, la plupart des cabinets médicaux devaient disposer de salles d'attente comme celle-ci. Dans cette ville, la plupart des gens essayent à tout prix de dissimuler leurs secrets. Sans succès, le plus souvent.

— Tout va bien ? demanda-t-elle à Bronson, en remarquant la tension dans ses épaules.

— Oui.

Mia n'insista pas et entreprit de remplir le formulaire qu'on lui avait remis. En arrivant à la section concernant le père, elle se sentit soudain mal à l'aise.

— Est-ce que tu pourrais… euh…

Elle posa le formulaire sur ses genoux et lui tendit le stylo.

— J'ai besoin que tu remplisses cette section.

— Tu ne peux pas la laisser vide ?

— C'est ce que je ferais si j'ignorais qui est le père. Mais, puisque tu es là, remplis le document et fais comme si ce n'était pas une torture.

Elle commençait à en avoir assez de son attitude. D'accord, il ne voulait pas reconnaître que le bébé était le sien de peur d'en perdre un autre, mais il pourrait au moins montrer un peu de soutien. Tout ce qu'elle demandait, c'était une vraie conversation et peut-être un sourire de temps en temps.

Il attrapa le stylo et se mit à répondre aux questions

sans un mot. Elle le regarda faire, jalouse malgré elle du fait qu'il connaisse ses antécédents familiaux. Elle-même n'avait pas pu inscrire grand-chose. Elle ne savait rien de sa famille en Italie au-delà de ses parents. Sa mère était diabétique, mais, en dehors de cela, elle n'avait connaissance d'aucun autre souci de santé. Caressant d'un doigt la cicatrice sur sa main, elle promit en silence à son bébé qu'il connaîtrait toujours la stabilité. Oui, il aurait un foyer, des racines.

— Voilà, lança soudain Bronson en lui tendant le formulaire. J'ai fini.

Elle le ramena à la réceptionniste et ils n'attendirent que quelques minutes avant d'être menés à la salle d'examen. Quand l'infirmière demanda à Mia d'enfiler la blouse d'hôpital, elle regarda furtivement vers Bronson.

— Je vais me changer dans la salle de bains.

Elle rit presque de la pudeur qui la prenait tout d'un coup. Cet homme avait touché, goûté, léché la moindre parcelle de son corps. Et, avec un peu de chance, il insisterait aussi pour être dans la salle d'accouchement avec elle. Le temps de la pudeur était révolu.

Equipée de la tête aux pieds de vêtements stériles, elle s'installa sur la table d'examen, tenant la blouse fermement d'une main. Assis dans un coin sur un tabouret de plastique, Bronson semblait pourtant envahir toute la pièce de sa présence.

— Qu'est-ce qu'ils vont faire aujourd'hui ? demanda-t-il.

Mia s'attendrit un peu. Il était nerveux, elle le voyait. Il avait peut-être des doutes quant à sa paternité, mais de toute évidence il se faisait de plus en plus à cette idée.

— Je crois que le médecin veut vérifier les battements du cœur. Peut-être qu'elle va aussi faire une échographie pour voir exactement où j'en suis.

— Je suis allé à quelques rendez-vous, la dernière fois…

Il s'interrompit, la regardant comme s'il n'avait pas réalisé à qui il parlait.

— C'est sans intérêt. Concentrons-nous sur toi.

Mia voulut dire quelque chose, pour empêcher ce moment d'intimité de disparaître. L'espace d'une seconde, il avait envisagé de se confier à elle, et elle comprit qu'elle en avait plus envie qu'elle ne l'avait cru. Elle voulait une connexion, une relation avec lui, et non plus seulement physique, pour le bien du bébé. Arriveraient-ils à revenir en arrière ? A devenir de simples amis peut-être ? Serait-il un jour assez à l'aise avec elle pour ne pas se renfermer sur lui-même dès que les choses devenaient personnelles entre eux ?

La porte s'ouvrit, et Mia accueillit son médecin avec un sourire sincère.

— Bonjour, Mia. Comment vous sentez-vous aujourd'hui ?

— Je commence à me faire aux nausées matinales et j'ai pris l'habitude de prévoir de la nourriture sur ma table de chevet pour manger avant même de me lever.

— Vous devriez bientôt en finir avec les nausées. C'est très rare d'en avoir pendant toute la grossesse.

Pendant toute la grossesse ? Elle espérait vraiment que ce ne serait pas son cas.

— Allongez-vous, on va chercher les battements du cœur.

Le Dr Bender se tourna vers Bronson.

— Vous êtes le père ?

Mia s'empêcha de regarder dans sa direction. Elle ne voulait pas le voir nier. Mais sa réponse lui fit l'effet d'une gifle.

— A partir de quand peut-on faire un test de paternité ?

Le médecin posa un drap sur les jambes de Mia, puis releva la blouse pour découvrir son ventre et y déposer un peu de gel. Sans paraître troublée par la question de Bronson, elle étala le gel avec la sonde. De son côté, Mia avait envie de pleurer. Comment osait-il l'humilier ainsi ? Non seulement il la faisait passer pour une femme facile, mais il manquait aussi de respect à leur bébé.

— Ça dépend, répondit le Dr Bender. Il y a un premier test qu'on peut pratiquer entre la dixième et la quatorzième semaine. Après ça, il y a l'amniocentèse, qui peut être faite entre la quatorzième et la vingtième semaine. Je peux vous détailler les deux procédures et les risques associés, si vous voulez, pour vous aider à prendre une décision.

Essayant d'ignorer la voix du médecin et le bruit de la machine, Mia écoutait avidement. Enfin, elle les entendit. Les battements rapides du cœur de son bébé. Leur bébé, songea-t-elle en levant les yeux vers Bronson.

— Le rythme cardiaque est tout à fait normal pour onze semaines. Vous avez un bébé en bonne santé, on dirait. Est-ce que vous avez eu d'autres symptômes, en dehors des nausées matinales ?

— Quelques légères douleurs au ventre, indiqua Mia. Et je suis parfois prise de vertiges.

— Tu ne m'en as jamais parlé ! lança Bronson, visiblement inquiet.

Pour toute réponse, Mia lui jeta un regard noir. Ce n'était pas le moment d'expliquer pourquoi elle ne lui en avait pas parlé. Il lui consacrait à peine deux minutes au téléphone et il espérait qu'elle lui dirait tout ? Elle se serait peut-être confiée à lui s'il avait eu l'air de réellement se soucier d'elle, mais comme ce n'était pas le cas…

— C'est tout à fait normal, assura le médecin. Votre utérus se modifie, donc cela peut entraîner quelques crampes. Essayez de vous reposer autant que possible. Les fausses couches arrivent le plus souvent dans les trois premiers mois. Je ne dis pas ça pour vous inquiéter, je veux juste que vous écoutiez votre corps et que vous preniez soin de vous.

— J'y veillerai, docteur, répondit Bronson à sa place.

Mia se crispa. Voilà qu'il voulait s'impliquer, maintenant ! Que voulait-il dire par « j'y veillerai » ? Pensait-il passer plus de temps avec elle ?

L'examen terminé, elle se rhabilla en vitesse, prit rendez-vous pour une autre échographie un mois plus tard et retourna à la voiture sans attendre Bronson. Elle était folle de rage après lui, sans savoir ce qui la mettait le plus en colère. Sa question abrupte sur le test de paternité, sa prétendue inquiétude quand elle avait parlé de ses symptômes ou la façon dont il avait fait du charme au médecin à la fin de la visite ?

Elle haïssait son attitude froide et condescendante, mais plus encore elle détestait le fait qu'elle éprouvait toujours de l'attirance pour lui. En fait, son désir était plus exacerbé que jamais. Surtout, elle était furieuse après elle-même pour être tombée sous le charme de cet homme, qui, désormais, faisait partie de sa vie. A jamais.

En arrêtant la voiture devant le cottage de Mia, Bronson savait bien qu'elle ne l'inviterait pas à l'intérieur. Pourtant, cela ne l'empêcherait pas d'entrer. Il ouvrit sa portière et prit sa main pour l'aider à sortir. Il la retint dans la sienne un peu plus longtemps que nécessaire, ignorant les efforts de Mia pour la retirer. Il ne la laisserait pas filer si facilement.

Dès le moment où il l'avait retrouvée, elle avait éveillé une vague de désir en lui. Il avait tout de suite remarqué les changements dans son corps, ses seins plus rebondis, ses courbes plus voluptueuses. Elle était vêtue d'un débardeur à rayures colorées qui soutenait son ventre légèrement arrondi et d'une jupe en coton, dévoilant ses incroyables jambes. Malgré sa simplicité, sa tenue lui paraissait des plus sensuelles.

Plus que cela, c'était son attitude protectrice envers le bébé — qui pouvait bien être leur enfant — qui le rendait fou de désir. Tout en elle était sexy, et il avait beau faire tout son possible, il n'arrivait pas à l'oublier. Comment ignorer l'attirance qu'il avait pour cette femme, qu'elle lui mente ou non ? Il n'avait plus le moindre contrôle en ce qui concernait Mia, une situation qui pouvait se révéler catastrophique. Chaque fois qu'il pensait au bébé, il pensait à leur semaine à Cannes — quand rien d'autre ne comptait que le désir qui les embrasait tous les deux. Il avait toujours pris ce qu'il voulait, sans songer aux conséquences. Jusqu'à aujourd'hui.

Mia ouvrit la porte et entra le code pour désactiver l'alarme.

— Merci de m'avoir raccompagnée, lui dit-elle, en lui barrant le passage. Mais j'ai beaucoup de travail à rattraper.

— Laisse-moi entrer.

Elle le fixa d'un regard intense, et il s'attendit à ce qu'elle proteste. A sa grande surprise pourtant, elle s'écarta et il la suivit à l'intérieur.

— Au cas où tu ne l'aurais pas compris, fit-elle en soupirant, je ne suis pas de très bonne humeur.

Il la suivit dans la cuisine.

— Je n'arrive pas à croire que tu aies parlé au médecin du test de paternité.

Parce qu'elle ne voulait pas qu'il découvre la vérité ou parce que la question l'avait vexée ?

— Il faudra le faire de toute façon, Mia.

Il l'observa prendre une poignée de M&M's dans un bocal de verre sur l'îlot central de la cuisine.

— Plus tôt on saura, plus tôt on pourra s'organiser, ajouta-t-il.

Elle étala les bonbons sur le comptoir et commença à écarter les verts.

— Mais moi, je sais, Bronson. C'est toi le père, je le sais très bien. Ecoute, je veux bien faire le test après la naissance du bébé, si ça peut te rassurer, mais je refuse de courir le moindre risque avec cette grossesse juste pour te faire plaisir. Tu as entendu le médecin. Je ne veux pas risquer une fausse couche ou faire du mal au bébé.

— D'accord, répondit-il après un moment de réflexion. On fera le test juste après la naissance du bébé. Sans faute.

Intrigué, il la regarda manger les bonbons.

— Tu n'aimes pas les verts ?

— Ce sont mes préférés. Je garde toujours le meilleur pour la fin.

Alors que ses doigts vernis de rose attrapaient un bonbon vert, puis un autre, pour les placer dans sa bouche, il fut tout d'un coup saisi de l'envie irrésistible de l'embrasser. Cette femme cherchait-elle à le rendre fou ? Il commençait à avoir des doutes à ce sujet aussi.

Des images pernicieuses vinrent se former dans son esprit. Il imagina Mia au téléphone avec Anthony, riant de la rapidité et de la facilité avec lesquelles elle s'était immiscée dans leur famille. Et rien ne lui disait que cette scène n'était pas réelle. Il était envahi de tant d'émotions contradictoires qu'il ne savait plus quoi penser. Il se méfiait d'elle et la désirait tout à la fois. La seule chose qu'il lui restait à faire était de se concentrer sur son travail. C'était au moins une chose dans sa vie qu'il contrôlait encore.

Il avait travaillé avec sa mère toute la semaine pour finaliser le scénario et le budget du film dont ils avaient le projet. A présent, il devait lancer la production. Alors — et seulement alors — ils annonceraient la nouvelle. La presse avait bien compris que les Dane préparaient quelque chose, mais n'avait pas encore deviné de quoi il s'agissait. Et il avait bien l'intention de garder le secret jusqu'à ce que sa mère et lui soient prêts à le divulguer. Personne ne devait savoir, pas même Mia. Sa mère avait tout mis en œuvre pour dissimuler le projet à son assistante.

— Tu es bien silencieux pour quelqu'un qui s'est invité tout seul, remarqua Mia, interrompant ses pensées. A quoi penses-tu ?

Bronson ne répondit pas. Il savait qu'il devait garder un œil sur elle. Si elle cherchait à le détruire, il la briserait. Pourtant, la tendresse et l'affection que Mia affichait à l'égard du bébé avaient semé le doute en lui. Disait-elle la vérité ? Cette grossesse était-elle inattendue et était-il bien le père ? Le bon sens lui disait que ce n'était pas possible, mais il ne pouvait empêcher son cœur de battre plus fort à cette idée. Au fond de lui, il voulait tant la croire.

Il s'assit sur un des tabourets de bar et attrapa à son tour un des bonbons verts.

— Je me disais qu'on devrait passer du temps ensemble, dit-il. Tu répètes que ce bébé est le mien, donc j'aimerais savoir ce que tu attends de moi. Tu as affirmé qu'il ne s'agissait pas d'argent. Alors quoi d'autre ?

— Je ne veux rien de toi, Bronson. Pas pour moi en tout cas. Je veux que ce bébé ait un père qui l'aime, c'est tout.

Elle croisa son regard à ce moment précis, et la sincérité qu'il lut dans ses yeux le laissa sans voix quelques secondes.

— Je te promets que si ce bébé est le mien, il sera aimé plus que tout.

Et il le pensait. C'était une évidence pour lui. Si

l'enfant était un Dane, il ne manquerait jamais de rien, et encore moins d'amour et de stabilité.

— Et toi, Mia ? demanda Bronson en contournant le comptoir pour s'arrêter à côté d'elle. Qu'est-ce que tu veux ?

Les mains de Mia tremblaient tandis qu'elle remettait le couvercle sur le bocal.

— Rien, je te l'ai déjà dit.

Elle était sur le point de craquer. Il caressa d'un doigt sa joue, son menton, guidant son visage face au sien.

— Si ce bébé est le mien, il faut qu'on se montre honnêtes l'un envers l'autre. Dès maintenant. Qu'est-ce que tu veux, Mia ?

— Rien.

Ses yeux la trahirent en s'égarant sur sa bouche.

— Je n'ai besoin de rien.

Cette phrase seule était la preuve qu'elle mentait. Pourquoi insistait-il ? Cherchait-il à la torturer ou se tourmentait-il lui-même ? Il avait en tout cas la sensation qu'ils étaient tous deux aussi mal à l'aise, à cet instant précis.

Raison de plus pour faire le premier pas. De toute façon, il était incapable de résister une seconde de plus à l'appel de ses lèvres, au désir qui l'envahissait dès qu'il pensait à elle. Il n'avait pas réussi dans la vie en se montrant faible. Mais Mia s'immisçait toujours plus dans son existence, créant une faille en lui qu'il ne pouvait se permettre.

- 9 -

Comme elle avait rêvé de sentir de nouveau les lèvres de Bronson sur les siennes ! Même si elle avait affirmé ne rien attendre de lui. Comment aurait-elle pu lui dire que c'était lui qu'elle voulait ? Il était si méfiant à son égard ! Si elle voulait obtenir la famille dont elle rêvait, elle devrait avancer doucement et lui faire comprendre qu'elle disait la vérité.

Les mains de Bronson s'emparèrent de son visage, et elle comprit qu'elle n'avait attendu que cela. Elle voulait savoir où leur attirance mutuelle pourrait les mener. Car il était indéniable qu'il était physiquement attiré par elle : elle en sentait la preuve contre ses hanches. Pressant ses seins contre sa poitrine solide, elle s'abandonna à son baiser. Qu'était-il arrivé pour qu'il se mette à la dévorer ainsi, lui qui avait toujours l'air si irrité par elle ?

— Qu'est-ce qui te prend ? demanda-t-elle, en s'écartant de lui.

Il lui adressa un regard débordant de désir.

— Tu n'as peut-être besoin de rien, mais moi, si. J'ai essayé de me tenir à distance, parce que je ne voulais pas compliquer les choses avec la grossesse. Mais je n'y arrive pas.

Etait-il sincère ? A quel jeu jouait-il ?

— Mais tu ne me crois pas.

— Je veux te croire, vraiment. Je veux que ce bébé soit un Dane.

Le cœur de Mia se serra face à la bataille qu'il se livrait avec lui-même. Il avait reconnu ses peurs — ce qui était extraordinaire en soi. Sa frustration et sa vulnérabilité en disaient plus sur lui et son état d'esprit qu'il ne l'avait probablement voulu.

— Alors crois-moi ! Je te promets que tu n'auras pas à le regretter.

Il fit un pas en arrière et, la mâchoire crispée, se tourna vers la fenêtre.

— Tout ce que je peux t'offrir, c'est une relation physique. Je n'ai rien d'autre à donner à une femme. Je te promets que, si cet enfant est le mien, je l'aimerai plus que tout. Mais ne va pas croire que toi et moi, nous formerons un couple — et encore moins un couple marié.

Ce n'était pas ce qu'elle croyait. Bien sûr, cela ne l'empêchait pas de rêver et d'espérer avoir une famille à elle. Mais elle n'insisterait pas — elle ne voulait pas obtenir une famille de cette façon. Elle attendrait l'amour. Et elle était prête à prendre des risques émotionnellement en passant plus de temps avec Bronson, car elle était persuadée qu'il y avait entre eux bien plus qu'une simple attirance physique.

— Je veux juste qu'on s'entende pour le bien de notre enfant, répliqua-t-elle. Et, s'il arrivait quelque chose entre nous, physique ou autre, on aviserait le moment venu. Pour le moment, mon seul souci, c'est le bébé.

— Tu vas faire une mère formidable, répondit Bronson avec un regard intense.

La gorge nouée, Mia porta la main à son ventre. Elle allait être mère. Elle aurait tant aimé pouvoir demander conseil à la sienne à ce moment précis ! Mais elle pouvait y arriver seule. D'ailleurs, elle n'avait pas le choix. Car, en ce qui concernait Bronson, elle ne voyait pas d'autre issue pour elle que celle d'avoir le cœur brisé.

Trois semaines plus tard, la vie avait repris son cours normal. Mia remerciait le ciel tous les jours d'être débarrassée des nausées matinales. Il lui arrivait de temps en temps d'avoir un léger vertige, mais, en dehors de cela, elle se sentait très bien. Bronson avait appelé et lui avait rendu visite à plusieurs reprises, sans qu'il se passe quoi que ce soit d'un tant soit peu intime entre eux, malgré ses hormones qui hurlaient en elle.

Au moment où Mia éteignait l'ordinateur, sa journée de travail terminée, Olivia la retrouva dans son bureau.

— Tu as une minute à me consacrer ou tu dois partir tout de suite ?

— Je ne suis pas pressée. J'allais juste rentrer pour essayer une nouvelle recette. Il y a un problème ?

— Pas du tout. Ecoute, je voulais juste te féliciter pour la façon dont tu gères cette grossesse, compte tenu de l'attitude de mon fils.

Mia n'avait aucune envie de parler de Bronson avec Olivia. Parfois, travailler pour la grand-mère de son bébé pouvait présenter des inconvénients. Surtout quand elle ne rêvait que d'une chose : que Bronson fasse partie de sa vie, sur tous les plans.

— Je ne veux pas me montrer indiscrète, dit rapidement Olivia, comme si elle avait lu dans ses pensées. En fait, je voulais juste te donner de l'argent pour t'aider à acheter des meubles, des vêtements et tout ce dont tu as besoin pour le bébé.

— Oh ! non. Je ne veux pas de votre argent, Olivia. J'ai bien assez avec le salaire que vous me versez et j'ai déjà mis de l'argent de côté pour acheter au bébé tout ce qu'il lui faudra.

— Je me doutais que tu n'en voudrais pas, mais je devais le proposer.

— Non, pas du tout. Tout ira bien pour moi et pour le bébé, quelle que soit la décision de Bronson.

— Eh bien, ça m'est égal ce que toi ou mon fils pouvez dire, personne ne m'empêchera de gâter cet enfant ! Donc préviens-moi dès que tu auras choisi la couleur de la chambre du bébé. Je connais un décorateur fantastique, si ça t'intéresse.

— Je n'ai même pas encore réfléchi à tout ça.

— Oh que si !

— Bon, d'accord, peut-être que j'y ai réfléchi, admit Mia. Mais juste un peu. Je veux connaître le sexe du bébé avant de choisir une couleur. Et j'ai envie de tout faire moi-même.

Olivia secoua la tête.

— Têtue et indépendante. Ça me rappelle quelqu'un. Promets-moi au moins d'engager un peintre. Ce n'est pas bon de respirer ces odeurs dans ton état.

Comment ne pas adorer cette femme ? Elle était si attentive, si maternelle.

— Je vous le promets.

Olivia fit le tour du bureau pour se poster près de Mia.

— Il y a quelque chose que je dois dire, parce que je suis mère et parce que j'aime Bronson et que j'en suis venue à te considérer comme un membre de la famille : ne te laisse pas décourager par l'attitude de mon fils si tu le veux dans ta vie.

— Pardon ?

Il ne manquait plus qu'Olivia se mette à jouer les entremetteuses !

— Ce bébé lui fait peur, plus qu'il ne l'admettra. La dernière fois… ça ne s'est pas très bien fini. Il y a certaines choses que tu ignores et c'est à lui de te les apprendre s'il le souhaite. Mais ne pense pas que cette attitude reflète réellement qui il est.

Mia sourit, touchée par la façon dont cette icône hollywoodienne protégeait sa famille plus que tout.

— Je ne veux pas me mêler de ce qui ne me regarde pas, Olivia. Pour le moment, on a décidé de s'entendre pour le bien du bébé. Ce que Bronson veut, ce que je veux, ça n'a aucune importance.

— Oh ! ma chérie, comme tu te trompes ! Vous formez une famille, que cela vous plaise ou non. Le bonheur de chacun est aussi important. N'ignore pas tes propres désirs, en particulier au moment où tu as tant besoin d'être entourée.

En effet, elle avait besoin d'être entourée. Elle avait toujours refusé cette réalité, mais elle devait admettre qu'elle était dépassée. Elle aurait besoin d'aide et de conseils pour élever son enfant.

— Je vous tiendrai au courant pour le peintre, répondit-elle en enlaçant Olivia, reconnaissante.

Elle sortit du bureau en passant par celui de sa patronne, comme d'habitude. La brise d'été n'était pas aussi étouffante que les autres soirs et elle leva le visage au ciel pour s'en abreuver. Sa vie prenait la bonne direction, elle en était sûre.

Pour le moment, tout était calme, ou autant que possible, et cela lui convenait très bien. Elle détestait le drame — ce qui était d'autant plus ironique qu'elle adorait travailler à Hollywood.

En remontant l'allée vers sa maison, elle résista à l'envie d'appeler Anthony. Elle voulait partager la bonne nouvelle avec un ami, mais elle ne voulait pas risquer de bouleverser un peu plus sa vie conjugale. Elle aurait aussi aimé lui demander quand il comptait approcher Olivia au sujet de cette question délicate. Elle ressentait de la culpabilité en permanence, sans rien pouvoir dire. Comme elle aurait voulu pouvoir retourner au jour où elle avait ouvert le dossier posé sur le bureau d'Anthony ! Pourquoi avait-il fallu qu'elle déterre un secret qui était resté dissimulé pendant près de quarante ans ?

— Bonsoir.

Mia sursauta, la main sur le cœur.

— Bronson ! Tu m'as fait une de ces peurs !

En réalité, si elle n'avait pas été aussi distraite, elle l'aurait tout de suite remarqué, assis nonchalamment sous le porche, plus sexy que jamais. Et puis, il avait l'habitude de débarquer sans prévenir. Il appelait tous les matins, mais, avec son emploi du temps surchargé, elle ne savait jamais quand il viendrait lui rendre visite.

— Je ne voulais pas te faire peur.

Comme elle montait les marches, il se leva pour lui prendre la main.

— Tu étais perdue dans tes pensées, on dirait ?

Elle était en train de penser au frère de Bronson, oui !

— On peut dire ça. Ça fait longtemps que tu attends ?

— Quelques minutes, c'est tout.

Elle le fit entrer dans la maison, tandis qu'elle désactivait l'alarme.

— J'allais faire à manger. Tu restes dîner ?

Un sourire aussi prudent que sexy s'afficha sur son visage.

— Pourquoi pas. Je t'aiderais bien, mais tu sais que je suis un désastre en cuisine. En revanche, je peux te regarder faire.

Mia rit en enlevant ses chaussures à talons d'un coup de pied, puis se dirigea vers la cuisine.

— Je peux allumer la télévision si tu veux regarder quelque chose.

— Non, je préfère faire la conversation, ou encore ne rien dire, si ça ne te dérange pas. Ma tête est prête à exploser.

Elle se garda bien de le questionner. S'il ne voulait pas partager des détails personnels, elle n'insisterait pas… pour le moment. Pourtant, il était ici, et il voulait rester dîner avec elle. Quelque chose semblait l'attirer sans cesse vers elle.

Pour s'occuper les mains, elle attrapa un des magazines de cuisine près du frigo et l'ouvrit à la page qu'elle avait marquée. Elle se mit à chercher les ingrédients dont elle avait besoin, tout en sentant le regard de Bronson qui la suivait. Il ne disait pas un mot, mais la pièce était dominée par son parfum masculin, par le bruissement de sa chemise qu'il retroussait aux manches.

— Tu te sens bien aujourd'hui ? demanda-t-il, tandis qu'elle mettait le four en route.

— Très bien. J'ai hâte de faire cette échographie.

Elle sortit un saladier d'un placard et s'installa face à lui, derrière l'îlot central.

— Je meurs d'envie de la voir, continua-t-elle.

— *La* voir ?

Mia éclata de rire.

— J'utilise il ou elle indifféremment. Peu importe si c'est un garçon ou une fille, en réalité.

A ces mots, elle vit les épaules de Bronson se crisper.

— Désolée. Je ne voulais pas te mettre mal à l'aise.

Le silence s'installa de nouveau entre eux, tandis qu'elle mélangeait les ingrédients dans le saladier. Quelques minutes plus tard, elle enfournait le plat.

— Il y en a pour à peu près une heure de cuisson. Tu veux boire quelque chose ?

— Non, ça va.

Soudain, Mia se sentit incapable de retenir sa curiosité plus longtemps. Elle devait savoir de quel secret Olivia parlait.

— Je sais que ce ne sont pas mes affaires, mais j'ai besoin de savoir ce qui s'est passé avec ton ex-fiancée et le bébé.

Le regard de Bronson devint noir.

— Non, tu n'as pas besoin de savoir. Comme tu l'as dit, ça ne te concerne pas.

Elle se mit à nettoyer le plan de travail. Elle ne voulait pas lui montrer sa nervosité.

— En fait, ça me concerne, puisque c'est à cause de

ton passé que tu remets tout en question aujourd'hui. Ton ex-fiancée est toujours entre nous, même si tu ne t'en rends pas compte.

— Laisse tomber, Mia.

Mais il n'était plus question de reculer.

— Tu sais tout sur moi, sur ma vie. Tu sais pourquoi ce bébé est si important à mes yeux. Je veux savoir pourquoi tu as si peur de cette grossesse, au point que tu ne peux pas en parler sans te crisper.

Bronson se leva d'un bond et passa une main agitée dans ses cheveux.

— Pourquoi est-ce que tu choisis ce moment pour faire ressortir cette histoire ?

— Ça fait un bout de temps que je me pose la question, et aujourd'hui ta mère…

— Ma mère ? Tu veux rire ! Qu'est-ce qu'elle t'a dit ? Est-ce qu'elle t'a dit que j'étais fou de cet enfant, qu'on avait déjà choisi son nom et que je n'arrivais plus à travailler tellement j'étais excité par mon mariage et sa naissance ?

— Elle a juste dit que…

— Quoi ? Que mon ex-fiancée me trompait et que le bébé n'était pas de moi ? Et est-ce qu'elle t'a dit que je croyais que le bébé était d'Anthony ?

Mia en eut le souffle coupé. Anthony, le père ? C'était impossible. Il aimait sa femme plus que tout, il mettait tout en œuvre pour sauver son mariage.

— Bronson, je n'avais pas idée !

— Mais il a fallu que tu insistes encore et encore jusqu'à ce que je craque. Eh bien, félicitations. Maintenant, tu connais mon secret. Je ne sais même pas comment la presse ne s'est pas emparée de cette histoire. Ils ont eu l'air de penser qu'on avait rompu après sa fausse couche, que la douleur d'avoir perdu l'enfant nous avait séparés.

En effet, c'était bien ce que Mia avait lu et entendu, à l'époque. A présent, elle comprenait pourquoi Bronson tenait tant à ce test de paternité. En particulier après les soupçons qui pesaient sur elle et Anthony.

— C'est pour ça que tu ne me crois pas. Toute cette histoire, en plus de mon passé avec Anthony… C'est pour ça que tu te méfies tant. Je ne peux pas croire que tu aies couché avec moi avec toutes ces idées dans la tête. Bronson, je te jure que je n'ai même jamais pensé à coucher avec Anthony.

Elle posa la main sur son ventre légèrement arrondi, comme si elle voulait protéger son bébé de ces atrocités.

— Peut-être que tu ne devrais pas rester dîner.

Elle baissa les yeux, incapable de lui faire face.

— Je n'ai jamais voulu te blesser, te faire revivre ce cauchemar. Mais je ne peux pas passer du temps avec quelqu'un qui me prend pour une menteuse.

Soudain, elle sentit les mains de Bronson sur ses épaules.

— Je veux rester dîner. Je veux passer du temps avec toi, Mia. Je n'avais pas l'intention de crier, je suis désolé. Je voulais juste que tu me comprennes.

Il la retourna vers lui, et elle se laissa faire, plongeant dans ses yeux qui révélaient tant d'émotion.

— Je vois beaucoup de douleur en toi, dit-elle, caressant les rides entre ses sourcils. Je vois un homme qui veut retrouver de l'espoir et qui en a peur à la fois. Si tu me regardes, si tu me regardes vraiment, tu verras que nous ne sommes pas si différents l'un de l'autre.

Alors, elle fit ce qu'elle brûlait de faire depuis des semaines. Oubliant les accusations, les mensonges, l'incertitude, elle prit le contrôle de la situation et l'embrassa.

- 10 -

Il était fichu.

Lorsqu'il avait décidé d'attendre Mia sous le porche, Bronson avait eu parfaitement conscience que, si elle suggérait, même subtilement, le moindre contact physique, il ne pourrait pas résister. Cela faisait des semaines qu'il la désirait à en perdre la tête. Or ce baiser, son corps pressé contre le sien n'avaient rien de subtil. Le message était même on ne peut plus clair.

Il la souleva, la tenant serrée contre lui. Elle avait su lire ses sentiments, ses émotions, et cela le terrifiait. Il ne voulait pas être sous son contrôle — il ne voulait pas sa pitié. Ce qu'il voulait, c'était savoir si elle essayait de le piéger. Mais il voulait plus encore savoir ce qu'elle portait sous cette simple jupe noire et son débardeur moulant rose.

Mia prit son visage entre ses mains et gémit de plaisir, tandis qu'il parcourait sa bouche, puis son cou, de ses lèvres impatientes. Elle frissonnait de désir.

— Bronson, on…

— … doit se débarrasser de ces vêtements.

Il avait horreur de perdre le contrôle. Il détestait qu'elle ait le pouvoir de lui nuire. Pour le moment cependant, le souffle haletant de Mia à son oreille avait raison de son bon sens.

— Le dîner…

— … ne sera pas prêt avant un bout de temps et je veux te prendre là, tout de suite.

Elle écarquilla les yeux de surprise, puis son regard s'adoucit avec l'ébauche d'un sourire.

— Je pensais que tu ne voulais pas de moi.

Bronson engloba ses seins à travers son débardeur de soie.

— Bien sûr que si. Je ne suis pas sûr que tu me dises toute la vérité, mais, en cet instant précis, je n'en ai rien à faire.

Il étouffa ses protestations en couvrant sa bouche de la sienne. Il ne voulait pas entendre toutes les raisons pour lesquelles ils ne devraient pas coucher ensemble. Il les connaissait déjà et choisissait de les ignorer. Pour accélérer les choses, il glissa les mains autour de sa taille jusqu'à parvenir à la fermeture Eclair de sa jupe qu'il défit en un geste assuré. D'un mouvement des hanches, elle fit tomber le vêtement indésirable au sol, puis passa le débardeur au-dessus de sa tête et l'envoya sur une table, révélant une lingerie de dentelle rose qui ne fit qu'exacerber son excitation. Son ventre arrondi n'était pas le seul signe de sa grossesse. Ses seins remplissaient plus que généreusement les bonnets de dentelle.

— Tu me tues, gémit-il en ramenant son corps contre le sien.

Il dévora sa bouche, se délectant du goût de ses lèvres dont il avait tant rêvé, tandis qu'elle le débarrassait de sa ceinture et de son pantalon. Avec impatience, il retira ses chaussures et fit glisser son pantalon. Puis il fit asseoir Mia sur le comptoir et prit place entre ses cuisses.

— Je tiens à te préciser que je compte te faire l'amour de nouveau ce soir, dans ton lit.

Mia sourit en traçant le contour de ses lèvres avec ses doigts.

— Absolument.

Ecartant le soutien-gorge, il ressentit un frisson de plaisir en la sentant gémir et s'arquer sous ses caresses.

— Est-ce qu'on a besoin de..., commença-t-elle, haletante de désir.

— C'est un peu tard pour ça. En plus, j'en utilise toujours un et je viens de faire un bilan de santé.

— Moi aussi, j'ai fait des analyses lors de mes visites prénatales.

Il eut un sourire en saisissant ses cuisses.

— Alors, c'est réglé.

Il sentit les bras de Mia autour de son cou et ses hanches s'incliner contre les siennes pour l'aider à entrer en elle. Cette femme était comme une drogue — une drogue dont il n'arrivait pas à se défaire. Et, à en juger par ses gémissements, ses soupirs et la façon dont son corps s'accordait au sien, elle non plus n'était pas insensible à leur affinité sexuelle.

Il pénétra en elle avec lenteur et volupté. Il voulait que ce moment dure, même si cela était impossible. Il la désirait depuis leur semaine à Cannes, brûlait de l'avoir de nouveau depuis cette première nuit. Il en avait rêvé tous les soirs, et ses fantasmes n'étaient même pas à la hauteur de la réalité.

Il écarta ces pensées pour mieux se concentrer sur la femme qui tremblait dans ses bras, murmurant son nom. Très vite, il sentit son corps frémir et se laissa lui aussi aller à son plaisir. Alors qu'il la tenait dans ses bras, attendant que leurs tremblements à tous deux s'apaisent, il se jura de faire mieux plus tard, comme il le lui avait promis.

Pourtant, il ne put s'empêcher de se demander comment leur étreinte affecterait leur… relation. Non, ils n'avaient pas vraiment une relation. Ils avaient prétendument fait un enfant, mais comment appeler ce qu'il y avait entre eux ? Peu importait. Il voulait Mia, encore et encore, et il n'avait aucune intention de quitter sa maison ce soir.

Plus il s'impliquait émotionnellement, plus il avait envie de croire chaque mot qui sortait de sa bouche.

Après le dîner, Mia servit un verre à Bronson et le retrouva dans le salon où il parcourait les DVD. Malgré elle, elle eut un instant la gorge nouée à la vue de ses épaules magnifiquement bronzées et de son torse dénudé.

— Vraiment ? Tu veux regarder un film ?

— On peut en commencer un, mais, si tu essayes de me séduire, je me réserve le droit de l'arrêter.

Avait-il l'intention de rester ? A quoi jouait-il ? Ses actions étaient en contradiction totale avec ses paroles. Mais elle ne voulait pas jouer, elle ne voulait pas attendre qu'il ait décidé ce qu'il attendait d'elle. Elle n'en avait pas la force.

— Il faut qu'on parle, lança-t-elle en prenant place à côté de lui. Je suis tout à fait partante pour ce qui s'est passé avant le dîner, mais je dois être honnête avec toi — je ne cherche pas une histoire sans lendemain,

Bronson. Il pourrait y avoir quelque chose entre nous si seulement nous pouvions être honnêtes l'un envers l'autre et nous montrer moins superficiels.

Il se figea, la main sur la télécommande qu'il reposa sur la table.

— Je te l'ai dit, je n'ai pas plus à offrir à une femme, Mia. Je ne peux pas. Tu sais pourquoi.

— Je sais ce qui t'est arrivé, autrefois. Mais tu dois aller de l'avant, Bronson. Arrête de rouvrir ces blessures et vis ta vie.

— Je ne cherche pas une histoire d'amour. Pour moi, c'est fini tout ça. Aujourd'hui, je veux me concentrer sur mon travail et j'ai plusieurs projets en cours. Ce que j'ai à offrir est minime.

Du sexe. Voilà ce qu'il lui offrait. Mais elle refusait de croire qu'il était incapable de sentiments. Elle avait vu à quel point il avait été ému, dans le cabinet du médecin, en entendant le cœur du bébé. Et l'attirance entre eux était incroyable. Autant d'éléments pourraient être à l'origine d'une famille parfaite, s'il acceptait seulement de le voir. Elle devrait se montrer patiente. Elle y était prête pour avoir une chance de former une famille avec Bronson. Et, si la compatibilité n'était pas là, elle laisserait tomber. Même si elle avait conscience que son cœur s'y était déjà pris.

Elle commença à déboutonner la chemise de Bronson qu'elle avait enfilée avant de dîner. Elle vit ses yeux suivre le mouvement de ses doigts le long du vêtement.

— Alors, je prendrai ce que tu as à offrir, répliqua-t-elle en retirant la chemise avec sensualité. Mais je continuerai à essayer de te montrer à quel point nous pourrions être heureux ensemble.

Elle se redressa et le vêtement tomba au sol. Puis, sachant qu'il la suivrait, elle se dirigea vers sa chambre. Elle le voulait dans son lit. Elle voulait l'attirer plus encore dans son intimité. Petit à petit, elle l'amènerait à comprendre qu'elle disait la vérité. La séduction avait nombre de formes, qu'elle comptait bien toutes utiliser pour avoir l'homme qu'elle voulait.

Après avoir dégagé le lit, elle se retourna pour trouver Bronson dans l'encadrement de la porte, en tenue d'Adam. Elle tendit la main, l'invitant à la rejoindre. Une seconde plus tard, il l'embrassait avec une telle passion, une telle avidité qu'elle manqua pleurer d'excitation. Comment cet homme, si attentif, si généreux, pouvait-il ne ressentir qu'une attirance physique pour elle ? Elle refusait de le croire. Agrippant ses larges épaules, elle l'attira vers elle sur le lit. Elle s'enfonça dans la couverture moelleuse, se réjouissant de son poids qu'elle sentait sur son corps.

— Le bébé ? demanda-t-il en se redressant un peu.

— Tout va bien. Tu ne feras de mal à aucun de nous deux.

Alors, il se détendit et couvrit de baisers son visage, son cou, ses épaules. Soulevant les genoux, elle se délecta de la sensation de sa peau sous ses mains fébriles. En un mouvement exquis, ils ne firent plus qu'un. Il la serra contre lui, et elle comprit qu'elle n'était pas loin de tomber amoureuse.

Peut-être que c'était sa grossesse qui parlait, mais elle en doutait. Malgré sa méfiance, Bronson était un homme d'une extraordinaire générosité. Il était aussi d'une grande loyauté envers sa famille et attendait la même loyauté en retour. Elle avait pourtant lutté de toutes ses forces pour ne pas tomber amoureuse de lui. Et, avec ce qu'il avait vécu, elle ne lui reprochait pas son manque de confiance. C'était d'ailleurs cette vulnérabilité, derrière son apparence si virile, qui la faisait fondre, et elle sentait que, petit à petit, il se rapprochait d'elle. Si une part de lui ne le croyait pas, il ne passerait pas tant de temps avec elle. Et, si elle n'était pas convaincue qu'il ressentait plus pour elle qu'une simple attirance physique, elle ne coucherait pas avec lui.

Elle lui prouverait, sans le moindre doute, qu'elle ne mentait pas, à propos du bébé ou de ses sentiments.

Pourtant, alors qu'elle était submergée par le plaisir, elle fut soudain envahie par une pensée insidieuse. En réalité, elle lui mentait, et ce mensonge concernait bien Anthony.

Bronson prit la main de Mia en la conduisant dans le cabinet du médecin pour l'échographie. Il ressentait une excitation qu'il s'expliquait mal. Mia était enceinte de quinze semaines. Il avait vu les petites étoiles qui marquaient le calendrier sur son frigo — chaque jeudi, une étoile avec un numéro. De toute évidence, Mia était très heureuse de la venue de ce bébé. Pour sa part, même s'il détestait se montrer aussi négatif, il devrait refréner sa propre excitation tant qu'il ne serait pas sûr. Pourtant, une partie de lui hurlait qu'elle ne mentait pas, qu'elle ne lui mentirait jamais. C'était sans compter le reste de sa personne, qui ne cessait de lui rappeler la dernière femme qui avait dit porter son enfant. Pourquoi ne pouvait-il les dissocier dans son esprit ?

Ils entrèrent rapidement dans la salle d'examen, et il aida Mia à grimper sur la table.

— Bonjour, dit l'obstétricienne qui était entrée juste derrière eux. Comment ça va aujourd'hui, Mia ?

— Les nausées matinales ont disparu depuis un bon mois et je me sens au top de ma forme.

L'obstétricienne eut un sourire en remontant le T-shirt de Mia jusqu'à sa poitrine.

— La plupart des femmes ressentent une grande poussée d'énergie pendant le deuxième trimestre. Aucune douleur à l'abdomen ?

— Non, plus du tout.

Pendant cet échange, Bronson se tenait près de la table. Quand l'obstétricienne posa la sonde sur le ventre de Mia et montra l'écran, il sentit son cœur se serrer. Sans y penser, il agrippa la main de Mia en écoutant le petit cœur battre à toute vitesse.

— Je vais prendre quelques mesures pour être sûre du terme, mais votre bébé a un cœur très sain, à ce qu'on dirait.

Bronson se tourna vers Mia. Le regard rivé à l'écran, elle avait les larmes aux yeux.

— C'est incroyable, murmura-t-elle.

— Vous en êtes à quinze semaines et un jour. Votre terme tombe le jour de la Saint-Valentin.

Cela semblait si loin. Ils n'étaient encore qu'en septembre.

— Un bébé de la Saint-Valentin ? demanda Mia. C'est parfait, puisqu'elle m'est déjà plus chère que tout.

L'obstétricienne eut un rire.

— On peut prendre rendez-vous dans un mois pour déterminer le sexe. Si vous voulez savoir, bien sûr.

Mia se tourna vers lui.

— Moi, j'aimerais. Et toi ?

Connaître le sexe ? Cela rendrait les choses beaucoup plus réelles à ses yeux. Il regarda de nouveau le petit cœur qui battait à l'écran et comprit qu'il était déjà conquis. Ce bébé était réel, et il espérait plus que tout que ce soit le sien.

— Oui, j'aimerais savoir aussi.

Le sourire de Mia illumina son visage tout entier. Il passait tant de temps avec elle qu'il commençait à adopter auprès d'elle un rôle qu'il n'était pas sûr de vouloir assumer. Il commençait aussi à voir Mia comme la femme honnête que sa mère avait toujours décrite.

L'obstétricienne essuya le gel qu'elle avait déposé sur le ventre de Mia et ils retournèrent à la réception prendre le prochain rendez-vous.

— Tu veux aller déjeuner ? demanda Bronson une fois qu'ils furent dans la voiture.

— J'aimerais bien, mais j'ai beaucoup de choses à faire. Tu peux me déposer à la grande maison ?

A sa grande surprise, il ressentit une certaine déception.

— Bien sûr.

Mia se mit à regarder les photos en noir et blanc qu'on leur avait remises.

— Je ne suis pas sûre d'arriver à faire grand-chose aujourd'hui, murmura-t-elle. Pour ça, il faudrait que j'arrive à décoller les yeux de notre bébé.

Notre bébé. Il commençait à s'habituer à cette idée.

— Si tu les montres à ma mère, je te garantis que personne ne travaillera.

— Je n'étais pas sûre que tu accepterais que je les lui montre.

Il lui jeta un regard rapide. Il détestait l'incertitude qu'il lisait dans ses yeux.

— Elle sait qu'on est allés faire l'échographie.

— C'est bon, Bronson. Ça ne me dérange pas de les garder pour moi. Je comprends que tu ne veuilles pas qu'elle s'attache.

Les paroles de Mia lui firent mal, plus qu'il n'aurait pu l'admettre. Il savait qu'elle voulait partager son bonheur. Et, après tout, elle n'avait pas de famille. C'était d'ailleurs l'une des raisons qui pouvait la pousser à le piéger — pour se créer un foyer.

Il aurait voulu ne pas être aussi cynique, mais il devait se montrer prudent. Il refusait que sa famille fasse l'objet d'un nouveau scandale.

- 11 -

« Déjà-vu ? »

De rage, Bronson jeta le journal sur la table. En arrivant chez sa mère ce samedi-là pour le traditionnel brunch, il était tombé sur le journal du matin avec, en première page, une photo de Mia et lui sortant du cabinet du médecin. La photo, représentant sans ambiguïté Mia avec une main protectrice sur son ventre, était accompagnée d'un article humiliant. Quelques phrases lui sautèrent aux yeux, alimentant sa colère :

« Dane : deuxième chance de fonder une famille. »

« Mia : elle passe d'un lit hollywoodien à un autre. »

C'était là le seul inconvénient de son métier. Quoi qu'il fasse, il n'avait pas la moindre vie privée. Et bien sûr, après la rumeur d'une liaison entre Mia et Anthony, la voir impliquée dans un autre scandale ne faisait qu'exacerber la voracité de la presse.

— Je suis désolée, Bronson.

Se redressant dans son fauteuil, il aperçut enfin Victoria à côté de lui. Comme toujours, elle était la parfaite représentation du chic avec sa robe fourreau bleu marine, ses bijoux en or et ses cheveux blonds impeccablement coiffés retenus par des lunettes de soleil.

— J'ai vu ça ce matin et j'ai essayé de te joindre, mais je suis tombée sur ta messagerie.

— Tu n'as pas à être désolée, Victoria.

Maîtrisant sa colère, il se releva et déposa un baiser affectueux sur la joue de sa sœur.

— Ce n'est pas ta faute si la presse a eu vent de cette histoire. Ça devait bien arriver un jour ou l'autre. J'espère seulement qu'ils laisseront Mia tranquille.

— Je savais bien que tu te souciais d'elle, répondit-elle, l'air malicieux.

— Oui, je me soucie d'elle. Mais inutile de me regarder comme ça : il n'est pas question de mariage, ou même d'emménager ensemble. Je m'inquiète pour elle, c'est tout.

Et même un peu plus qu'il ne l'aurait voulu.

— Je sais que tu aimes garder tes sentiments pour toi, donc je t'épargnerai mon « je te l'avais dit » quand tu la demanderas en mariage.

— En mariage ?

Il étouffa un grognement. Il avait fallu que sa mère entre à ce moment précis.

— Non, il n'y a pas de mariage. Victoria s'imagine des choses. Encore.

Il pensa voir l'ombre de la déception passer dans le regard de sa mère, tandis qu'elle embrassait ses deux enfants et prenait sa place à la table de la terrasse, protégée du soleil californien par un énorme parasol orange.

— Pour ma part, je serais ravie d'avoir Mia

pour belle-fille, rétorqua Olivia. C'est une personne merveilleuse.

Il n'était pas d'humeur. Pas aujourd'hui. Son sommeil était déjà bien assez perturbé par les émotions conflictuelles qu'il ressentait pour Mia. Il avait besoin d'y voir plus clair, et il devait le faire seul, sans l'influence de sa mère ou de sa sœur. N'était-il pas un homme adulte, ayant produit des films de plusieurs millions de dollars ? Il devait bien pouvoir faire face à cette beauté italienne, même si elle avait tendance à lui faire perdre le contrôle de ses sens !

— J'ai préparé un budget pour le film, commença-t-il.

Il attendit, pour continuer, que le personnel s'éloigne. Seules trois personnes étaient au courant de ce projet, et elles étaient toutes assises à cette table.

— Pas très subtil comme changement de sujet, mais d'accord.

Olivia eut un sourire pour les deux domestiques qui venaient de déposer un plateau de soufflés, fruits frais, pain et jus en tous genres. Quand ils se furent éloignés, elle reprit :

— Tu as choisi un réalisateur ?

— J'en ai deux à l'esprit. Je voulais en discuter avec toi.

— En fait, j'ai une proposition, moi aussi. Anthony Price.

Il entendit, comme de très loin, l'inspiration soudaine de sa mère. Ne sachant quoi répondre dans l'immédiat, il se contenta de reposer son verre de jus de fruits. Si elle avait décidé d'aller sur ce terrain, il aurait vite besoin de quelque chose d'un peu plus fort. D'abord, le journal et, à présent, cette proposition ridicule de la part de sa propre mère ? C'était un cauchemar !

— Ecoutez-moi, continua Olivia en se redressant sur sa chaise. J'ai quelque chose d'important à vous dire à tous les deux. Personne n'est au courant, et j'aimerais que ça continue comme ça.

Soudain saisi par l'angoisse, il se tourna vers sa sœur, à la recherche peut-être d'un peu de réconfort. Elle semblait aussi nerveuse que lui.

— J'ai passé quelques examens, et le médecin m'a dit que les résultats n'étaient pas très bons. Je ne pense pas que ce soit grave, mais je vais faire d'autres analyses pour être sûre.

— Quelles analyses ? Pour quels symptômes ? demanda Victoria.

— Tu as demandé un deuxième avis, n'est-ce pas ? demanda Bronson en même temps.

Olivia eut pour ses enfants un sourire sincère, aimant, celui-là même qui avait conquis le cœur de millions de personnes. Mais peu importaient tous ces gens anonymes. C'était de sa mère qu'il s'agissait, et, si elle avait le moindre problème de santé, il voulait qu'on la soigne. Sur-le-champ.

— C'est pour ça que je ne voulais pas vous mettre au courant. Je ne veux pas que vous vous inquiétiez, et je ne veux pas voir ce regard sur votre visage. Je vous assure, je me sens bien. Je suis persuadée que ces nouveaux examens montreront qu'il s'agissait d'une erreur.

Elle leur adressa un sourire confiant, avant de poursuivre :

— J'ai eu quelques douleurs à la poitrine, je pense

que c'est à cause du stress. Mon test d'effort n'étant pas très bon, mon médecin veut seulement approfondir la question.

— Quand ?

— Lundi.

Bronson soupira. Au fond, il avait toujours imaginé que sa mère était indestructible. Comment avait-il pu se montrer si égoïste ces derniers temps ? Comment avait-il pu ignorer sa mère et sa sœur, sous prétexte qu'il avait besoin de remettre de l'ordre dans sa vie ? Il se sentit paralysé par la peur en regardant la femme qui était son roc depuis toujours. Mais qu'est-ce que tout cela avait à voir avec Anthony ?

— Je me libérerai, répondit Victoria. Mais quel est le rapport avec Anthony ?

Il vit une lueur étrange passer dans le regard de sa mère, quelque chose qu'il ne put identifier. Cela ne dura qu'une fraction de seconde, mais ce quelque chose l'inquiéta et le frustra à la fois. Elle avait un secret.

Elle se tourna vers lui et le scruta un moment.

— Tu es le meilleur producteur de ce pays. C'est une évidence. Et, en tant que tel, tu ne peux pas nier qu'Anthony est le meilleur réalisateur. Ce film est plus ou moins inspiré de ma vie, et je veux les meilleurs pour y travailler. Je veux qu'Anthony et toi enterriez la hache de guerre, au moins assez longtemps pour faire de ce projet un film extraordinaire.

Il avait peine à contrôler sa rage, à présent.

— Pourquoi est-ce que tu insistes autant ? Je sais que ce n'est pas seulement à cause de ton problème de santé.

Il observa sa mère, tandis qu'elle attrapait le beurre

et en étalait une portion infime sur son pain. Son apparente nonchalance ne fit rien pour l'apaiser.

— Ce sera mon dernier film, Bronson, et c'est ce que je veux.

— Maman, interrompit Victoria, tu ne vas pas prendre ta retraite, enfin ? Comment peux-tu dire que ce sera ton dernier film ?

— Ma chérie, tu sais que j'adore être devant la caméra, mais il est temps pour moi d'arrêter. Je veux tirer ma révérence au sommet de ma gloire, et quel meilleur moyen de le faire qu'avec un film qui raconte mon histoire ?

Bronson détourna le visage des deux femmes, qui semblaient attendre sa réaction. Son regard tomba alors sur le journal et sa couverture qui semblait le narguer. Il avait connu des jours meilleurs.

— Tu sais pour quelle raison je hais Anthony. Il est hors de question que je lui demande de travailler sur ce film.

Il se leva d'un bond, espérant évacuer sa frustration.

— On parlera du choix d'un réalisateur après ton rendez-vous lundi. On verra ce que les médecins disent. Jusque-là, inutile d'en reparler. A plus tard.

Il s'éloigna d'un pas vif, sans savoir exactement vers où il se dirigeait. Il avait besoin d'apaiser sa colère, qui mêlait la demande de sa mère au fait d'apprendre qu'elle avait peut-être un problème au cœur et qu'il ne pouvait rien y faire. Mais, avant toute chose, il avait besoin de voir Mia et de lui parler de cette photo.

Mia n'arrivait pas y croire. Elle n'avait pas encore eu l'occasion de parler à Bronson de la une du journal.

Il était probablement avec sa mère et sa sœur pour le brunch. Elle avait espéré que sa grossesse ne serait pas dévoilée avant qu'ils soient prêts à l'affronter tous les deux. C'était bien la dernière chose qu'elle voulait. Ils avaient fait tant de progrès ces derniers temps ! Quelque chose lui disait que Bronson passerait la voir après le brunch. Mais dans quelle humeur serait-il ?

Une main sur le ventre, elle tenta de se détendre, allongée sur une chaise longue au bord de la piscine. Elle avait enfilé son bikini noir, sans se soucier de sa silhouette qui s'était arrondie. Elle fut tirée de ses pensées par la sonnerie brutale de son téléphone.

— Allô ?

— Dis-moi que ce n'est pas vrai.

Surprise, elle se redressa en reconnaissant la voix d'Anthony.

— Tu as vu le journal.

— Tu ne portes pas le bébé de Bronson, Mia. Dis-moi que ce n'est pas vrai.

— J'ai bien peur que si.

— Je me doutais que vous deviendriez proches. Mais pas à ce point-là. Tu n'as pas…

— Je n'ai rien dit, Anthony. Je t'en ai fait la promesse.

Elle sentit la frustration dans son soupir, même à travers le combiné.

— Comment est-ce arrivé ? Je t'avais pourtant prévenue, Mia. Tu savais que ce n'est qu'un séducteur.

Elle essaya de faire abstraction de cette dernière remarque. Si jamais il apprenait qu'elle était en train de tomber amoureuse de ce séducteur…

— On ne peut pas ignorer ses sentiments, Anthony. Tu es bien placé pour le savoir.

Il eut un rire amer.

— On n'est pas en train de parler de mon mariage, là. Je m'inquiète pour toi. J'ai peur que tu sois dépassée par la situation.

Touchée par sa sollicitude, elle plongea le regard dans l'eau cristalline de la piscine.

— Je te jure, tout est sous contrôle.

— Alors, c'est prévu pour quand ?

— La Saint-Valentin.

— Vraiment ? Ça semble si loin.

— J'ai dans l'idée que ça va arriver très vite.

— Tu as l'air heureuse.

Elle ne put s'empêcher de sourire, oubliant un instant qu'il ne pouvait pas la voir.

— Je le suis. Je ne sais pas trop ce qu'il va se passer, mais pour le moment je suis heureuse et c'est tout ce qui compte.

— Fais attention à toi, d'accord ? Tu mérites le meilleur.

— Quand vas-tu parler à Olivia ? demanda-t-elle, changeant délibérément de sujet.

Il marqua un silence.

— Anthony ? insista-t-elle après quelques secondes. Tu dois lui parler. Je ne le ferai pas, car c'est à toi de le faire, mais je suis en train de m'attacher à cette famille. La pression devient insupportable.

— Je sais. Je me suis décidé. Charlotte va partir quelques jours la semaine prochaine avec des amies. J'ai prévu d'appeler Olivia pour organiser une rencontre.

— D'accord. Tu n'auras qu'à me dire quand et je m'arrangerai pour libérer son emploi du temps.

Elle hésita quelques instants, puis continua :

— Je sais que ce ne sera pas facile, mais c'est vraiment la meilleure chose à faire.

— J'en ai conscience. C'est juste que je ne sais pas quoi lui dire.

Elle eut un soupir. Elle n'enviait pas sa situation, ni celle d'Olivia, d'ailleurs.

— Je suis sûre qu'une fois que tu lui auras dit que tu es au courant, elle parlera pour toi.

Comme s'il était soudain libéré, Anthony se mit à parler, pendant plusieurs minutes d'affilée. Mia écoutait. Il n'avait personne d'autre à qui se confier. Même sa femme n'était pas au courant. Il disait ne pas vouloir ajouter une pression supplémentaire à leur mariage. Charlotte ne supportait déjà plus tout le battage médiatique d'Hollywood. Comment réagirait-elle en apprenant que son mari était le fils biologique de la Grande Dane ?

En raccrochant quelques minutes plus tard, Mia se sentait plus confiante. Anthony avait promis qu'il allait bientôt rencontrer Olivia, et elle espérait seulement que ce ne serait pas un désastre. Elle espérait plus encore que Bronson serait prêt à accepter Anthony et, surtout, qu'il ne la détesterait pas pour avoir gardé le secret.

Prise d'une bouffée de chaleur, elle posa ses lunettes de soleil et son téléphone sur la chaise longue, et plongea dans l'eau claire. Elle adorait se détendre dans la piscine et ne se sentait pas le moins du monde coupable de passer la journée à ne rien faire. Avec tout ce qu'elle vivait en ce moment, elle avait bien mérité de prendre un peu de temps rien que pour elle.

La fraîcheur de l'eau l'apaisa. Elle fit quelques

longueurs, le médecin lui ayant recommandé de faire un peu d'exercice.

— Dommage que je n'aie pas mon maillot sur moi.

Surprise, elle stoppa net son mouvement de brasse.

— Bronson, je te croyais en plein brunch !

En un coup d'œil, elle nota la tension dans ses épaules, la crispation de sa mâchoire et les poings serrés dans ses poches. Elle s'attendit au pire.

— J'y étais. Mais ça m'a l'air beaucoup plus sympa ici.

D'accord, il ne voulait pas en parler. Elle pouvait faire avec, mais elle ne renonçait pas pour autant.

— Tu n'as pas besoin d'un maillot, répliqua-t-elle, taquine, tout en dénouant la ficelle qui retenait son haut. Je joue si tu joues, monsieur Dane.

Un sourire carnassier s'afficha sur son visage.

— Je ne suis pas du genre à me laisser influencer.

Elle lança son haut de maillot, qui atterrit sur son torse.

— Aujourd'hui, si.

— En revanche, je suis toujours prêt à essayer de nouvelles expériences.

En quelques secondes, il la rejoignit dans l'eau, paré de son seul bronzage.

Tandis qu'il retournait chez lui au volant de sa Mercedes, Bronson repensait aux bribes qu'il avait captées de la conversation entre Mia et Anthony. De toute évidence, c'était la première fois qu'Anthony entendait parler de la grossesse.

Il se remémora la douleur intense qu'il avait ressentie en entendant Mia parler de garder le secret, et de libérer un emploi du temps — celui de sa mère, sans aucun doute. Avaient-ils discuté du film sur lequel il travaillait avec sa mère ? Mia et Anthony ne pouvaient pourtant pas être au courant. A moins que sa mère n'ait déjà parlé du film à Anthony ? Il se passait quelque chose, et il avait la conviction qu'il n'allait pas aimer ça.

Il avait plus que jamais besoin de garder Mia à l'œil. Il commençait à peine à la croire, à lui faire confiance, et cette conversation venait tout remettre en question. Il devait l'emmener loin d'ici. Une fois seuls, il pourrait sonder ses sentiments, sa prétendue honnêteté, sa loyauté. Une partie de lui avait envie de construire quelque chose avec Mia, mais avant il lui fallait découvrir pourquoi elle avait des conversations secrètes avec son ennemi. Et pour cela, il n'avait pas d'autre choix que de risquer de se rendre, auprès d'elle, un peu trop vulnérable.

- 12 -

Le lundi matin, Mia eut la certitude que quelque chose se passait chez les Dane. Olivia, Bronson et Victoria avaient indiqué tous les trois qu'ils ne seraient pas joignables pendant quelques heures. Bronson avait précisé à Mia qu'elle pouvait l'appeler en cas d'urgence, mais qu'en dehors de cela, tous les trois seraient indisponibles pendant toute la journée. Que se passait-il ? Anthony avait-il décidé de parler à Olivia plus tôt que prévu ? Au fond, elle n'avait aucune envie de savoir. Elle voulait juste travailler, et s'épargner tout stress, pour le bien de son bébé.

Comme chaque fois qu'elle se laissait aller à penser à sa grossesse, elle se mit à rêver. Elle aimait imaginer à quoi son enfant ressemblerait. Elle le voulait doté du meilleur de Bronson et d'elle. Pas seulement du point de vue physique, mais aussi du caractère. Elle espérait que le bébé, fille ou garçon, hériterait de son teint méditerranéen et de ses cheveux sombres et qu'il aurait les yeux bleus de Bronson. Elle souhaitait qu'il ou elle ait leur force et leur détermination à tous les deux, la classe et la majesté d'Olivia et le côté romantique et créatif de Victoria.

Elle sursauta au bruit de la sonnerie du téléphone. Elle avait presque oublié qu'elle était au travail.

— Allô ?

— Tu as besoin de combien de temps pour faire tes bagages ?

Elle sourit en reconnaissant la voix sexy de Bronson.

— Pour quoi faire ?

— Un petit voyage. Cinq jours. La destination est une surprise. J'ai tous les vêtements dont tu auras besoin. Tu n'as besoin d'emmener que l'indispensable.

Etait-il sérieux ?

— Tu sais, j'ai un travail. Et je croyais que tu n'étais pas disponible aujourd'hui.

— On a fini plus tôt que prévu. Je te raconterai dans l'avion. J'ai déjà obtenu l'autorisation de ta patronne, donc quand est-ce que tu peux me retrouver ?

S'il avait tellement envie de l'emmener quelque part, pour qu'ils se retrouvent peut-être seuls tous les deux, elle était plus que partante.

— Donne-moi trente minutes.

— Je t'envoie un chauffeur et on se retrouve à l'aéroport.

Et il raccrocha sans un mot de plus.

Stupéfaite, elle resta le regard fixé sur le combiné pendant de longues secondes avant d'éclater de rire. Parfois, Bronson était tout simplement incroyable. Un voyage surprise avec garde-robe comprise ? D'ailleurs, comment pouvait-il savoir la taille qu'elle portait ces temps-ci avec son ventre arrondi ? Encore quelques mois à ce rythme et il n'y aurait plus de vêtements assez grands pour elle. Ravie, elle enregistra le document sur lequel elle travaillait et éteignit l'ordinateur. Elle se retint à grand-peine de courir jusqu'au cottage, tant elle avait hâte.

En moins de vingt minutes, elle avait rempli sa valise de tout ce dont elle avait besoin — sa lingerie la plus sexy en priorité. En attendant le chauffeur, elle vérifia à plusieurs reprises qu'elle avait tout, y compris son passeport, dans un état de fébrilité croissante.

Elle fut prise d'étourdissements sur le chemin de l'aéroport. Allait-il l'emmener en croisière ? Peut-être dans les Caraïbes ? Bon sang, elle détestait ce suspense. La patience n'avait jamais été son fort. Voilà un trait de caractère qu'elle n'avait pas envie de transmettre au bébé.

Après un temps qui lui parut interminable, le chauffeur stoppa la voiture dans la zone privée de l'aéroport. Bronson l'y attendait, près de son jet et parlant à un homme qui devait être le pilote. Elle ressentit soudain un frisson d'exaltation. Passer du temps seule avec Bronson, n'importe où sur la planète, était déjà extraordinaire ; alors, que penser du fait qu'il avait tenu à lui en faire la surprise ? De toute évidence, on était au-delà du devoir ; s'il faisait tout cela, ce n'était pas uniquement pour le bébé. Commençait-il à avoir des sentiments pour elle ?

Bronson lui ouvrit la portière, tandis que le chauffeur s'occupait de sortir son bagage.

— Tu as fait vite, dit-il en l'embrassant sur la joue. Tu es prête ?

— Si tu veux me dire enfin où on va.

— Tu le sauras bien assez vite. J'espère juste que tu seras aussi excitée que je l'ai imaginé.

— J'ai cinq jours de congé à passer avec toi. Je suis déjà excitée, crois-moi.

Il la conduisit à l'intérieur du jet et elle prit place dans un large siège en cuir.

— On a combien d'heures de vol ?

— Assez pour discuter, dormir et faire une escale pour du carburant avant d'arriver à destination. Ne t'inquiète pas, j'ai appelé ton médecin, tu peux voyager sans souci.

Il braqua sur elle un regard intense.

— Je me disais aussi que ce serait l'occasion de parler prénoms.

— Prénoms ?

— Eh bien, oui.

Il s'installa en face d'elle et lui prit les mains.

— Le bébé doit bien avoir un prénom. Et je dois reconnaître que j'y ai pas mal pensé ces derniers temps.

Vraiment ? Etait-il prêt à avoir leur première discussion de parents ? Etait-il possible qu'il veuille de cette famille, en fin de compte ?

— Je ne pensais pas que tu voudrais participer à ce genre de décisions avant d'être sûr…

— Ma participation est inévitable. Et je veux le faire. Ce bébé sera un membre important de la famille Dane.

Cela signifiait-il qu'il la croyait enfin ?

— Monsieur Dane, nous sommes prêts pour le décollage, annonça le pilote à travers l'Interphone. Si vous voulez bien vous asseoir et attacher votre ceinture de sécurité, nous décollerons d'ici quelques minutes. Le ciel est dégagé, le vol devrait être agréable.

Bronson s'enfonça dans son siège et boucla sa ceinture.

— Alors, qu'est-ce que tu penses du prénom Herbert ?

Elle chercha son regard, et vit qu'il riait. Qui aurait cru qu'il pouvait faire preuve d'humour dans une situation pareille ? Cela promettait d'être un vol intéressant.

Bronson vit les yeux de Mia s'éclairer à sa plaisanterie.

— Je suis sûr que tu as pensé à des prénoms. Je parie que tu en as même noté quelques-uns.

— Peut-être quelques-uns, répondit-elle en riant. C'est une décision importante. On devra vivre avec ce prénom pour toute notre vie — et le bébé aussi. Je veux un prénom classe et intemporel, mais pas trop vieux jeu.

Chaque jour, il pensait un peu plus à cet enfant comme au sien. Il n'aurait pas su dire à quel moment précis il avait laissé ses sentiments pour le bébé dépasser ses doutes. D'une certaine façon, Mia l'avait attiré dans son filet, et dans la vie de ce bébé innocent par la même occasion. Sans compter que sa mère et Victoria n'arrêtaient pas de lui parler de l'enfant, ce qui n'arrangeait rien. Elles étaient tellement prêtes à croire Mia et à voir le meilleur en elle. Ne comprenaient-elles pas à quel point il serait anéanti s'il découvrait qu'elle lui mentait ? Il désirait plus que tout croire Mia, avoir une deuxième chance d'être père. Il voulait que cette femme à laquelle il s'attachait de plus en plus soit honnête envers lui. En vérité, il se sentait enfin prêt à laisser tomber le pessimisme dans lequel il s'était plongé et à accepter l'idée de cette famille en construction. Mais il devait rester réaliste ; autrement, il avait peur que son cœur ne résiste pas à une autre trahison.

— J'ai la sensation que ce sera une fille, dit-elle. Donc, j'ai surtout pensé à des prénoms féminins.

Il sourit, attendri. Il n'était pas difficile d'imaginer une Mia miniature avec des cheveux sombres, un teint méditerranéen sans défaut et des yeux d'un noir de jais. Son cœur se serra à cette idée.

— Par exemple ?

— Que penses-tu de Katharine ou Audrey ?

— Deux grandes stars de cinéma, adulées par des millions de spectateurs.

Mia eut un rire clair qui résonna dans tout l'avion.

— Est-ce que tu veux bien oublier le cinéma un moment ? On parle de prénoms de bébé, là. Je veux un prénom qui aille aussi bien à une enfant qu'à une adulte. Un prénom puissant et féminin.

— Tu es si sûre que ce sera une fille ?

Son regard tomba sur sa lèvre, qu'elle se mordillait d'un air gêné. Comme il avait hâte de l'embrasser de nouveau !

— Non, je ne suis pas sûre. Peut-être que c'est juste ce que j'espère.

Lui-même n'avait pas de préférence quant au sexe du bébé, tant que l'enfant était bien le sien. Si jamais ce n'était pas le cas, il n'était pas sûr de pouvoir s'en remettre.

— Dis, tu ne m'as pas dit ce qu'il se passait avec ta mère et ta sœur, ce matin. Tout va bien ?

Il soupira. Il n'avait pas envie de repenser à sa mère qui, après leur avoir assuré que son examen avait montré qu'elle allait parfaitement bien, lui avait demandé de nouveau d'envisager Anthony comme réalisateur.

— Ma mère a subi un examen cardiaque ce matin.

— Oh ! Bronson, je l'ignorais. Elle ne m'a jamais parlé du moindre problème de santé. Est-ce qu'elle va bien ?

— Son test d'effort n'était pas très bon, donc ils ont voulu faire ce nouvel examen par précaution. Je t'assure, elle va bien, le médecin l'a confirmé.

La vue de Mia qui retombait dans son siège, visiblement soulagée, lui réchauffa le cœur. De toute évidence, elle était très attachée à sa famille.

— Vas-tu me dire où on va ? demanda-t-elle après une petite minute. Donne-moi un indice, au moins.

Après tout, ils étaient déjà dans l'avion, il pouvait aussi bien lui dire. Et il n'avait jamais su résister aux supplications d'une femme.

— En Toscane.

— C'est de là que…

Il se pencha vers elle, prenant ses mains dans les siennes, tandis que ses yeux s'emplissaient de larmes.

— Je sais, c'est de là que vient ta famille. Je me suis dit que tu aimerais voir où tu es née avant de te lancer dans l'aventure de la maternité.

— Bronson, murmura-t-elle, une larme coulant sur sa joue. Je n'ai jamais été aussi touchée. Je ne sais pas quoi dire.

Emu par sa sincérité, il se déplaça pour prendre place tout à côté d'elle.

— Tu n'as rien à dire. Je voulais faire ça pour toi depuis un moment, mais, quand ma mère a parlé de son examen l'autre jour, j'ai attendu de voir si on pourrait partir. Je ne savais pas trop ce qui allait se passer.

Il frissonna au contact de la main de Mia sur sa joue.

— Tu es l'homme le plus gentil que je connaisse. Tu seras un père formidable.

La gorge nouée, il déposa un baiser sur la main de Mia.

— Je te réserve d'autres surprises une fois sur place, mais je garderai le secret, cette fois. Tu devras prendre ton mal en patience.

— Tu m'as déjà donné bien plus que je n'espérais.

Elle ne parlait pas seulement du voyage, il le savait. Aujourd'hui, il ne pouvait plus nier que ce bébé était le sien. Il avait l'impression de se tenir sur une pente glissante depuis le jour où il avait appris la grossesse de Mia et il n'avait plus la force de résister.

Découvrir la Toscane fut pour Mia un ravissement, dépassant tout ce qu'elle avait pu imaginer. Des collines verdoyantes aux magnifiques villas en flanc de montagne, le tout baigné d'un calme et d'une sérénité incomparables. Le soleil illuminant le sommet des arbres, les routes humidifiées par une pluie rafraîchissante. Toute cette beauté lui fit immédiatement oublier les dix-neuf heures de vol.

— Où se trouve notre villa ? demanda-t-elle une fois dans la voiture que Bronson avait louée.

— Pas de villa.

— Est-ce qu'on va camper dans une tente ?

Bronson rit avec elle, les yeux sur la route sinueuse.

— J'ai loué un château.

— Un château ? Tu plaisantes !

— Pas du tout.

— Mais c'était à la dernière minute. Comment as-tu trouvé une chambre dans un château ?

Il lui jeta un regard qui disait : « Pour qui est-ce que tu me prends ? »

— Je n'ai pas pris une chambre. J'ai loué tout le château jusqu'à vendredi.

Il était décidément incroyable, songea-t-elle en s'enfonçant dans son siège. Il avait remué ciel et terre pour l'emmener dans la ville où ses parents s'étaient rencontrés, étaient tombés amoureux et avaient fondé une famille. Il avait loué un château pour qu'ils soient seuls tous les deux. Il ne pouvait pas avoir fait tout cela juste pour la mettre dans son lit de nouveau. Il avait des sentiments pour elle, de toute évidence. Etait-il amoureux ? Elle n'en savait rien encore, et probablement que lui non plus.

Quelques minutes plus tard, il prenait une allée menant au sommet d'une colline et elle ne put retenir une exclamation de surprise.

— C'est magnifique, Bronson.

— On a tourné un film sur ce terrain il y a environ cinq ans. J'ai toujours voulu passer du temps ici, mais je n'ai jamais trouvé la bonne occasion. Bienvenue au Castello Leopoldo.

Sans attendre qu'il lui ouvre la portière, elle se précipita dehors pour mieux contempler la beauté de l'Ancien Continent, des murs de pierre claire aux vignes qui avaient grimpé sur les murs entourant la porte d'entrée. Cet endroit était magique, et elle avait hâte d'en découvrir l'intérieur.

— Il y a dix chambres en tout, fit Bronson en se glissant derrière elle.

— Et tu as prévu d'en faire le tour, j'imagine ?

— Compte là-dessus, murmura-t-il à son oreille, avant de déposer un baiser léger sur ses lèvres.

- 13 -

Mia s'étira, songeant avec délice à la façon dont Bronson et elle avaient déjà exploré une bonne partie des chambres. Les draps de soie se froissèrent sous son corps. Le soleil venait illuminer de quelques rayons dorés leurs corps dénudés.

Elle se tourna sur le côté et glissa le bras sous sa tête pour mieux contempler Bronson, endormi et si paisible tout près d'elle. Elle s'émut à la vue de la mèche de cheveux qui était tombée sur ses yeux et de ses lèvres si talentueuses entrouvertes sensuellement.

Avec un sursaut d'angoisse, elle fut soudain replongée dans la réalité de la situation. Anthony allait parler à Olivia cette semaine. Quand Bronson et elle reviendraient de leur voyage romantique, des secrets vieux de plusieurs dizaines d'années auraient refait surface et, petit à petit, les détails en seraient exposés au monde, à la presse qui y verrait l'histoire du siècle. Quelle serait la réaction de Bronson ? Se sentirait-il trahi ? Amer ? Anéanti ?

Elle étudia son visage, ses épaules massives et son torse puissant, et elle comprit. Elle aimait cet homme de toutes ses forces, et elle ferait tout son possible pour lui faire savoir qu'elle était là pour lui. La verrait-il comme une menteuse ? Prendrait-il comme une trahison le fait qu'elle était au courant du secret sans jamais lui en avoir parlé ?

Une étrange sensation au ventre la fit sursauter. Elle y porta la main, émerveillée par le léger mouvement. Soudain excitée, elle se redressa d'un bond en riant.

— Quoi ? Qu'est-ce qu'il se passe ?

Elle se tourna vers Bronson, que son sursaut avait réveillé.

— Rien. Tout va très bien. Le bébé vient de bouger.

Ses yeux écarquillés se posèrent sur son ventre.

— Vraiment ?

— J'avais lu sur le sujet, mais c'est tellement plus incroyable que ce que j'imaginais ! Je n'avais jamais rien ressenti de tel.

Le regard de Bronson se fit plus intense.

— Merci.

— De quoi ?

— D'être toi, répondit-il simplement en la prenant dans ses bras. D'aimer ce bébé au point que ton regard en est illuminé. D'être aussi honnête et authentique.

Elle ferma les yeux, mal à l'aise. Ce n'était pas à elle de révéler ce secret. Anthony et Olivia avaient besoin d'en discuter seuls avant.

— J'aime ce bébé, c'est vrai. Et je t'aime.

Elle avait imaginé qu'il se figerait à ces mots. En revanche, elle ne s'était pas attendue à voir la douleur transpercer son regard juste avant qu'il ne les ferme, comme pour repousser sa peine. Attendrie par sa détresse, elle posa un baiser sur ses lèvres.

— Je ne dis pas ça pour te troubler ou te blesser. Je le dis parce que je veux être honnête concernant mes sentiments pour toi. Je n'attends rien en retour. Mon amour est le cadeau que je te fais.

Il agrippa sa main. Il y avait dans son regard une lueur étrange, de l'angoisse.

— Je tiens à ce bébé, et à toi — plus que je ne le voulais. Mais c'est tout ce que je peux t'offrir, Mia. Je n'ai rien d'autre en moi.

Elle ne pouvait y croire. Elle était touchée par la bataille qu'il se livrait à lui-même et elle n'avait aucune intention de le brusquer, mais, s'il ne l'aimait pas, il ne serait pas si déchiré, et surtout si généreux et si attentif envers elle.

— J'ai plusieurs surprises prévues pour toi, aujourd'hui, continua-t-il en effleurant ses lèvres.

— J'espère que l'une d'elles implique des vêtements, puisque tu m'as dit de ne rien emmener.

Il plongea un regard plein de désir sur sa poitrine découverte.

— Malheureusement, oui, j'ai des vêtements pour toi.

— Allez, dis-moi, tu sais comme j'ai horreur d'attendre.

— Il y a une valise rien que pour toi dans la première chambre que nous avons visitée hier soir. Des vêtements de maternité haute couture, par Victoria Dane.

Elle se leva d'un bond, enveloppée du drap qui les couvrait, elle et Bronson.

— Quoi ? Ta sœur m'a fait des vêtements de maternité ? Mais elle ne fait que des robes de soirée ou de mariée !

Bronson, magnifiquement dénudé, s'étira, un sourire au coin des lèvres.

— Il se trouve que je connais bien la styliste et elle

m'a fait une faveur. Il n'y a pas beaucoup de tenues parce qu'elle a manqué de temps, mais elle en fera d'autres au fur et à mesure de ta grossesse.

— C'est une façon élégante de dire que je vais bientôt ressembler à une baleine, mais je suis bien trop surprise et reconnaissante pour m'en formaliser.

— Tu veux aller voir les vêtements ou tu préfères connaître la suite ?

— Je suis curieuse. Dis-moi le reste.

— J'ai organisé un cours de cuisine avec le meilleur chef italien, Ambrogio Ricci. Il sera là vers midi.

— Tu plaisantes ! Bronson, c'est incroyable ! Je n'arrive pas à croire que tu aies fait tout ça pour moi.

Il glissa un doigt bronzé sur son bras.

— Il n'est que 9 heures. On devrait avoir assez de temps pour que tu me montres ta reconnaissance avant que notre invité arrive.

— Je ne sais pas par où commencer, répliqua-t-elle en le chevauchant, je suis vraiment très reconnaissante.

Elle n'avait plus aucun doute, à présent : il avait des sentiments pour elle. Il n'était peut-être pas encore capable de les exprimer, mais ses actes parlaient d'eux-mêmes.

Après avoir accueilli le chef et l'avoir présenté à Mia, Bronson s'était retiré pour se consacrer à la préparation d'une des chambres qu'ils n'avaient pas utilisée — pas encore, du moins. Salivant à l'odeur entêtante qui envahissait tout le rez-de-chaussée, il avait entrepris de préparer une table intime sur la terrasse d'une chambre au dernier étage. Tout en s'activant, il repensa au bonheur qu'il avait lu dans les yeux de

Mia quand il lui avait parlé du cours de cuisine. Il en avait eu le souffle coupé, probablement comme elle l'avait eu en sentant le bébé bouger. Leur bébé.

Il sentit sa gorge se serrer. Il pouvait le faire. Il voulait le faire. Il voulait être le père de ce bébé et il voulait être capable d'exprimer ses sentiments à Mia en toute confiance. Bien sûr, il aurait d'abord besoin de découvrir quels étaient ces sentiments. Il n'avait pas encore le courage d'appeler cela de l'amour ; pourtant, il n'avait jamais ressenti cela pour aucune autre femme. Jamais il n'avait tenu à quelqu'un au point de veiller à ses besoins en priorité. Ces dernières vingt-quatre heures, il en était venu à voir Mia comme la femme honnête et loyale qu'il avait espéré découvrir.

Il déposa une dernière surprise sur la table et se dirigea vers la cuisine pour voir comment se passait le cours. Cela faisait plusieurs heures qu'ils y étaient. Il avait eu le temps de passer plusieurs coups de téléphone et même de travailler un peu pendant que Mia apprenait à faire une sauce tomate à l'italienne, des spaghettis maison et du tiramisu. Le cours devait bientôt prendre fin et il était impatient d'avoir Mia pour lui tout seul de nouveau. Il était prêt à lui dire qu'il la croyait à propos du bébé.

Il avait beau ne pas faire confiance à Anthony, aujourd'hui il faisait confiance à Mia. Il savait au fond de lui qu'elle n'aurait pas couché avec un homme marié. Et, même s'ils avaient gardé le contact, son instinct lui disait qu'ils étaient amis et rien d'autre. Elle était la femme la plus honnête qu'il ait jamais rencontrée. Comment ne l'avait-il pas su plus tôt ?

Il espérait seulement ne pas lui briser le cœur. Ses

histoires passées avaient plutôt mal tourné, en vérité. A présent, Mia et lui étaient engagés dans une aventure qui le terrifiait, mais jamais il n'avait reculé face à un défi. Ou face à la peur — et à l'amour. Et, si lui avait peur, il osait à peine imaginer ce que Mia devait ressentir. Elle était si seule. Lui avait une famille qui l'aimait et le soutenait, et il n'avait jamais mesuré la chance qu'il avait avant de rencontrer Mia.

Arrivant en bas de l'escalier, il vit Mia refermer la porte d'entrée derrière le chef italien, un grand sourire aux lèvres.

— D'après ton sourire et cet arôme délicieux, je suppose que le cours s'est bien passé.

— C'était l'une des plus belles expériences de ma vie !

Elle le rejoignit en quelques pas et enroula ses bras autour de son cou.

— Je m'en souviendrai toujours. Merci.

Il respira le parfum de ses cheveux.

— Je t'en prie. Pour être honnête, mes motivations étaient on ne peut plus égoïstes.

— Ah oui ?

— J'ai fait ça pour déguster des mets italiens authentiques sans avoir à quitter le château.

Joueuse, elle lui donna une tape sur le torse et retourna dans la cuisine. Il l'y suivit, hypnotisé comme toujours par le balancement de ses hanches.

— Prends donc une assiette pour voir si le cours a porté ses fruits.

— J'ai une meilleure idée.

Il sortit des bols et versa la sauce encore bouillante

dans l'un et les spaghettis dans l'autre. Puis il les déposa sur un plateau avec le pain.

— Prends le dessert et suis-moi.

— Où est-ce qu'on va ?

— Fais-moi confiance.

Des mots qui prenaient un sens tout particulier dans leur relation. Car il devait admettre — enfin — qu'ils avaient une relation. En vérité, cette idée lui plaisait de plus en plus.

— Bronson, c'est magnifique ! fit-elle comme ils arrivaient au deuxième étage.

— La vue est splendide de la terrasse. Et on n'a pas encore utilisé cette chambre, ajouta-t-il d'un ton plein de promesses.

Mia posa le tiramisu sur la table et vint se plaquer tout contre lui.

— Je ne sais pas ce que j'ai fait pour mériter tout ça. Je n'ai même pas les mots pour exprimer ma gratitude.

Elle posa la tête sur son épaule, le regard perdu dans l'immensité des collines verdoyantes qui les entouraient. Se délectant de ce moment d'intimité, il glissa le bras autour de sa taille, pour tomber sur le léger renflement auquel il n'arrivait pas tout à fait à s'habituer. Chaque fois qu'il le voyait, qu'il le touchait, son souffle s'accélérait. Il était en train de tomber amoureux de ce bébé, et de sa mère par la même occasion. Et s'il leur arrivait quelque chose ? Il n'aurait pas la force de revivre cela.

— J'ai quelque chose à te dire, murmura-t-il, les lèvres dans ses cheveux. Je sais que ce bébé est le mien. Je le sais parce que j'ai appris à te connaître. Tu es quelqu'un de sincère, d'honnête. Et je te crois aussi quand tu dis qu'Anthony et toi n'êtes que des amis — plus que je ne le voudrais, de toute évidence, mais ça, ça vous regarde.

Elle leva la tête vers lui, ses yeux étaient baignés de larmes.

— Bronson, tu n'as pas idée de ce que ça signifie pour moi. Je veux qu'il y ait de la confiance entre nous. Je veux que ce bébé ait toute la stabilité qu'il mérite.

— Il l'aura.

Il avait hâte de lui montrer la dernière surprise qu'il avait préparée pour elle. Il avait failli lui en parler à plusieurs reprises, mais il tenait à attendre jusqu'à la dernière minute. Il voulait à tout prix voir l'expression sur son visage quand il la révélerait enfin.

Mia aurait voulu que ce moment ne finisse jamais. Lovée dans les bras de Bronson, contemplant la campagne toscane, son bébé remuant dans son ventre, plus rien d'autre n'existait à ses yeux. Plus de problèmes, plus de secrets. Rien pour faire obstacle à son bonheur.

Quand il s'écarta pour l'aider à s'asseoir quelques instants plus tard, elle fut tirée de son rêve. Il y avait bien un secret. Elle voulait en parler à Bronson, de toutes ses forces. Elle voulait lui dire tant qu'ils étaient tous les deux dans cet endroit magique, à l'abri du reste du monde. Mais elle avait promis. Et, malgré tout l'amour qu'elle portait à Bronson, elle ne reviendrait pas sur cette promesse.

Bronson saisit son assiette et lui servit une portion généreuse de pâtes.

— Tout va bien ? demanda-t-il.

Elle se força à sourire. Elle tenait à profiter de ces

instants uniques, sans penser à ce qui les attendrait à leur retour.

— Très bien. Je suis juste inquiète de ce que tu vas penser de mon premier vrai repas italien.

— Tout cela me paraît délicieux.

— Qu'est-ce que c'est ? demanda-t-elle en désignant un bocal opaque qu'elle venait d'apercevoir sur la table.

— Ouvre.

Elle souleva le couvercle, et éclata de rire en voyant le contenu.

— Des M&M's verts ?

— Juste au cas où ton dessert n'aurait pas été réussi. Je me suis dit que tu apprécierais.

Son cœur se serra. Les sentiments de Bronson étaient de plus en plus évidents. Mais ce qu'elle avait espéré plus que tout était qu'il lui accorde sa confiance.

Lui ferait-il toujours confiance quand il aurait découvert la vérité à propos d'Anthony ? La laisserait-il le réconforter et lui expliquer pourquoi elle n'avait pas pu lui dire ce qu'elle savait ?

Elle l'espérait, car, si elle venait à perdre Bronson, elle doutait de retrouver un jour un amour aussi profond.

- 14 -

— Encore une surprise ? demanda Mia, ravie, en montant dans la voiture de location.

Après une nouvelle nuit de passion, Bronson l'avait réveillée sans la moindre explication, avec l'ordre de s'habiller et de se préparer au plus vite.

— Fais-moi confiance, tu vas vraiment aimer celle-là.

— Tu veux dire, plus qu'un séjour dans un château en Italie, que des leçons de cuisine avec un grand chef ou que mon propre bocal de M&M's verts ?

Le regard fixé sur la route tortueuse, il eut un sourire malicieux.

— Plus encore.

— Allez, dis-moi de quoi il s'agit !

— Tu dois vraiment apprendre à être patiente, Mia !

— J'apprendrai. Demain. Dis-moi où tu m'emmènes.

Il se contenta de rire un peu plus. Au bout d'une heure de route, ils arrivèrent dans un joli village doté de plusieurs bistros et boutiques artisanales, et Bronson refusait toujours de lui dire où ils étaient.

— Qu'est-ce qu'on fait ici ?

— On va faire les boutiques.

— Tu aimes faire les boutiques ? demanda-t-elle, surprise.

— Pas vraiment, mais j'imagine que toi, oui. Et

il s'agit d'une boutique spéciale. On va acheter des meubles pour la chambre du bébé.

— La chambre du bébé ?

Elle regarda tout autour d'elle les vitrines des petites boutiques.

— Il y a un magasin de meubles ici ?

— Encore mieux. Il y a un magasin où tu peux commander tes meubles sur mesure et ils vous les livrent partout dans le monde. Le propriétaire a déjà fait quelques petites choses pour ma mère et Victoria. Je n'ai jamais été dans sa boutique, mais je lui ai parlé plusieurs fois au téléphone.

Incapable de contenir son excitation, elle détacha sa ceinture à la hâte et se précipita hors de la voiture.

— Allons-y.

Prenant sa main dans la sienne, Bronson la conduisit jusqu'à une boutique au bout de la rue.

— J'ai appelé Fabrizio hier pour l'informer que nous viendrions aujourd'hui. Il parle couramment anglais et il est connu dans le monde entier pour ses chambres d'enfant.

Au comble de l'excitation, Mia ouvrit la porte antique, faisant sonner une clochette au-dessus de leur tête. Elle aperçut d'abord le long du mur plusieurs têtes de lit en chêne massif délicatement sculptées. Des tables de toutes tailles, formes et teintes envahissaient l'espace autour d'eux. Dans un autre coin de la pièce, son attention fut attirée par des chaises et canapés d'une grande élégance, tapissés de tissus divers. Elle fut émerveillée par la finesse et la beauté de tout ce qu'elle voyait ici, au point qu'il lui fallut quelques secondes pour remarquer l'homme d'âge mûr qui s'avançait vers eux, la main tendue.

— Monsieur Dane, je vous souhaite la bienvenue. Et cette magnifique jeune femme doit être Mia. Je suis très heureux que vous ayez choisi ma boutique. J'ai l'impression que c'était hier que vos parents me demandaient de fabriquer un berceau.

Elle retint sa respiration, osant à peine croire à ce qu'elle venait d'entendre, et chercha le regard de Bronson, qui se contenta de hocher la tête avec un sourire. Il avait tout prévu. Elle se tourna de nouveau vers Fabrizio, débordante d'amour et de gratitude pour Bronson, qui se tenait silencieux à son côté.

Elle passa à l'italien sans réfléchir :

— *Avete conosciuto I miei genitori ?*

L'homme lui sourit en retour.

— *Ero un amico d'infanzia con il tuo padre.*

Mia sentit les larmes lui monter aux yeux, mais les ignora. Non seulement Fabrizio avait connu ses parents, mais il avait été un ami d'enfance de son père.

— C'est un honneur de vous rencontrer. Et plus encore, que vous fabriquiez les meubles de la chambre de mon bébé.

— C'est un vrai plaisir. Ma Viviana et moi avons eu huit enfants. Il n'y a rien de plus beau que de donner la vie.

Tout en parlant, il se dirigea vers le fond de la boutique.

— Venez dans mon bureau. J'ai sorti quelques albums pour vous. Des designs anciens et d'autres plus modernes, pour vous inspirer.

Elle caressa son ventre avec tendresse. Comme elle

avait hâte de voir son bébé, de savourer les joies de la maternité et de communiquer avec son enfant les yeux dans les yeux !

Ils arrivèrent dans un petit bureau dont la table était encombrée de classeurs et de photos éparpillées. Elle prit place sur une chaise tapissée de velours en s'emparant d'une des photos.

— C'est magnifique. Je n'ai jamais rien vu de pareil.

— Après le coup de téléphone de M. Dane, j'ai voulu vous proposer une variété de choix. S'il y a des choses qui vous plaisent dans plusieurs photos, on pourra essayer de combiner les styles ou les couleurs. Dites-moi tout ce que vous voulez, je ferai de mon mieux pour vous satisfaire.

Elle se plongea dans les photos pendant plusieurs minutes sans dire un mot. Enfin, elle tomba sur l'image d'un berceau de forme ronde à baldaquin rose, et s'étrangla d'émotion. Elle pouvait sans peine imaginer son bébé endormi sous le tissu de soie.

Pendant tout ce temps, Bronson était resté debout à côté d'elle, silencieux. Essayait-il de rester à distance ? La laissait-il choisir parce qu'il avait encore des doutes concernant sa paternité ? Non. S'il n'avait pas pensé être le père, il n'aurait pas fait tout cela. Il craignait certainement qu'il arrive quelque chose au bébé, mais elle aurait tout de même aimé qu'il donne son avis. Qu'il participe à la décision.

Ecartant ces pensées négatives, elle retourna à la photo qui l'avait tant marquée. Les couleurs douces et les gravures délicates étaient appropriées aux deux sexes.

— C'est ça que je veux.

— Vous voulez modifier quelque chose ? demanda Fabrizio.

— Non. Mais je ne sais pas encore si c'est un garçon ou une fille, donc je ne sais pas encore quel linge de lit choisir.

— Vous pourrez m'appeler quand vous le saurez, ou vous pouvez choisir une couleur neutre. Il y a beaucoup d'options qui conviennent pour les deux sexes.

Elle réfléchissait à toute allure, repensant à la disposition du cottage, à la lumière du soleil qui pénétrait par les fenêtres et à la façon dont celle-ci influerait sur les couleurs.

— Est-ce que je peux voir les tissus et choisir une couleur pour un garçon et une autre pour une fille ? Je vous tiendrai au courant ensuite.

— Bien sûr. Il me faudra quelques semaines pour préparer les plans. Disons deux semaines parce que vous êtes une cliente très spéciale.

— Nous avons rendez-vous dans deux semaines pour connaître le sexe du bébé. Je vous appellerai à ce moment-là.

— Parfait.

Fabrizio les invita à le suivre dans la première pièce.

— Allons voir ces tissus.

Après avoir fait son choix, Mia ne put s'empêcher de retenir Fabrizio un peu plus longtemps pour le bombarder de questions sur ses parents. C'était pour elle une occasion unique d'en apprendre un peu plus sur eux, et elle ne voulait pas la laisser passer. Elle remarqua que Bronson avait disparu, sans doute pour leur laisser un peu d'intimité. Elle prit un énorme plaisir à entendre des histoires d'enfance sur son père, et à savoir à quel point ses parents avaient été heureux d'attendre un bébé. A plusieurs reprises, elle ne put retenir ses larmes, mais Fabrizio ne sembla pas s'en inquiéter et lui tendit un mouchoir sans interrompre son récit. Sans qu'elle s'en rende compte, une heure s'écoula. Pressée maintenant de retrouver Bronson, elle s'excusa auprès de Fabrizio d'avoir accaparé son temps et promit de rester en contact avec lui et d'envoyer des photos du bébé.

Elle sortit de la boutique sous l'emprise d'un tourbillon d'émotions. Elle ne savait même pas quoi dire, quoi faire pour exprimer ce qu'elle ressentait. Mais une chose était sûre : elle avait besoin que Bronson continue à lui faire confiance une fois qu'ils rentreraient à la maison et qu'il découvrirait le secret qu'elle lui avait caché. Elle n'en était pas arrivée à ce point pour le perdre.

Ils déjeunèrent dans un petit restaurant et parcoururent les charmantes boutiques qui parsemaient la place du village. Ce ne fut pas avant de rentrer au château que Mia se rendit compte à quel point cette excursion l'avait épuisée.

— Je n'avais pas idée qu'un bébé pouvait absorber tant d'énergie, dit-elle en s'affalant sur le canapé du salon. Tout ça devient si réel. Le bébé, je veux dire.

A ces mots, Bronson éclata de rire en s'asseyant à côté d'elle.

— Tu veux dire que les nausées matinales n'étaient pas assez réelles ?

Elle eut un frisson de dégoût à ce souvenir.

— Oh oui, c'était bien assez réel, mais ce voyage,

être ici avec toi, sentir le bébé bouger, acheter les meubles… C'est juste parfait.

Bronson passa son bras autour de ses épaules et elle se laissa attirer contre la chaleur de son torse. Ils n'avaient plus qu'une journée à passer ici et elle avait tant de choses à lui dire, sur elle et sa vie, pour qu'il comprenne plus tard les raisons qui l'avaient poussée à lui cacher la vérité. Comme pour se donner du courage, elle caressa la cicatrice datant de la nuit tragique qui avait changé sa vie et qui avait fait d'elle ce qu'elle était aujourd'hui.

— Tu sais que je ne mens pas à propos du bébé.

Il ne répondit pas, et son silence fit monter l'angoisse en elle.

— J'ai besoin de savoir que tu me crois, Bronson.

— Je te crois, répondit-il finalement d'une voix enrouée par l'émotion. J'ai eu peur de le reconnaître de crainte de perdre un autre bébé, mais je sais que tu dis la vérité.

— Je ne sais pas comment te remercier pour tout ce que tu as fait. Me présenter à Fabrizio, c'était… Je ne pourrai jamais te remercier assez.

— Tu n'as pas besoin de me remercier. Je tiens à toi et à ce bébé. Je voulais que tu aies un aperçu de ton passé. Moi, j'ai ma famille, et tu méritais de connaître mieux la tienne aussi.

— Tu vas être un père formidable. Avec ta famille si aimante, si unie… Je sais que le bébé ne manquera de rien.

— Mon père est mort quand j'avais dix ans. A l'époque, la presse s'est montrée compatissante et nous a laissés tranquilles. J'ai toujours voulu être comme lui. C'était l'homme de la maison et il n'a jamais été jaloux du succès de ma mère. La plupart des maris l'auraient été, mais il était très fier d'elle.

Mia écoutait, captivée par les émotions que révélait le visage de Bronson.

— J'ai toujours fait passer ma carrière en priorité, mais, une fois ma réussite assurée, je voulais une femme, une mère pour mes enfants. Je voulais être comme mon père. Dévoué, loyal, aimant.

Comment ne voyait-il pas qu'il était tout cela, et plus encore ?

— J'ai rencontré Jennifer sur un tournage et j'ai cru que j'avais trouvé la femme parfaite pour moi, continua-t-il, le regard perdu dans la cheminée éteinte, comme s'il y voyait son histoire. Et puis, un jour, elle a perdu le bébé. On a commencé à se disputer à propos de tout et n'importe quoi. Aujourd'hui, je me rends compte que nous n'étions pas du tout faits l'un pour l'autre. Il est facile de confondre désir et amour. Elle savait tout de mes sentiments pour Anthony — tout le monde était au courant. Elle avait travaillé sur un film avec lui et elle m'a dit qu'il était le vrai père du bébé.

Mia sentit son cœur se serrer. Elle craignait fort que les rapports désastreux entre Bronson et Anthony n'empirent dans les prochains mois, avant de s'améliorer.

— Elle mentait. Tu le sais, n'est-ce pas ? Je veux dire, à propos d'Anthony. Je ne peux pas dire si elle a eu une liaison avec quelqu'un d'autre, mais je connais suffisamment Anthony pour savoir qu'il aime sa femme. J'ai vu combien il lutte pour sauver leur mariage.

Il marqua un silence.

— En fait, poursuivit-il, je n'ai jamais approfondi la question. Quand elle m'a balancé ça… Peu importait que ce soit vrai ou non, le peu de tendresse qu'il restait entre nous s'est évaporé.

— Je ne suis pas Jennifer. Je ne te mens pas. Je te promets qu'Anthony et moi ne sommes que des amis. J'ai arrêté de travailler pour lui parce que je voyais les difficultés qu'il avait avec Charlotte, après que la presse a lancé ces affreuses rumeurs.

— Je sais que tu n'as rien à voir avec Jennifer. Tu es une battante, une vraie, qui défend ce qu'elle croit juste. Tu es loyale et honnête.

Dis-lui, hurlait la petite voix dans sa tête. Hélas, elle n'en avait pas le droit. Elle ne pouvait pas trahir la confiance d'un ami. Il ne lui restait qu'à espérer que Bronson comprendrait quand le secret serait révélé.

— Je ne sais pas trop si je serai une bonne mère, poursuivit-elle dans un effort pour détourner la conversation. Je n'ai pas eu d'exemple, et je n'ai jamais eu de bébés dans mon entourage. Il y avait bien un garçon d'un peu moins de deux ans dans une de mes familles d'accueil, mais je n'y suis pas restée assez longtemps.

— Tu as été pas mal baladée, non ?

— Après la mort de mes parents, j'ai été placée dans quatre familles d'accueil en l'espace de cinq ans. Puis, à dix ans, on m'a envoyée dans un foyer avec d'autres enfants qui attendaient d'être adoptés. J'y suis restée jusqu'à mes dix-huit ans. Ce n'est qu'à ce moment-là que j'ai pu prendre le contrôle de ma vie et faire ce que j'avais envie de faire.

— Je suis impressionné par la femme que tu es devenue, Mia, alors que tu as perdu tes parents si jeune.

— J'avais cinq ans, précisa-t-elle en caressant machinalement sa cicatrice.

— C'est de là que vient cette cicatrice ?

— Mes parents sont morts dans l'accident, et moi je n'ai eu que des blessures superficielles. Parfois, la vie n'est pas juste.

Bronson vint se placer devant elle et prit ses mains dans les siennes.

— Tu seras une mère incroyable, Mia. Je n'en doute pas une seconde. Tu es le genre de personne qui se donne à cent dix pour cent dans tout ce qu'elle entreprend.

Il déposa un baiser tendre sur ses lèvres.

— C'est l'une des raisons pour lesquelles je t'ai emmenée ici, continua-t-il. Je veux que tu saches que je te crois, que je te fais confiance. Je veux voir où cette relation nous mènera. Je te demande juste d'être patiente avec moi.

Jamais elle ne s'était sentie aussi vivante, aussi heureuse. Le cœur débordant de tendresse, elle enlaça Bronson tout en ravalant ses larmes.

— L'amour est patience, murmura-t-elle à son oreille. Je ne vais nulle part.

Elle recula, remarquant le désir dans ses yeux, un désir qu'elle ressentait tout autant. Succombant à ses sentiments, elle se laissa entraîner par leur passion, espérant, comme chaque fois qu'ils faisaient l'amour, que Bronson verrait, qu'il sentirait à quel point elle l'aimait. Elle frissonna de plaisir en sentant ses mains glisser sous la tunique que Victoria avait créée pour elle. Une fièvre intense la prit tout entière tandis qu'il se penchait vers ses lèvres, caressant ses cuisses de ses mains expertes. Mettant fin au baiser à regret, elle se leva et retira son vêtement avant de le jeter derrière elle. L'émerveillement de Bronson était évident, tant il regardait intensément sa lingerie d'un jaune vif.

— Tu portes toujours de la lingerie si incroyable !

Elle ne répondit pas, occupée qu'elle était à le débarrasser de son T-shirt, tandis qu'il retirait son jean. Quand il l'attira enfin vers elle, elle se laissa aller contre son torse puissant, submergée par la passion de son baiser, dans lequel elle déversa toutes ses émotions, tous ses sentiments. Leurs corps se mêlaient à la perfection. Elle sentait son ventre gonflé par la grossesse contre sa peau.

Puis Bronson recula et la souleva dans ses bras.

— On va où ? demanda-t-elle sans vraiment s'en soucier. Je deviens trop lourde pour ça. Repose-moi.

— Tu n'as presque pas pris de poids et, si je veux porter ma famille, personne ne m'en empêchera.

Elle plongea son regard troublé par les larmes dans ses yeux d'azur.

— Ta famille ? Dans ce cas, emmène-nous où tu voudras.

L'espoir grandit en elle. Enfin, son rêve d'avoir une famille, de faire partie d'un foyer pouvait se réaliser avec l'homme dont elle était amoureuse. Car il était la seule personne avec qui elle ait jamais souhaité former une famille.

Il la porta le long du couloir jusqu'à la terrasse.

— Je veux te faire l'amour dehors, sous les étoiles.

Avec des gestes tendres, il l'embrassa en lui enlevant le reste de ses vêtements. Elle fut bientôt nue sous la lune. Alors, Bronson se pencha sur son ventre. Il y porta les deux mains et murmura :

— Je t'aime.

Elle retint ses larmes, touchée au-delà de tout ce qu'elle avait connu par la vulnérabilité qu'il témoignait ainsi. C'était la preuve indéniable qu'il avait enfin confiance en elle — et peut-être qu'il l'aimait, aussi, espéra-t-elle.

Revenant à sa hauteur, Bronson enveloppa son visage dans ses mains et l'embrassa de nouveau, l'attirant jusqu'aux fauteuils disposés sur la terrasse. Il s'assit, l'invitant à le chevaucher et, quand elle plongea ses yeux dans les siens, elle ressentit le besoin de lui faire comprendre à quel point son amour était sincère.

— Je t'aime.

Enfin, ils ne furent qu'un et elle le vit fermer les yeux. Elle se pencha, cherchant le contact de ses lèvres tandis qu'elle caressait son dos, sous l'emprise d'une vague déferlante de plaisir. La fraîcheur de la nuit les enveloppait, accentuant la moindre de leurs sensations. Le dos arqué, le visage tendu en direction des étoiles, elle sentit les mains de Bronson s'emparer de ses seins, et l'orgasme vint, foudroyant. Son cri résonna dans la nuit et elle se laissa submergée par le plaisir. Le corps de Bronson se tendit contre le sien et il l'attira sur lui, pour unir ses lèvres aux siennes.

Lovée dans ses bras, elle comprit sans la moindre réserve que Bronson était l'homme avec qui elle voulait passer le reste de sa vie. Elle savait que ce ne serait pas de tout repos, mais elle avait l'intention de se battre pour l'avoir, pour avoir la famille dont elle rêvait.

Il l'aimait, elle en était sûre, à présent. Elle espérait juste que son amour soit assez fort pour survivre aux prochains jours.

- 15 -

Dès leur arrivée à Los Angeles, Bronson déposa Mia à son cottage, sa mère l'ayant appelé pour lui demander de passer à la maison dès son atterrissage. Sur le message, elle lui assurait qu'il ne s'agissait pas de sa santé, mais insistait pour lui parler de toute urgence, en privé. Que pouvait-il encore se passer ? Si sa mère était en bonne santé, quelle autre calamité avait pu frapper sa famille ? Olivia Dane avait beau être actrice, elle n'était pas du genre à tomber dans le mélodrame. Pourtant, c'était la deuxième fois en l'espace d'une semaine qu'elle demandait à le voir. Il n'aimait pas du tout cela.

Il entra dans la maison sans frapper et se dirigea tout droit vers le grand salon, où il était sûr de trouver sa mère. Il remarqua immédiatement deux choses qui clochaient : sa mère avait pleuré, et Anthony Price en personne se tenait à côté d'elle.

— Mais qu'est-ce qu'il se passe ici ?

— S'il te plaît, Bronson, viens t'asseoir à côté de ta sœur. Il y a quelque chose que vous devez savoir tous les deux.

Il ne bougea pas, foudroyant Anthony du regard.

— Qu'est-ce qu'il fait dans cette maison ? Tu ne

l'aurais quand même pas engagé pour le film sans mon accord ?

Les yeux d'Olivia se troublèrent de larmes, tandis qu'elle se tournait vers Anthony.

— Non, non, ça n'a rien à voir avec le film.

L'appréhension monta en lui, accentuant sa colère et sa frustration. Il n'était sûr que d'une chose : rien, absolument rien de bon, ne pouvait découler des minutes à venir.

— Pourquoi est-ce que tu pleures ?

— Ce sont des larmes de joie. Et de peur aussi, en toute honnêteté.

— Viens t'asseoir, Bronson, fit Victoria. Je suis sûre que ce que maman a à nous dire est très important.

— Si c'est tellement important, peut-être que nous devrions en parler en famille.

Pourquoi Anthony avait-il l'air si… à l'aise ? Que pouvait-il avoir à faire avec ce que sa mère avait à dire ?

— En fait, c'est de ça que je dois vous parler. La famille. Bronson, je veux que tu me promettes de me laisser finir sans m'interrompre.

Il n'avait jamais aimé qu'elle lui dise cela. Qui voudrait renoncer au droit d'interrompre une conversation quand il n'aimait pas la direction qu'elle prenait ?

— Bronson ?

— D'accord.

Olivia se leva et traversa la pièce en direction de la baie vitrée ouverte sur la terrasse. Le silence pesa quelques instants sur eux tous. Curieux, il décida de ne pas le briser, comprenant que sa mère devait avoir du mal à trouver les mots. De toute évidence, ce qu'elle avait à dire était difficile. Et il n'y avait pas de scénario dans la vraie vie.

— Je n'aurais jamais cru que ce jour viendrait. J'en ai rêvé, mais je ne pensais pas que mon rêve se réaliserait.

Victoria attrapa sa main et il la serra en retour, rassuré par ce contact dont il avait besoin lui aussi.

— Il y a environ quarante ans, je me trouvais à un moment crucial de ma carrière. Je venais d'obtenir le plus grand rôle de ma vie sans même avoir à passer une audition. Le public, les réalisateurs m'adoraient. Je ne m'étais jamais sentie aussi vivante. J'avais tout juste vingt ans et un jour, j'ai découvert que j'étais enceinte, d'un homme dont je n'étais même pas amoureuse.

Bronson fronça les sourcils, et se mordit la langue pour ne pas rompre sa promesse. Ce n'était pas possible. Sa mère avait vingt-cinq ans quand il était né, et elle avait aimé son père dès le jour de leur rencontre.

— J'ai été prise de panique. Je n'étais pas prête à être mère. Je voulais me consacrer à ma carrière et je savais qu'un bébé m'empêcherait de le faire. J'étais égoïste, je le reconnais. Mais je voulais que cet enfant ait la vie qu'il mérite, et j'avais assez d'argent pour payer une adoption privée dont la presse ne saurait rien. Alors, c'est ce que j'ai fait.

Il sentit Victoria accentuer la pression sur sa main, mais il n'aurait su dire si c'était par peur de ce qui allait suivre ou pour lui rappeler sa promesse de ne rien dire.

— Anthony est le fils que j'ai fait adopter.

— C'est ridicule.

Incapable de se contenir, il se leva d'un bond.

— Price, qu'est-ce que tu as dit à ma mère ? Tu as découvert cette histoire d'adoption et tu l'utilises pour lui faire du chantage ou quoi ?

— Pourquoi je lui ferais du chantage, Bronson ? Je n'ai pas besoin d'argent, je n'ai besoin de rien.

— Alors qu'est-ce que tu veux, bon sang ?

— Bronson, calme-toi, coupa Olivia en s'interposant entre eux deux. Je sais qu'Anthony est mon fils. Je n'ai jamais perdu sa trace, depuis le jour où je l'ai fait adopter. Il ne ment pas. En fait, je suis très surprise qu'il ait pu découvrir la vérité, j'ai versé beaucoup d'argent pour que tout ça reste un secret.

— Ça n'a pas été facile, dit Anthony avec un soupir. J'ai fait appel à un détective privé et à plusieurs avocats qui ont passé plus d'un an à rechercher mes parents biologiques. J'ai cru qu'ils ne trouveraient jamais, puis finalement, il y a neuf mois, ils ont découvert la vérité.

— Ça fait neuf mois que tu es au courant ? lança Bronson, contenant avec peine la colère qui bouillait en lui. Pourquoi as-tu attendu aussi longtemps pour en parler ?

— En toute honnêteté, j'ai quelques problèmes à la maison. Vous avez dû en entendre parler. Je voulais essayer d'arranger mon mariage avant, sans compter que je n'arrive pas à trouver une assistante efficace depuis que la mienne est partie travailler pour Olivia.

Mia. Une nouvelle question, une nouvelle angoisse, vint le frapper en plein cœur.

— Est-ce que Mia est au courant de tout ça ?

Pour toute réponse, Anthony se contenta de le regarder droit dans les yeux. Alors, Bronson comprit. Comment Mia avait-elle pu lui cacher cela ? Il avait eu raison finalement d'imaginer une connivence entre Anthony et elle. La mère de son enfant.

Il s'occuperait plus tard de cette histoire. Pour l'heure, il devait déjà encaisser la révélation qui venait de lui être faite.

— Alors, on fait quoi maintenant ? demanda-t-il à sa mère. J'espère que tu n'attends pas de moi que je l'embrasse comme un frère. Je ne l'ai jamais aimé et ça ne va pas changer aujourd'hui.

— Bronson.

La voix douce de Victoria vint percer la bulle de sa colère.

— Personne ne te demande de faire quoi que ce soit. La vérité est révélée, il faut juste qu'on fasse avec.

— La vérité ? Si maman s'inquiétait tant de nous dire la vérité, elle l'aurait fait il y a des années.

— Pour bouleverser la vie d'Anthony ? rétorqua Olivia. Non, j'avais fait le choix de lui donner une vie meilleure, je n'allais pas risquer de tout gâcher pour lui. Je ne pouvais le dire à personne.

— Je suis sûr que ça a été une vraie torture pour toi de nous voir nous battre toutes ces années, Bronson et moi, intervint Anthony.

Bronson observa les yeux de sa mère s'emplir de larmes, qui roulèrent doucement sur sa joue ridée.

— C'était très douloureux de voir mes enfants se comporter en ennemis.

— Ce n'est pas vrai, se murmura Bronson à lui-même. Ça ne peut pas être vrai.

— Je t'assure que je ne suis pas plus heureux que toi du fait que nous soyons de la même famille.

Ignorant Anthony, Bronson se dirigea vers sa mère.

Il était furieux après elle, furieux qu'elle lui ait caché un secret si important pendant toutes ces années. Mais au fond de lui, son cœur se serrait à la pensée de ce qu'elle avait enduré.

— Maman, commença-t-il, posant les mains sur ses épaules. Je ne sais pas quoi dire. Je ne peux pas me fâcher contre toi, pas quand je vois à quel point tu es déchirée par la situation. Mais je ne peux pas l'inclure dans la famille. Je ne peux pas.

— Je sais, mon fils. J'aimerais seulement que vous trouviez la force de mettre fin à votre querelle et peut-être d'arriver à vous entendre.

Il doutait que ce soit possible, mais il ne voulait pas empirer les choses. Sa mère avait bien assez souffert.

— Je ferai mon possible.

Il échangea un regard avec Anthony. De toute évidence, celui-ci n'avait pas plus que lui envie de le voir comme un frère, ce qui lui convenait très bien. Parce que, en réalité, tout cela n'avait pas la moindre importance à ses yeux. Ce qui importait, c'était Mia. La femme avec qui il attendait un bébé, à qui il faisait enfin confiance et dont il avait même commencé à tomber amoureux. Elle l'avait trahi, bien plus que sa mère — même s'il n'était pas juste de considérer ce que sa mère avait fait comme une trahison. Elle avait abandonné un enfant quarante ans auparavant et avait eu ses raisons pour garder le secret. Mia, en revanche, était au courant depuis le moment où il était tombé sur elle enveloppée dans une serviette. Et elle n'avait jamais rien dit, ni fait la moindre allusion à la situation.

Il s'écarta de sa mère avec tendresse et se tourna vers Anthony.

— Qu'est-ce que tu as promis à Mia pour qu'elle garde le silence ?

— Rien. Je lui ai juste demandé de ne rien dire tant que je n'aurais pas eu l'occasion de parler à Olivia.

— Et elle a accepté ?

La mâchoire d'Anthony se crispa, son regard se fit plus noir, plus intense.

— Et moi qui croyais que tu la connaissais. De toute évidence, ce n'est pas le cas, si tu poses cette question.

Bronson secoua la tête. C'était bien ce qui le tracassait. Connaissait-il réellement Mia ? Certes, il connaissait son corps par cœur, peut-être mieux qu'elle-même. Il savait que son regard s'éclairait à la vue de M&M's verts. C'était une incroyable cuisinière, et elle gardait toujours autour du cou un médaillon contenant la photo de ses parents, pour les avoir auprès d'elle en permanence. Voilà ce qu'il savait d'elle.

Ce qu'il ignorait, en revanche, c'était à quel point elle tenait à Anthony — que leur relation soit platonique ou non. Il ne savait pas si elle avait un plan les concernant, lui et sa famille, et si cette grossesse en faisait partie. A ce stade, il ne savait rien, sauf que sa vie avait pris un tournant digne d'une tragédie grecque — son ennemi se révélait être son propre frère, et il découvrait qu'il ne connaissait pas du tout la femme qui portait son enfant.

— Laisse Mia en dehors de tout ça, répliqua Olivia, s'interposant encore une fois entre Anthony et lui. Si elle était au courant, je suis très impressionnée qu'elle ait pu garder le secret.

— Impressionnée ?

Il se sentait tout sauf impressionné — furieux, blessé, trahi peut-être, mais pas impressionné.

— Avec tout ce qu'on a vécu, elle et moi, elle aurait dû m'en parler.

— La loyauté est quelque chose de très important pour Mia, lança Anthony. Elle se montrerait tout aussi loyale envers toi, si tu lui demandais de garder un secret.

Dégoûté, Bronson détourna le regard d'Anthony. Il était bien la dernière personne avec qui il voulait discuter de Mia.

— Ça ne change rien. Tu veux passer du temps avec ma mère, construire un lien avec elle, c'est elle que ça regarde. Pour ma part, je ne me sens pas d'humeur très fraternelle.

— Bronson, coupa Victoria, posant une main apaisante sur son bras. Ne dis pas des choses que tu regretteras plus tard. On est tous sous le choc. On devrait prendre un peu de recul, avant de décider quoi que ce soit.

— Victoria, mes sentiments pour Price ne vont pas changer parce qu'il se trouve que nous avons la même mère. Je ne lui fais pas confiance et je n'ai aucune intention de m'en faire un complice. Maman et toi, vous faites ce que vous voulez, mais ce sera sans moi.

Incapable de rester une minute de plus dans cette pièce, envahie par la tension, les mensonges, la trahison, il prit la direction de la sortie.

— Non. C'est moi qui vais partir.

Bronson se retourna, surpris de l'intervention d'Anthony.

— Pardon ?

— C'est moi qui pars. Vous trois avez beaucoup à vous dire et vous n'avez pas besoin de moi. Je sais que je ne fais pas partie de la famille, et je n'ai aucune intention de changer ça. Je sais aussi qu'il vous faudra beaucoup de temps pour accepter la nouvelle.

Bronson fut stupéfait de voir Anthony agir avec une telle générosité. Il n'aurait jamais cru cet homme capable de s'écarter dans une telle situation. Pour tout dire, il lui en était reconnaissant — même si jamais il n'aurait admis une chose pareille. Il se contenta donc de hocher la tête à son intention.

— J'espère que je peux appeler ou passer plus tard, ajouta Anthony.

Le visage d'Olivia s'éclaira d'un grand sourire.

— Quand tu veux, mon chéri.

— Au revoir, ajouta Victoria avec un sourire discret.

Sur ces mots, Anthony se retira, non sans jeter un dernier regard à Bronson au passage.

— Tu as toujours su ? demanda finalement Bronson à sa mère.

— Oui. Et je n'ai pas honte de ce que j'ai fait. J'ai voulu donner la meilleure des chances à mon enfant.

Colère, confusion, trahison — autant d'émotions se mêlaient en Bronson, l'empêchant d'y voir clair. Il aurait été tellement plus facile pour lui de pouvoir s'en prendre à quelqu'un pour tout cela. Pourtant, il n'était pas question pour lui d'accabler sa mère. Au fond de lui, il savait qu'elle avait pris à l'époque la décision la plus dure de sa vie. Il serait cruel de le lui faire payer quarante ans plus tard.

— Maman, tu aurais dû dire quelque chose ! intervint Victoria. Tu as dû souffrir le martyre de voir tes fils se déchirer pendant toutes ces années. Tu aurais pu nous en parler ! Nous n'aurions jamais rien dit à personne.

— Si Anthony n'était jamais venu me voir, j'aurais emporté ce secret dans la tombe. Bien sûr, je l'ai mis dans mon testament et j'avais préparé des lettres à votre intention à tous les deux pour vous expliquer.

— Des lettres, maman ? dit Bronson. J'ai toujours cru que tu n'avais peur de rien. Et pourtant, tu n'avais pas le courage de nous parler de ça ?

— Pour être honnête, j'avais peur de vous décevoir. Je suis plus faible que vous ne le pensez. J'ai rencontré un homme dont je croyais être amoureuse, puis je suis tombée enceinte et j'ai compris que je n'étais pas en mesure d'élever cet enfant correctement. Je n'ai rencontré votre père que deux ans plus tard. Bien sûr, je lui ai tout raconté avant même notre mariage. Il voulait que je récupère Anthony mais je ne pouvais pas faire ça à mon fils. Il avait été adopté par une famille aimante et il aurait été cruel de ma part d'essayer de le séparer de ses parents.

En écoutant sa mère revivre une partie de son histoire, Bronson sentit sa gorge se nouer. Il ne pouvait même pas envisager l'idée d'abandonner un enfant. Il en avait perdu un et il avait cru ne jamais s'en remettre. Aujourd'hui, la vie lui offrait une deuxième chance d'être père.

Apaisé, il prit dans ses bras deux des femmes les plus importantes de sa vie.

— Tu es la femme la plus courageuse que je connaisse, murmura-t-il à sa mère. Je suis heureux que tu n'aies plus à porter ce secret comme un fardeau. Je te demande seulement de ne pas t'attendre à ce que mes sentiments changent du jour au lendemain.

— C'est promis. Et de ton côté, essaye de faire la paix avec Anthony. Pour moi.

Pour sa mère, il était prêt à tout. Mais d'abord, il devait s'expliquer avec une autre des femmes de sa vie.

- 16 -

Mia ouvrit la porte à un Bronson visiblement très énervé. La mâchoire tendue, il lui jeta un regard noir. De toute évidence, il avait appris la vérité. C'était à elle de jouer, à présent. Elle devait tenter de sauver leur relation, de lui faire comprendre que son amour pour lui était réel et qu'il ne devait en aucun cas le remettre en question à cause de cette regrettable histoire.

— Tu as parlé à ta mère ?

— Est-ce que tu comptais me le dire un jour, Mia ?

Son premier réflexe fut de fuir son regard, puis, reprenant courage, elle riva les yeux aux siens.

— Non.

— C'est ce que ma mère a dit. Je suis trahi de tous les côtés. Cette histoire est de mieux en mieux.

Elle aperçut la douleur sur son visage, avant qu'il ne la bouscule pour entrer. Le cœur lourd, elle ferma la porte et le suivit dans le salon.

— Ta mère savait ? demanda-t-elle, stupéfaite.

— Depuis le début.

Il se tenait dos à elle, la tête tournée vers la terrasse.

— Tu veux me faire croire maintenant qu'il n'y a jamais rien eu entre Anthony et toi ? Ta loyauté est plus grande pour ton ancien employeur que pour le père de ton bébé ?

Elle refusait d'entrer dans son jeu, de se disputer avec lui. Il cherchait à évacuer sa frustration sur quelqu'un, et elle se trouvait sur son chemin. Elle devait rester forte pour préserver leur relation.

— Je ne t'ai jamais menti concernant ma relation avec Anthony. Il est comme un frère pour moi et j'ai vu à quel point il souffrait de ce secret. Je suis tombée sur un dossier à peine une semaine avant de venir travailler pour ta mère. Je t'assure que, plus d'une fois, j'ai souhaité n'avoir jamais vu ce qu'il contenait.

— Mais tu savais. Tu savais quelque chose qui allait changer ma vie. Tu as couché avec moi, tu as fait un enfant avec moi, tu m'as même déclaré ton amour, tout en sachant cela.

Comment pouvait-elle le nier ?

— Oui.

— Comment puis-je croire encore à ce que tu diras, Mia ? Comment puis-je être sûr que tu seras sincère avec moi ? Tu sais mieux que quiconque à quel point la famille est importante pour moi.

C'était un coup bas, mais elle refusait de se laisser entraîner dans une dispute.

— Bronson, tu sais que la famille est la chose la plus importante à mes yeux aussi.

Elle s'interrompit une seconde, chatouillée par le mouvement du bébé dans son ventre.

— Ce n'était pas à moi de révéler ce secret. Si Anthony avait décidé de ne jamais dire la vérité, je n'aurais fait qu'aggraver les choses en dévoilant ce que je savais.

— Tu savais qu'il allait parler à ma mère ?

— Oui. Il m'a dit la semaine dernière qu'il avait prévu d'aller lui parler prochainement.

— Donc, pendant qu'on était en Italie, tu savais ce qu'il se passait ici ?

— J'étais inquiète, mais je voulais passer ces moments avec toi, Bronson. Je voulais qu'on ait ces quelques jours rien que tous les deux, parce que je suis tombée amoureuse de toi. Non pas pour le bébé, mais pour nous.

Il eut un rire glacial qui lui brisa le cœur.

— Il n'y a pas de nous, Mia. Je refuse de faire partie d'un couple si je ne peux pas faire confiance à ma partenaire.

La boule d'émotions dans sa gorge lui faisait monter les larmes aux yeux. Elle ne renoncerait pas. Elle avait toujours su que ce serait un moment difficile à passer, mais elle n'était pas du genre à abandonner.

— Si tu prends le temps d'y réfléchir, tu te rendras compte que je n'ai rien fait qui t'encourage à te méfier de moi. Si tu crois que cette relation n'a pas d'avenir, alors vas-y. Sors d'ici sans regarder en arrière. Mais je sais que tu ne peux pas faire ça.

— Parce que tu portes mon bébé, lança-t-il.

— Le bébé nous a peut-être permis de nous trouver, mais ce n'est pas pour lui que je veux être avec toi ou que je suis amoureuse de toi. Et ne dis pas que tu ne m'aimes pas.

— Je ne t'aime pas.

— Qui est le menteur, à présent ? répliqua-t-elle, renonçant à retenir ses larmes. Tu me fais l'amour comme si j'étais la personne la plus importante à tes yeux. Tu m'emmènes dans un château pendant cinq jours alors que je sais que tu ne prends jamais de congés, d'habitude. Tu me fais surprise sur surprise et tu m'achètes des meubles italiens sur mesure. Ne cherche pas à nier que ce sont des signes d'amour.

Elle avait du mal à soutenir son regard si débordant de fureur, mais elle tenait bon. C'était leur avenir, au bébé et à elle, qui était en jeu.

— Pars, si c'est ce que tu veux, continua-t-elle, tout en priant pour qu'il n'en fasse rien. Sache seulement que personne ne t'aimera jamais comme je t'aime. Personne ne te sera aussi fidèle et loyale que moi. Et sache qu'en me rejetant, tu renonces à la chance d'avoir la famille dont tu as tant rêvé.

Il ne répondit pas tout de suite, se contentant de la fixer de son regard implacable. La tension envahit la pièce, au point d'en être presque insupportable. Mais elle n'en était pas arrivée là où elle en était dans la vie en jetant l'éponge à la moindre difficulté.

— Pour renoncer à quelque chose, il faut que cette chose soit réelle, fit-il sèchement. Oui, nous allons avoir un bébé, mais ça s'arrête là. En ce qui me concerne, il n'y a rien d'autre entre nous. Il n'y a jamais rien eu, et il n'y aura jamais rien.

Elle resta figée, paralysée par l'horreur, la douleur, la tristesse, tandis qu'il passait devant elle en direction de la porte. Elle ne bougea pas en entendant le bruit de ses chaussures sur le sol de marbre de l'entrée, ni au son de la porte qui se refermait derrière lui. Elle ne réagit qu'en entendant sa voiture s'éloigner. S'effondrant sur le canapé, elle laissa les larmes s'écouler en un flot ininterrompu sur ses joues. Pourtant, elle refusait de s'avouer vaincue. Bronson avait juste besoin de temps, elle en était convaincue. Il avait besoin de temps pour accepter tout ce que cette journée lui avait imposé. En tout premier lieu, il devait pardonner à sa mère.

Elle était sincèrement désolée pour Olivia, pour ce qu'elle traversait. D'instinct, elle glissa une main protectrice autour de son bébé. Elle n'imaginait pas abandonner son enfant, même pour lui donner une vie meilleure. Elle était épatée par le courage qu'avait montré Olivia quarante ans plus tôt et elle espérait que Bronson parviendrait à voir qu'en réalité, Olivia n'avait pensé qu'au bien-être de ses enfants toute sa vie. Car si Bronson n'arrivait pas à faire la paix avec sa mère, elle n'avait aucun espoir pour elle et son bébé.

Cela faisait une heure que Bronson regardait sans le voir l'écran de son ordinateur. Celui-ci affichait la première page du scénario sur lequel sa mère et lui avaient travaillé. Tout avait changé depuis qu'ils avaient commencé à écrire leur propre film, un an plus tôt. Le scénario était très librement inspiré de la vie de sa mère, ou plutôt de sa vie professionnelle. Elle avait insisté pour exclure sa vie privée du film. A l'époque, il avait pensé que c'était par discrétion. Aujourd'hui, il savait qu'elle avait simplement cherché à dissimuler le fait qu'elle avait abandonné son premier enfant.

Ecœuré, il ferma le fichier et fit quelques pas. En trois semaines, sa vie avait pris un énorme tournant et il se sentait perdu. A qui pouvait-il faire confiance ? Victoria avait pris la nouvelle mieux que lui, de toute évidence. Elle avait toujours eu un cœur en or et était prête à donner sa chance à tout le monde. Un de ces jours, elle allait avoir le cœur brisé.

Il ne savait même plus quoi penser, quoi ressentir en ce qui concernait Anthony. Il aurait été facile d'être en colère contre lui, mais ce n'était pas sa faute. Enfant adopté, il venait juste de découvrir que sa mère biologique n'était autre que la plus grande star d'Hollywood. Même si Bronson détestait le reconnaître, Anthony était tout autant victime de la situation que lui.

Et Mia, la femme qui portait son enfant, qui disait l'aimer, était au courant depuis des mois… Pendant tout ce temps, elle s'était imposée dans sa vie avec son sourire innocent et sa nature généreuse. Est-ce qu'il devait en revenir à douter de la paternité ? Comment lui faire confiance ? Et comment avait-il pu encore une fois se laisser manipuler par les mensonges d'une femme ?

Seulement, c'était trop tard. Il était tombé amoureux du bébé, dès l'instant où il l'avait vu sur l'écran, où il avait entendu les battements de son petit cœur résonner dans la salle d'examen. Comme il détestait le sentiment d'impuissance qui l'envahissait depuis qu'il avait découvert la vérité ! Il avait perdu le contrôle de sa vie, et il ne pouvait rien y faire.

Pourtant, il devait trouver un moyen de remettre les choses en ordre, et le seul auquel il pouvait penser était de discuter avec chacune des personnes concernées : sa mère, Anthony et Mia. En commençant par celui qui, comme lui, avait vu sa vie chamboulée du jour au lendemain.

Il ne prit pas le temps d'appeler. Il ne voulait même pas y réfléchir. Il courut dans la cuisine, attrapa les clés de son coupé sport et était déjà en route vers la maison d'Anthony avant d'avoir eu le temps de perdre courage.

Moins de vingt minutes plus tard, il arrivait devant le portail de la villa d'Anthony. Il s'arrêta au poste de garde et baissa sa vitre.

— Est-ce que M. Price est chez lui ?

Les yeux du garde s'écarquillèrent de surprise en le reconnaissant. Il n'avait probablement jamais imaginé le voir ici.

— Est-ce que M. Price vous attend, monsieur Dane ?

— Non, mais, si vous lui dites que je suis ici, je suis sûr qu'il me recevra.

Le garde retourna un instant dans son poste, et le portail s'ouvrit rapidement pour lui permettre d'entrer. Il n'avait même pas de plan, songea-t-il en remontant l'allée bordée de palmiers. Mais il avait dans l'idée qu'une fois dans la même pièce qu'Anthony, la conversation coulerait d'elle-même.

Anthony l'attendait sur le pas de la porte et, en l'apercevant, Bronson sentit son estomac se nouer. Cet homme était son frère. Il ne pouvait échapper à la vérité, qu'il le veuille ou non. Il ne lui restait plus qu'à faire avec. Sans compter qu'un jour, la presse allait s'emparer de cette histoire, et ils devraient tous paraître unis. Il était inutile de compliquer encore les choses.

— Je me doutais que tu finirais par passer, lança Anthony. Entre.

Il suivit Anthony dans un premier salon décoré de deux canapés en cuir positionnés l'un en face de l'autre, favorisant les conversations privées. Il ne comptait pas rester suffisamment longtemps pour prendre ses aises, cependant. La situation était déjà bien assez inconfortable. Pourtant, il devait en passer par là s'il voulait qu'un jour, sa vie retrouve une certaine stabilité.

— Je t'offre quelque chose à boire ?

— Non, merci.

Dans l'espoir d'apaiser la tension ambiante, Bronson prit place sur un des canapés, les avant-bras appuyés sur ses genoux.

— Comment est-ce que tu as découvert la vérité ?

S'asseyant sur le canapé face à lui, Anthony eut un soupir.

— J'ai toujours su que j'avais été adopté. Mes parents ne me l'ont jamais caché. Ils sont décédés il y a environ un an et demi et c'est à ce moment-là uniquement que j'ai ressenti le besoin de retrouver mes parents biologiques. Je n'ai jamais eu l'intention de chambouler une famille. Je voulais juste savoir.

En écoutant Anthony révéler un peu de son passé, de son cœur, Bronson comprit qu'une petite partie de la haine qu'il avait cultivée à son égard pendant toutes ces années commençait à s'évaporer. Il était venu chercher le conflit, mais, en voyant Anthony devant lui, si vulnérable, expliquer qu'il voulait juste savoir d'où il venait, il lui fut impossible de se mettre en colère. C'était un homme cherchant des réponses, et rien d'autre. Ce n'était pas sa faute, si ces réponses l'avaient mené au cœur de la vie des Dane.

— Quand mes détectives m'ont donné le nom d'Olivia, je leur ai demandé de vérifier de nouveau, continua Anthony. Je ne pouvais pas le croire.

— Pourquoi tu ne l'as pas rencontrée dès que tu as appris la vérité ?

Une lueur de tristesse passa dans les yeux d'Anthony.

— Ce n'est un secret pour personne que mon mariage est un désastre. J'espérais pouvoir arranger les choses avant d'approcher Olivia. Malheureusement, rien n'a l'air de s'arranger. Alors j'ai essayé de reprendre le contrôle d'une autre partie de ma vie. Et j'ai pensé qu'il serait préférable de la voir d'abord seule, pour qu'on puisse décider quoi faire.

De toutes les personnes sur terre, il avait fallu que ce soit son ennemi juré qui se révèle être le frère dont il ignorait l'existence. Et la vérité était qu'à sa place, il aurait fait la même chose. Il aurait cherché à reprendre le contrôle, à trouver des réponses.

— Et qu'est-ce que vous avez décidé ?

— Pour le moment, on voit au jour le jour. On se parle surtout au téléphone, pour éviter que la presse n'aille se poser des questions. Personne n'a besoin de ça, ni moi avec mon mariage au bord du gouffre, ni toi et Mia avec un bébé en route.

A ces mots, Bronson se leva d'un bond, de nouveau envahi par la colère.

— Je me demandais combien de temps il te faudrait pour mêler Mia à cette histoire.

— Ce n'est pas ce que je fais. En fait, c'est toi qui sembles déterminé à la mêler à tout ça.

— Moi ? C'est toi qui l'as envoyée travailler pour ta mère biologique, alors qu'elle connaissait la vérité.

— Non, mais c'est toi qui l'as mise enceinte et lui as probablement brisé le cœur dans la foulée. Est-ce que tu l'as laissée t'expliquer pourquoi elle a gardé le secret, au moins ?

— Ce dont Mia et moi discutons ne te regarde pas.

— Elle est trop bien pour toi. Je l'avais prévenue, quand elle m'a annoncé pour qui elle allait travailler. Je lui ai dit que tu essaierais de la séduire, j'ai essayé de la mettre en garde.

— Et pourquoi as-tu voulu qu'elle se méfie de moi ? Pour la garder pour toi ? Ta femme ne te suffit pas, tu dois avoir Mia, aussi ?

— Je n'ai jamais trompé ma femme et j'en ai plus qu'assez de ces accusations ridicules. J'aime Mia comme ma propre sœur et je la connais assez pour savoir que ces rumeurs doivent être une torture pour elle, surtout maintenant qu'elle est enceinte.

Bronson ne savait plus quoi croire, qui croire. Que pouvait-il faire ?

— Je sais que tu as beaucoup de choses en tête en ce moment, continua Anthony d'un ton plus résigné. Ecoute, tu n'as aucune raison de me croire, mais je te promets que je n'ai jamais touché Mia, pas de cette façon. C'était mon assistante, ma meilleure amie et ma sœur à la fois, et j'ai détesté la voir partir. Elle est partie pour moi, pour m'aider à arranger mon mariage. Si tu veux mon avis, il n'y a pas beaucoup de personnes qui sont capables de placer les besoins des autres avant les leurs.

Confus, agité, Bronson commença à faire les cent pas.

— C'est Mia qui a eu l'idée de venir travailler pour ma mère, pas toi ?

— Moi ? Je l'ai suppliée de rester. Je ne voulais surtout pas la perdre.

L'agitation, la nervosité commençaient à lui créer des nœuds de tension dans le cou. Il tourna la tête à gauche, puis à droite, dans l'espoir d'apaiser la douleur. La vérité était qu'il commençait à croire Anthony. Soit il était naïf, soit il ouvrait enfin les yeux.

— Tu n'as jamais trompé ta femme ?

— Non. Ni avec Mia, ni avec personne d'autre.

— Pas même avec Jennifer ?

— Absolument pas ! Qu'est-ce qui te fait dire ça ?

Il ne mentait pas. Sa réaction, le choc dans sa voix, lui en disaient autant que ses mots. Jennifer s'était moquée de lui.

— Rien du tout.

Il n'avait pas besoin de savoir.

— J'ai conscience que nous ne sommes pas vraiment les meilleurs amis du monde, mais, quoi qu'il se passe avec Mia, fais attention à elle. Elle veut se montrer forte, mais elle ne l'est pas. Elle a un cœur tendre et elle est très seule.

— Je refuse de parler des sentiments de Mia avec toi, Anthony, répliqua Bronson, d'un ton calme, cette fois.

— Très bien, mais sache qu'elle compte beaucoup pour moi.

Bronson hocha la tête, trop ému pour répondre. Mia comptait beaucoup pour lui aussi.

- 17 -

En s'installant sur la table d'examen, prête à découvrir enfin le sexe de son bébé, Mia avait le cœur serré. Comme elle avait espéré que Bronson soit à ses côtés aujourd'hui, à tenir sa main en regardant l'écran, avec des larmes dans les yeux, peut-être ! Elle ne lui avait pas parlé depuis qu'il était sorti en trombe de chez elle deux semaines auparavant, et elle ne voulait pas faire le premier pas. Une fois qu'il aurait eu le temps de réfléchir, de prendre du recul, il saurait où la trouver. S'il le souhaitait toujours.

Elle en était là de ses réflexions quand l'obstétricienne entra dans la pièce, suivie de près par… Bronson. Soulagée comme jamais, elle chercha à croiser son regard, mais il semblait le diriger résolument dans une autre direction.

— Je suis en retard ?

— Pas du tout, répondit l'obstétricienne. On était sur le point de commencer.

— Je ne pensais pas que tu viendrais, murmura Mia.

— Je t'ai dit que je ferais partie de la vie du bébé.

Le soulagement qui l'avait envahie une seconde plus tôt s'évanouit à la froideur de son attitude. Il ne chercha pas à prendre sa main, et continua d'éviter son regard, tandis que l'obstétricienne s'appliquait à placer la sonde sur son ventre.

— Voilà le cœur. Les artères et vaisseaux ont l'air parfaits. Je vais prendre quelques mesures pour calculer le poids approximatif.

Mia écoutait, les yeux rivés sur l'écran, déterminée à ne penser à rien d'autre qu'au bien-être et à la santé de son bébé. Car c'était ce qui comptait. Ni la colère de Bronson, ni le secret qu'elle lui avait caché ne devaient ternir ce moment.

— Votre bébé pèse environ deux cent cinquante grammes et a un cœur et des organes en excellente santé. A présent, voyons si nous pouvons déterminer le sexe.

Mia attendait, se forçant à ne pas regarder en direction de Bronson. Il aurait aussi bien pu ne pas être là.

— On dirait que c'est une petite fille.

— Une fille ? Vous êtes sûre ?

— Sûre et certaine. Vous voyez, là ?

Mia éclata d'un rire étranglé par l'émotion.

— Est-ce qu'elle met ses orteils dans sa bouche ?

— On dirait. La plupart des bébés commencent à développer une vraie personnalité dans l'utérus. La vôtre est une petite joueuse.

A ce moment précis, le bébé se retourna, échangeant ses orteils contre un pouce. Mia regardait, captivée par l'activité de sa petite fille. La nouvelle vie que Bronson et elle avaient créée. Comment pouvait-il rester aussi distant ? Est-ce qu'il en avait fini avec elle, pour de bon ?

— J'ai imprimé des photos pour vous, continua l'obstétricienne. J'aimerais faire une autre échographie à trente-deux semaines, vous pouvez déjà prendre le rendez-vous. Est-ce que vous avez des questions ?

Mia secoua la tête.

— Non, répondit Bronson en prenant les photos que la femme lui tendait. Merci.

— Je vais vous laisser vous rhabiller, dans ce cas.

Mia descendit de la table et se dirigea vers la salle de bains.

— Mia.

Elle se retourna, croisant enfin le regard de l'homme qu'elle craignait d'aimer toute sa vie sans jamais pouvoir être réellement avec lui.

— Oui ?

— Je le pensais. Quand j'ai dit que je serais là pour le bébé.

— Juste pour le bébé, Bronson ? Tu refuses peut-être de l'admettre, parce que tu as dans l'idée que je t'ai trahi, mais tu sais au fond de toi que je n'ai rien fait de mal. Je comprends que tu cherches quelqu'un à blâmer, mais ne t'en prends pas à moi.

— Et qu'est-ce que je dois penser, Mia ? J'ai déjà vécu ça. Les mensonges, les manipulations. Et dans la même situation.

Ravalant sa peur, elle rassembla tout le courage qu'elle avait en elle. Le moment était arrivé. Il était temps pour elle de lui raconter ce qu'elle avait vécu dans le passé. Il avait besoin de comprendre.

— Je t'ai raconté que j'étais dans la voiture quand mes parents ont été tués. Ce que je ne t'ai pas dit, c'est que j'avais entendu plus tôt ma mère dire à quelqu'un au téléphone qu'elle attendait un bébé. J'étais tellement excitée que je lui en ai parlé tout de suite. Elle m'a demandé de n'en parler à personne.

Mia inspira profondément, avant de poursuivre :

— Je ne pensais pas que je devais cacher ce secret à mon père aussi. Je n'ai pas pu m'empêcher de parler du bébé dans la voiture. Mes parents ont commencé à se disputer, à hurler même. A l'époque, je n'ai pas compris pourquoi ils réagissaient comme ça. Tout ce que j'ai entendu, c'est mon père qui disait que l'enfant ne pouvait pas être le sien, parce qu'il avait été opéré.

Elle s'appuya contre la porte, en priant de toutes ses forces pour que Bronson arrive à comprendre, et à voir à quel point elle l'aimait.

— Pendant des années, j'ai réécouté cette conversation dans ma tête. Et encore aujourd'hui. Si je n'avais rien dit, si j'avais gardé le secret de ma mère, mes parents seraient encore en vie. Depuis ce jour, je me suis juré de toujours garder le secret des autres. Et c'est ce que j'ai fait. Je t'aime, Bronson, mais, si tu ne peux pas comprendre pourquoi je ne t'ai pas révélé le secret d'Anthony et me pardonner, je ne suis pas sûre qu'on ait un avenir tous les deux.

Sans le laisser dire quoi que ce soit, elle entra dans la salle de bains, et referma la porte derrière elle. Au fond d'elle, elle voulait croire que tout n'était pas perdu, que Bronson l'aimait toujours. Elle avait besoin d'y croire, de s'accrocher à cet amour parce que c'était sa seule chance de sauver sa famille. Après avoir enfilé la robe d'été que Victoria lui avait faite, elle ouvrit la porte. Bronson avait disparu et les photos du bébé étaient posées sur le comptoir à côté de son sac.

Caressant la photo du visage de sa petite fille, elle

se promit de tout faire pour lui donner le foyer stable et aimant qu'elle méritait, quoi qu'il se passe entre Bronson et elle.

Malgré l'heure tardive, Bronson décida de rendre visite à sa mère. Après avoir vu le bébé à l'échographie, il n'avait pu penser à rien d'autre toute la journée qu'à la décision qu'elle avait prise quarante ans plus tôt.

En réalité, ce n'était pas tout à fait exact. Il avait aussi beaucoup pensé à la douleur qu'il avait aperçue dans les yeux de Mia. Il savait qu'elle voulait plus que tout avoir sa propre famille, mais il n'était pas là pour satisfaire son conte de fées. Ce n'était pas un film, c'était sa vie, et il n'avait aucune idée de la tournure qu'elle allait prendre.

Il trouva sa mère en pleine lecture, lovée sur le canapé du salon. En s'approchant d'elle pour lui signaler sa présence, son regard accrocha un portrait d'elle le jour où elle avait reçu son premier oscar. Il eut un sourire en songeant qu'elle n'avait presque pas changé, sinon qu'elle avait gagné en grâce avec les années.

— Maman !

Surprise, Olivia tourna brusquement la tête vers lui.

— Tu m'as fait peur ! Mais j'espérais que tu viendrais me trouver quand tu aurais eu le temps de réfléchir.

Il commença à faire les cent pas, trop agité pour s'asseoir. Il avait l'impression de n'avoir eu aucun moment de paix ces derniers temps — sauf quand il avait vu le bébé sur l'écran.

— C'est une fille.

— Oh ! c'est merveilleux, Bronson ! Je suis tellement heureuse que Mia et toi ayez arrangé les choses. Elle est contente ?

Il se dirigea vers le bar dans l'idée de se servir un verre, puis y renonça. Il se contenta de s'appuyer contre le comptoir de bois sombre.

— Nous n'avons rien arrangé du tout. Je suis allé au rendez-vous et je suis parti après avoir appris que le bébé était en bonne santé et que c'était une fille. J'avais promis à Mia que je serais là pour le bébé et je ne compte pas revenir sur cette promesse.

— Juste pour le bébé ? Est-ce que Mia ne mérite pas la même dévotion ?

— Je ne suis pas prêt à croire Mia sur parole, compte tenu des événements récents.

— Oh ! mon chéri ! Tu sais au fond de toi qu'elle était dans une position très délicate. Pourquoi t'infliges-tu tout ça ? Et à Mia aussi ? Elle a dû être déchirée tout ce temps de ne rien pouvoir te dire, parce que je t'assure que cette femme t'aime de tout son cœur.

Agacé, il se passa la main dans les cheveux. Il ne voulait pas entendre parler de la loyauté ou de l'amour de Mia, pas quand elle était aussi loyale envers Anthony. Et l'amour n'était-il pas basé sur la confiance ? Dire qu'il avait enfin commencé à lui accorder la sienne, avant tout cela !

— Je suis venu parler de toi. Mia n'a pas besoin de moi.

— Si c'est ce que tu penses, alors tu ne la connais pas du tout.

Il ne voulait pas aller sur ce terrain. Pourquoi personne ne semblait comprendre qu'il avait besoin de se protéger aussi ?

— En voyant le bébé sur l'écran aujourd'hui, j'ai pensé à toi.

Il vint s'asseoir dans un large fauteuil en face de sa mère.

— J'ai pensé à ce que tu devais avoir ressenti en abandonnant ton bébé, à quel point c'était généreux de ta part.

— Au contraire, Bronson, c'était complètement égoïste. J'ai abandonné Anthony parce que j'étais au début d'une carrière prometteuse et en plein essor. J'avais toujours voulu faire carrière avant d'avoir une famille, et je n'étais même pas amoureuse. C'est aussi simple que ça. Je me suis montrée égoïste.

— Ce n'était pas de l'égoïsme, maman, c'était de l'amour.

— Peut-être. Je savais qu'il serait préférable d'offrir à mon fils une famille qui voulait un enfant plus que tout. Ça a été la décision la plus difficile de toute ma vie, et chaque jour je me suis demandé si j'avais eu raison de la prendre.

— Pourquoi ne nous as-tu rien dit ? Croyais-tu nous décevoir, Victoria et moi ? Ou redoutais-tu ma réaction, parce qu'Anthony et moi sommes rivaux depuis toujours ?

Olivia eut un demi-sourire à travers ses yeux embués de larmes.

— Un peu des deux. Je redoutais la façon dont tu réagirais en apprenant qu'Anthony est ton demi-frère. Mais plus encore, j'avais peur de voir de la déception dans tes yeux et ceux de ta sœur. J'avais peur de ce que vous penseriez de moi.

— Je pense que tu es un être humain. Je n'aime pas

le fait que tu nous aies caché la vérité et je ne suis pas prêt à voir Anthony comme un frère, mais je t'aime, maman. A jamais et sans conditions.

Fermant les yeux malgré les larmes qui roulaient sur ses joues, Olivia laissa échapper un sanglot.

— Tu n'as pas idée à quel point j'avais besoin d'entendre cela. A quel point j'avais besoin que tu comprennes ce que j'avais fait, sans me détester pour cela.

Il alla s'asseoir à côté de sa mère et la prit dans ses bras.

— Quand j'ai vu ce bébé aujourd'hui, j'ai compris que je ferais tout pour lui offrir la meilleure vie possible. J'imagine combien il a été difficile pour toi d'abandonner ton enfant, la culpabilité a dû te ronger, toutes ces années. Tout ce que tu voulais, c'était donner à Anthony une vie meilleure, une famille qui l'aimerait.

Il ne se souvenait pas avoir déjà vu sa mère si vulnérable, sauf après la mort de son père.

— S'il te plaît, Bronson, ne détruis pas ce que toi et Mia avez. Essaye d'arranger les choses entre vous. Elle t'aime, et elle aime tant ce bébé !

— Comment puis-je être sûr qu'elle ne me trahira pas ?

— Si elle avait eu l'intention de te trahir ou s'il y avait eu quelque chose entre elle et Anthony, tu ne crois pas qu'elle serait allée trouver les tabloïde à la minute même où elle a appris la vérité ?

— Probablement. C'est juste que je ne supporterais pas d'avoir le cœur brisé encore une fois.

— Et qui dit que c'est ce qui arrivera ? Je te garantis que, si tu vas retrouver Mia, non seulement elle t'accueillera à bras ouverts, mais elle te pardonnera d'avoir douté d'elle. C'est comme ça que l'amour, le vrai, fonctionne. On se pardonne. Tu m'as bien pardonné à moi, non ?

— Il n'y a rien à pardonner.

— Et c'est ce que Mia ressentira vis-à-vis de toi. Ne la rejette pas alors que vous avez tant besoin l'un de l'autre. Crois-moi, un amour comme celui-là n'arrive qu'une fois dans une vie. Ne laisse pas mes erreurs tout gâcher.

Emu, Bronson serra encore une fois sa mère dans ses bras et l'embrassa sur la joue.

— Arrête de t'en vouloir. Tous tes enfants ont bien réussi dans la vie. Nous t'aimons tous et nous allons bien. Tout ça finira par s'arranger, d'une façon ou d'une autre.

— Qu'est-ce qu'on va dire à la presse ? demanda-t-elle, avec un soupçon d'appréhension dans la voix.

— Rien. Nous attendrons d'être tous à l'aise avec cette situation, d'être prêts à en parler tous ensemble, comme une famille unie.

— Tu crois que tu peux y arriver ? Que tu peux enterrer la hache de guerre avec Anthony ?

— Je commence à voir qu'il n'est pas celui que je croyais. D'accord, on ne s'entend pas sur les tournages, mais en privé il n'est pas aussi dérangé et hypocrite que je l'ai toujours pensé.

— Alors, vous arriverez à vous entendre ?

Il y avait de l'espoir dans les yeux de sa mère, dans sa voix. Attendri, il hocha la tête.

— Mais d'abord, j'ai ma propre vie à remettre sur les rails.

En se levant, il déposa un dernier baiser sur la joue de sa mère. Oui, il voulait essayer d'arranger les choses avec Mia, même s'il devait se mettre à genoux pour se faire pardonner. Car Mia et le bébé lui étaient infiniment précieux.

- 18 -

A six mois de grossesse, Mia était plus en forme que jamais. En dehors de son tour de taille, elle ne regrettait rien. En fait, chaque fois qu'elle sentait sa petite fille donner un coup de pied ou se retourner dans son ventre, son bonheur était si intense qu'elle en oubliait tout à fait la finesse habituelle de sa taille.

Après avoir consulté livre sur livre, elle n'avait toujours pas trouvé le prénom du bébé. Aucun ne semblait convenir. Bien sûr, son manque d'inspiration était très certainement lié au fait qu'elle n'avait aucune envie de prendre la décision seule. Elle avait besoin de Bronson pour cela, qu'il lance des suggestions et rie aux siennes. Depuis la visite chez le médecin la veille, il n'avait appelé qu'une seule fois, pour vérifier la date du prochain rendez-vous. Elle n'était pas sûre de pouvoir résister encore longtemps à son envie de débarquer chez lui pour lui faire comprendre de force ce à quoi il renonçait par peur et par fierté. La balle était dans son camp — pourquoi ne la saisissait-il pas au vol ?

Pour se changer les idées, elle entreprit d'ouvrir les cartons qu'elle avait fait déposer dans la chambre récemment peinte en rose pâle. Les meubles étaient arrivés la veille. Il ne manquait plus que le linge de lit, à condition que Bronson ait appelé Fabrizio pour lui annoncer qu'ils allaient avoir une fille.

Découragée, elle regarda l'ampleur du travail qui l'attendait. Quand Bronson et elle avaient commandé tout cela, elle ne s'était pas attendue à devoir tout monter seule. Elle avait imaginé qu'ils s'y attelleraient ensemble, en faisant une pause de temps en temps pour sentir le bébé bouger ou pour partager un sourire à l'idée qu'ils allaient être parents dans quelques mois. Elle eut un soupir. Peut-être que certains des domestiques d'Olivia pourraient l'aider.

Ouvrant un premier carton, elle sourit en reconnaissant le magnifique berceau tout rond. Il serait parfait dans l'espace qui séparait les deux fenêtres. Comme elle avait hâte de voir son bébé endormi entre les draps, en sécurité dans son petit lit, le mobile se balançant doucement au-dessus de sa tête ! Elle ouvrit les autres cartons les uns après les autres, sa curiosité redoublée. Elle tomba enfin sur un tour de lit d'une teinte pâle rose et ivoire. Elle eut le souffle coupé devant la délicatesse du tissu. C'était encore plus beau que ce qu'elle avait imaginé. En fouillant dans le reste du carton, elle trouva le linge de lit pour garçon, avec une note qui disait : « Vous n'aurez qu'à renvoyer celui dont vous n'avez pas besoin… ou le garder pour le prochain bambino. Amicalement, F. »

Pendant une seconde, elle ferma les yeux et laissa couler les larmes qu'elle avait retenues. Elle ne regrettait pas un instant de ces derniers mois, mais peut-être qu'elle n'aurait pas dû offrir son cœur aussi totalement à Bronson, alors qu'elle savait qu'elle allait être blessée. Elle avait su dès le départ qu'elle connaissait un secret qui bouleverserait sa vie. Pouvait-elle lui reprocher aujourd'hui d'être furieux après elle et de refuser de la croire ?

Essuyant ses larmes, elle déclara à voix haute, pour se donner du courage :

— Je peux le faire toute seule. Je suis plus forte que je ne le crois.

— Oui, c'est vrai.

Surprise, elle se retourna pour trouver Bronson à la porte de la chambre.

— Qu'est-ce que tu fais ici ?

Avec une attitude outrageusement nonchalante, il appuya une épaule contre le mur, gardant ses incroyables yeux bleus fixés sur elle.

— Je n'étais pas sûr que tu veuilles bien me laisser entrer, alors j'ai utilisé ma clé.

D'un pas détendu, lent, il traversa la pièce pour se placer en face d'elle, si près qu'elle dut lever la tête pour contempler ce visage dont elle était si vite tombée amoureuse. Alors, il glissa un doigt sur sa joue, essuyant une larme solitaire.

— Est-ce que c'est à cause de moi que tu pleures, ma douce Mia ?

Elle aurait pu être vexée par l'arrogance de ces mots, s'ils ne les avaient prononcés avec une telle angoisse dans la voix, un tel tourment dans les yeux.

— Je pleure pour beaucoup de choses, ces derniers temps.

Comme il la regardait toujours, elle prit conscience de l'image négligée qu'elle devait renvoyer. A ce stade, en vérité, cela avait-il vraiment de l'importance ? Elle avait l'air d'une baleine, de toute façon. Et pourtant, il était là. Comme elle l'avait tant espéré.

— Je suis désolé.

Elle eut un mouvement de recul, choquée d'entendre ces mots sortir de sa bouche.

— Désolé de quoi ?

— De tout, murmura-t-il en venant se placer dans son dos, les mains sur ses épaules. Je suis désolé d'avoir douté que cet enfant soit le mien, de n'avoir pas été là pour toi, et surtout de ne pas t'avoir retourné le cadeau si précieux que tu m'as offert.

— Quel cadeau ? demanda-t-elle, renonçant à retenir ses larmes plus longtemps.

Bronson la retourna doucement vers lui puis, lui soulevant le menton avec tendresse, il plongea son regard dans le sien.

— Ton amour. Un amour inconditionnel, comme je n'en avais jamais connu avant. Je n'y croyais pas, je ne croyais pas en toi, ou en nous.

L'espoir l'envahit, tempéré par la peur. Pouvait-elle risquer de baisser la garde encore une fois ?

— Je n'ai peut-être pas pris la bonne décision en te cachant la vérité, mais Bronson, ce n'était pas à moi de la révéler.

— Je sais. A ta place, j'ignore ce que j'aurais fait, mais je sais aujourd'hui que tu as eu raison. Il n'y a pas beaucoup de personnes sur cette terre qui auraient su prendre la bonne décision et s'y tenir malgré la pression. J'étais en colère, à cause de toute cette situation, et j'ai d'abord cru que je ne pourrais pas te pardonner.

Il la serra contre son torse puissant, si rassurant.

— Alors, que va-t-il se passer maintenant ? demanda-t-elle après un instant d'hésitation.

— Je me suis enfin rendu compte que je suis amoureux d'une femme exceptionnelle. Une femme qui raffole des M&M's verts, qui a persévéré toute sa vie malgré une enfance difficile et qui a un don extraordinaire pour la cuisine. Je veux passer le reste de ma vie avec toi, Mia, te montrer tous les jours à quel point tu comptes à mes yeux, à quel point ta loyauté et ton intégrité m'ont rendu meilleur. Je veux me réveiller chaque matin à ton côté. Je veux que nous ayons d'autres enfants pour remplir notre maison d'amour. Mais, plus que tout, je veux que tu saches à quel point j'ai été idiot de douter de toi. Je t'en prie, laisse-moi passer les cinquante prochaines années à te prouver mon amour.

— Est-ce que tu es en train de me demander en mariage ? murmura-t-elle après avoir retrouvé l'usage de sa voix.

Pour toute réponse, il fouilla dans sa poche et en sortit un médaillon.

— Ce n'est pas pour remplacer celui que tu as déjà, mais pour en avoir un de ta nouvelle famille.

Emue aux larmes, elle attrapa le bijou avec un sourire, incapable de dire quoi que ce soit.

— Qu'est-ce que je peux faire d'autre pour me faire pardonner mon comportement ignoble ? Je suis prêt à me mettre à genoux, Mia. Je ferais n'importe quoi pour te prouver que je suis sérieux à propos de nous et de notre famille.

— Notre famille, répéta-t-elle. Tu es incroyable. Le médaillon est… Bronson, je ne sais pas quoi dire.

Il prit le collier et l'attacha autour de son cou, puis sortit une petite boîte de sa poche.

— Combien de choses caches-tu dans cette poche, au juste ? fit-elle, riant entre ses larmes.

— Pas assez pour rattraper mes actes, répondit-il en ouvrant l'écrin de velours. C'est la bague que mon père a donnée à ma mère.

— Quoi ? Bronson, je ne peux pas accepter cette bague !

— Quand je lui ai parlé de ce que je voulais faire, ma mère a insisté. En fait, ce n'est pas sa bague de fiançailles — elle ne se séparera jamais de celle-là. Mon père lui a offert cette bague le jour de ma naissance, dans ce but précis. Pour que je la donne à la femme que j'épouserais.

Tout en parlant, il saisit sa main et glissa la bague à son doigt.

— C'est parfait.

Elle regarda sa main, étincelante de cette nouvelle parure qu'elle pensait ne jamais recevoir de lui. Les diamants étaient à couper le souffle. Pourtant, elle ne put empêcher le doute de l'assaillir. Une autre femme avait-elle déjà porté ce bijou ?

— Non, dit-il soudain, comme s'il avait lu dans ses pensées. Je ne l'ai jamais offerte à Jennifer. Elle voulait une bague neuve, alors je ne lui ai même jamais parlé de celle-ci. J'aurais dû comprendre à ce moment-là qu'elle n'était pas une femme pour moi.

Finalement soulagée de toutes ses craintes, Mia jeta ses bras au cou de Bronson, leur bébé entre eux.

— Désolée, dit-elle en riant. Bella commence à prendre de la place.

— Bella ?

— Oui, je l'appelle souvent comme ça dans ma tête. Ça veut dire…

— Belle. Comme sa mère, murmura-t-il en déposant un baiser sur ses lèvres.

Un baiser qui, comme toujours, s'empara de son cœur et de son âme.

— Commençons notre vie ensemble, murmura-t-il à son oreille.

Epilogue

— Est-ce que tu comptes la poser un jour ?

Bronson regardait sa femme bercer leur petite fille, un sourire rayonnant sur le visage. Il ne se lassait pas de ce spectacle.

— Elle est tellement adorable, murmura Mia. Je pourrais passer mes journées entières à la regarder.

Il savait ce qu'elle ressentait. Entrant tout à fait dans la chambre rose, il contempla sa famille — Bella, avec les cheveux sombres et les yeux en amande de sa mère, et Mia, étincelante de joie. Il s'accroupit à côté du rocking-chair qu'ils avaient commandé en Italie, caressant la joue de son bébé.

— Tu vas devoir la laisser dormir seule, tu sais.

— Je sais. Je veux juste qu'elle sache à quel point on l'aime.

— Je suis certain qu'elle le sait.

Ils restèrent quelques instants silencieux, savourant ensemble leur bonheur.

— Je viens de parler à Anthony au téléphone, chuchota-t-il, de crainte de réveiller le bébé.

— Bella dort à poings fermés. Dis-moi, est-ce que tu lui as demandé de travailler sur le film de ta mère ?

— On en a parlé, oui. On avance petit à petit. On sait tous les deux à quel point c'est important pour elle, et on ne veut pas que nos différends affectent le projet. En fait, je crois qu'on veut tous les deux que ce soit le meilleur film que nous ayons jamais fait.

— J'ai l'impression que ça en dit long sur les progrès que vous avez déjà accomplis.

— C'est vrai.

Il hésita, inspirant profondément.

— Je veux lui demander de produire le film avec moi, en plus de le réaliser.

— Bronson, c'est fantastique !

Son cœur se serra de joie. Sa vie avait tant changé ces derniers mois ! Il avait désormais une femme, une fille, et il parlait de produire un film avec son demi-frère.

— Je ne lui ai pas encore proposé, mais j'ai prévu de le faire.

— Je suis si heureuse pour vous deux.

— Je suis heureux aussi. Je n'avais jamais imaginé avoir un jour tout ce dont j'avais rêvé, et pourtant c'est le cas.

Le sourire de Mia illumina son visage.

— Je sais exactement ce que tu ressens.

TERESA HILL

Séduit malgré lui

Passions

éditions HARLEQUIN

Titre original : MATCHMAKING BY MOONLIGHT

Traduction française de PATRICIA RADISSON

83-85, boulevard Vincent-Auriol, 75646 PARIS CEDEX 13.
Service Lectrices — Tél. : 01 45 82 47 47
www.harlequin.fr

- 1 -

Ashe était prévenu. Les vieilles dames qu'il s'apprêtait à rencontrer passaient pour quelque peu excentriques. Excentriques, mais néanmoins très raisonnables et parfaitement saines d'esprit.

Saines d'esprit ? Le simple fait d'insister sur ce point inquiétait Thomas Asheford — Ashe pour les intimes, juge des affaires familiales de la ville. Pourquoi Wyatt Gray, son ami et collègue de longue date, avait-il cru bon de mettre l'accent sur l'équilibre mental de ces dames ? Ne serait-ce justement pas parce qu'elles en seraient dépourvues ?

Wyatt savait y faire ! songea-t-il avec humeur. Pour être sûr d'obtenir son aide, il l'avait mis au défi de refuser sa demande. Il savait bien, le bougre, qu'il avait une faiblesse : il relevait toujours les défis qu'on lui lançait. Et maintenant, il se retrouvait piégé : il avait promis d'accorder une faveur à des inconnues qui habitaient la maison devant laquelle il se trouvait. La promesse avait trait à une sorte de cérémonie, dont il n'avait pas tout à fait saisi la nature.

La porte d'entrée de l'imposante demeure en pierre s'ouvrit, et la vue des trois petites vieilles dames sur le seuil ne le rassura pas.

Le groupe de femmes, qui avaient largement

dépassé les soixante-quinze ans, le détailla des pieds à la tête avec une curiosité tranquille. L'une d'elles semblait s'intéresser particulièrement à ses épaules. Celle du milieu se contentait de lui sourire. Quant à la troisième, elle paraissait prête à étendre la main pour tâter ses biceps. Dans quel but, cet examen à peine voilé ? Mystère. Ashe en éprouva une gêne mêlée d'incrédulité. Il se sentait observé comme un animal au zoo.

Quel plan ces femmes ourdissaient-elles contre lui ?

— Monsieur le juge, soyez le bienvenu dans ma maison. Je m'appelle Eleanor Barrington Holmes, dit la vieille dame du milieu en lui tendant la main. Je crois que vous connaissez Tate Darnley, mon filleul.

— Darnley, du service du réaménagement du centre-ville ? Mais bien sûr ! Il accomplit un travail remarquable, déclara Ashe. Enchanté de vous rencontrer. J'apprécie votre action dans notre ville.

— Je fais de mon mieux, jeune homme. Permettez-moi de vous présenter mes amies. Voici Kathleen Gray, la veuve de l'oncle de Wyatt, et sa cousine Gladdy Carlton.

Ashe serra la main des trois femmes.

— Je suis aussi la grand-mère par alliance de Wyatt, indiqua la vieille dame qui aimait ses épaules.

— Un garçon très sympathique et un mari parfait pour notre chère Jane, ajouta celle qui se concentrait sur ses biceps.

Ashe s'efforçait de cacher sa surprise. Wyatt, un époux parfait ? Quelle métamorphose extraordinaire pour l'avocat spécialiste des divorces le plus connu de l'Etat ! Un homme qui avait toujours envisagé le mariage avec un parfait cynisme. Jusqu'au moment où il s'était lui-même marié, et semblait très heureux de l'être ! Ce qui défiait toutes les règles de la logique.

— Wyatt me dit que vous avez besoin de moi pour une sorte de cérémonie ? demanda-t-il.

Eleanor le prit par le bras en souriant.

— En effet, monsieur le juge. Entrez, je vous prie. Nous allons tout vous expliquer autour d'une bonne tasse de thé.

Il se laissa conduire à travers plusieurs pièces, jusqu'au jardin à l'arrière de la maison. Tout le monde s'installa. Une des vieilles dames lui versa du thé, tandis qu'une autre posait devant lui une assiette de biscuits en expliquant :

— Notre chère Amy, la femme de Tate, a confectionné ces cookies au gingembre ce matin même.

Il mordit dans un biscuit encore tiède et affirma :

— Excellent !

— Amy confectionne toute la pâtisserie pour nos réunions, expliqua Eleanor. Mariages, réceptions de toutes sortes, soirées caritatives, lunchs, et cours, éventuellement.

Au moins serait-il bien nourri, s'il acceptait la proposition de ces femmes, songea Ashe avec fatalisme. A en juger par les cookies au gingembre, c'était un avantage non négligeable.

— Wyatt nous a expliqué que vous prononcez les divorces, au tribunal ? s'enquit Kathleen.

Une de ces dames âgées s'était-elle mise en tête de divorcer ? Ces dernières années, à sa grande perplexité, de plus en plus de personnes âgées mettaient fin à leur mariage.

L'autre jour, au tribunal, il avait eu affaire à un couple qui demandait le divorce après quarante-quatre ans de mariage. Quarante-quatre ans ! Comment pouvait-on partager une vie commune aussi longue et décider soudain que le mariage n'avait plus de raison d'être ? Comment une vie à deux pouvait-elle fonctionner pendant quarante-trois ans et devenir soudain un enfer ?

Il ne comprenait pas bien.

— Le divorce relève des affaires familiales et c'est à ce titre que j'en ai la charge. L'une de vous souhaiterait-elle divorcer ?

— Oh non ! Nous ne sommes pas mariées. C'est pour une série de cours au domaine…

— Wyatt nous a dit que vous pourriez nous aider, interrompit Kathleen.

— Qu'attendez-vous de moi, au juste ?

— Une cérémonie, dit Eleanor.

— Une cérémonie de divorce, précisa Kathleen.

Dérouté, Ashe démentit :

— Une cérémonie de divorce ? Ça n'existe pas.

— Mais vous pourriez en célébrer une, n'est-ce pas ? Vous êtes juge, à ce titre vous mariez les couples, n'est-ce pas ?

— J'y suis habilité, en effet.

— Très bien… Nous vous demandons de faire la cérémonie inverse.

Saines d'esprit ? Ashe commençait à en douter.

— Ça ne marche pas ainsi, mesdames. Pourquoi ne pas m'expliquer ce dont vous avez besoin ?

— Une cérémonie de divorce. Pourriez-vous en organiser une ? demanda Kathleen.

— L'organiser, nous pouvons le faire nous-mêmes, intervint Eleanor. Je n'ai rien oublié de mon propre divorce.

— Je suis veuve, dit Kathleen.

— Moi, je n'ai jamais été mariée, spécifia Gladdy.

Ashe mordilla son cookie en s'exhortant à la patience.

— Pour quelle raison souhaitez-vous procéder à une cérémonie de divorce ? demanda-t-il.

— Pour nos cours, rétorqua Eleanor sur le ton de l'évidence.

Ashe sourit. Ces vieilles dames étaient charmantes et intéressantes, mais elles semblaient dépourvues du bon sens le plus rudimentaire.

— Mesdames, s'enquit-il, quels cours requièrent-ils une cérémonie de divorce ?

— Un cours pour personnes qui divorcent, répliqua Kathleen.

C.Q.F.D. !

— Vous donnez des cours à l'intention de personnes divorcées ? demanda-t-il.

— En effet.

— Mais, pardonnez-moi, si ces personnes sont déjà divorcées, quel est l'intérêt d'une telle cérémonie ?

Kathleen fronça les sourcils et suggéra :

— Il vaudrait mieux que Lilah donne elle-même les explications. Tout semble beaucoup plus clair et intelligent quand c'est elle qui en parle.

Lilah ? Personne n'avait mentionné de quatrième personne. Cette inconnue parviendrait-elle à donner un sens à ce projet farfelu ? Il en doutait.

— Bien, dit-il. Où se trouve donc cette Lilah ?

— Elle ne devrait plus tarder, répondit Eleanor.

A cet instant précis, Ashe leva les yeux et découvrit… Il en resta bouche bée. S'agissait-il bien d'une femme à moitié nue, qui traversait la pelouse en courant ?

— Mon Dieu ! s'exclama Kathleen. J'espérais qu'ils en auraient fini avant votre venue.

— Vous êtes arrivé un peu trop tôt, monsieur le juge, précisa Eleanor.

— J'apprécie beaucoup la ponctualité chez un homme, intervint Gladdy en lui souriant de façon effrontée.

Ashe s'inquiétait de plus en plus. Une de ces femmes flirtait ouvertement avec lui, et une autre se baladait presque nue dans le jardin. Que faisait-il dans cette galère ?

— Mesdames, annonça-t-il. Je ne sais si Wyatt vous en a informées, mais je me présente aux élections l'année prochaine, pour renouveler ma nomination au tribunal.

Eleanor au moins devrait le comprendre, songea-t-il. Elle avait longtemps participé à la vie politique locale. Aujourd'hui, elle collectait des fonds pour un certain nombre de candidats et participait bénévolement à plusieurs organisations caritatives.

— En conséquence, poursuivit-il, je ne suis pas sûr d'être l'homme de la situation pour… vos cours. J'aimerais vous aider, mais un homme de ma position sociale ne peut intervenir que dans des situations appropriées, et…

— Votre position, ça n'a pas l'air drôle, remarqua Gladdy avec un sourire.

— Gladdy, s'il te plaît, intervint Eleanor.

Gladdy haussa les épaules. Flirtait-elle vraiment

avec un homme qui avait moins de la moitié de son âge ? se demanda Ashe. Tout dans son attitude le laissait croire.

— Je ne trouve pas ça drôle non plus, reconnut-il. Mais mon travail dépend des élections, c'est ainsi. Donc, si vous voulez bien m'excuser, je…

— Vous ne pouvez pas partir, dit Eleanor en le retenant par le bras. Vous n'avez même pas rencontré Lilah.

Il n'y tenait pas vraiment. Il redoutait même que cette Lilah soit encore plus farfelue que les autres.

— Elle aura bientôt fini, insista Kathleen. Ensuite, elle vous expliquera tout.

Il s'apprêtait à demander des précisions, mais se ravisa. Avait-il vraiment envie de savoir ? Autant qu'il pouvait en juger, une femme évoluait dans le jardin, à peu près nue, avec pour seul vêtement un long voile de mariée. Elle courait, le voile blanc flottant à sa suite. Une autre femme la poursuivait. Peut-être pour la photographier ?

Il aperçut alors une troisième personne, qui transportait des lampes au bout d'une perche. Les lumières d'un photographe ? Espérons-le, songea-t-il. Une séance de photos, c'était l'explication la plus sensée qui lui venait à l'esprit.

Que pouvait avoir de commun une cérémonie de divorce avec une séance photo mettant en scène une femme très dévêtue ? De toute façon, cela était incompatible avec la dignité d'un juge en pleine période de réélection. Les gens aspiraient à élire des juges au-dessus de tout reproche, respectables et sérieux, dotés d'un jugement équilibré en toutes choses.

Ashe reporta son attention sur les vieilles dames. Toutes les trois affectaient un air d'innocence totale.

— Ce n'est pas ce que vous croyez, tenta d'argumenter Eleanor.

— Je ne sais que penser, reconnut-il sans ambages.

— Je suis sûre qu'aucune femme ne vous a surpris depuis longtemps, intervint Gladdy. Vous savez, nous avons tous besoin d'être étonnés, de temps en temps…

Pas du tout ! songea-t-il avec un malaise croissant. Il aimait sa vie telle qu'elle était. Calme et sans anicroche.

— C'est parfait ! Exactement ce qu'il nous fallait, s'exclama Lilah en baissant son appareil photo.

Durant ses années d'étudiante, elle avait fait ses premières armes en photo. Activité qu'elle avait ensuite un peu délaissée. Jusqu'au jour où la vérité lui était apparue dans toute sa lumière : les contraintes matérielles de sa vie étouffaient sa créativité, amputaient sa personnalité. Elle avait alors changé d'orientation.

— Merci à vous deux pour votre patience, dit-elle.

Ben, l'homme qui portait la lourde perche nécessaire aux prises de vue, rouspéta en éteignant les projecteurs.

— Ça a pris deux fois plus de temps que prévu…

— Oui, mais nous avons fait du bon travail.

Puis, se tournant vers la jeune femme engagée pour la séance, elle ajouta :

— Merci beaucoup, Zoé. Tu seras très belle, je te le promets, et les affiches vont envahir la ville.

Grande et mince, le mannequin s'entoura du voile

de mariée, jusqu'à ce que Ben lui tende une robe, dans laquelle elle se glissa avec souplesse.

— Personne ne te permettra d'afficher ça en ville, prophétisa-t-il.

— Mais si, tu verras.

La photo serait à la fois provocante et de très bon goût. Tout le monde s'interrogerait sur le thème de ses cours, ce qui était le but de la manœuvre.

Dorénavant, Lilah s'était juré de se donner les moyens de faire ce qu'elle voulait. Plus de reculade. Plus de tergiversation. Fini la procrastination. Pendant trop longtemps, elle avait remis au lendemain la réalisation de ses désirs.

Tous les trois rangèrent leur équipement et se dirigèrent vers la maison. Quelle magnifique propriété ! songea-t-elle en regardant autour d'elle. L'endroit parfait pour un mariage… et, dès lors, l'endroit parfait où dispenser ses cours sur le divorce et la séparation.

Après avoir salué Ben et Zoé, elle partit à la recherche d'Eleanor, sa cousine au second degré. Celle-ci s'était vantée de connaître la personne idéale pour célébrer une cérémonie de divorce. Personne qui justement devait passer cet après-midi.

Elle se sentait heureuse. Tout se passait comme elle le souhaitait. Elle avait trouvé l'endroit idéal, cette belle demeure où les couples venaient parfois se marier. Elle connaissait déjà un certain nombre de femmes désireuses d'assister à ses cours. Et elle venait de faire la photo provocante dont elle avait besoin pour la promotion de son entreprise.

Il ne restait qu'à trouver une personne en mesure

de présider une cérémonie de divorce. Ce serait la cerise sur le gâteau.

Certains trouveraient sans doute l'idée farfelue et ne manqueraient pas de se moquer des ateliers et des exercices qu'elle comptait proposer pour effacer les douleurs d'un échec matrimonial. Eh bien, grand bien leur fasse ! Elle n'en avait cure. Elle avait tiré la leçon de ses propres erreurs et de la gestion de son divorce. Au départ, en devenant thérapeute, elle n'avait pas envisagé de se spécialiser dans le coaching psychologique. Cela s'était fait tout seul, en douceur, et cela lui apportait beaucoup de satisfaction. Au fil du temps, elle avait croisé trop de personnes qui, après leur divorce, s'étaient laissé happer par un quotidien malheureux et avaient refait les mêmes erreurs, incapables d'avancer. Elle en avait éprouvé une grande frustration et le sentiment pénible de ne leur être d'aucune aide.

Maintenant, en revanche, avec ses ateliers, elle aidait véritablement les femmes et en tirait l'impression d'avoir trouvé ce pour quoi elle était faite.

Elle parcourut la maison en chantonnant et retrouva Eleanor à la salle à manger avec ses deux meilleures amies, Kathleen et Gladdy. En compagnie d'un homme.

Un très bel homme.

A vrai dire, l'aspect physique de l'inconnu l'indifférait. Elle connaissait la chanson. Les hommes paraissaient intéressants jusqu'à ce qu'ils ouvrent la bouche. S'en échappaient alors des choses agressives, stupides ou simplement banales. Ensuite, ils essayaient de dominer la situation, de rabaisser les autres, ou disaient des choses odieuses. L'apparence d'un homme n'était rien au regard de sa réalité psychologique.

Pourtant… celui-ci était vraiment plus beau que la moyenne. Ses vêtements amidonnés, son costume de prix bien taillé mettaient en valeur un corps impressionnant. Grand, les épaules larges, il dégageait une impression de puissance, peut-être même un soupçon d'arrogance. Mais il avait de beaux cheveux noirs et de magnifiques yeux sombres.

— Lilah, ma chérie, dit Eleanor avec un grand sourire. Je t'ai déniché l'homme parfait.

— Pardon ? répondit Lilah en reculant.

— Pour ta cérémonie de divorce, ma chérie. Je te présente le juge Asheford. Monsieur le juge, voici ma chère petite cousine, Lilah Ryan.

— Oh ? fit Lilah l'air surpris. Monsieur le juge ?

— Appelez-moi Ashe, demanda-t-il en lui tendant la main.

— Nous avons pensé que sa présence donnerait à la cérémonie un air d'authenticité, expliqua la vieille dame. Ashe et Wyatt, le petit-fils par alliance de Kathleen, ont fréquenté ensemble la fac de droit de Penn.

— Je vois… Eleanor vous a expliqué ce que je désire ? s'enquit Lilah.

Le juge hésita. Son regard passa d'Eleanor à sa cousine.

— Un peu, lâcha-t-il enfin.

— Tu dis les choses tellement mieux que nous, mon chou, répliqua Eleanor.

Son projet pouvait sembler un peu fou, convint Lilah en son for intérieur. Mais elle parvenait toujours à se faire comprendre de ses interlocuteurs. Les gens s'épousaient en respectant un rituel, leur expliquait-elle. Alors pourquoi ne pas ponctuer un divorce d'un rite similaire ?

— J'anime une série d'ateliers pour des femmes qui sont en train de divorcer, expliqua-t-elle. En fait, la plupart d'entre elles le sont déjà, mais elles n'ont pas encore surmonté l'échec de leur relation. Elles ne parviennent pas à tourner la page pour avancer.

— Et la cérémonie…, commença Ashe.

— Est un des moyens de les aider à poursuivre leur vie. C'est très simple, il s'agit de marquer l'occasion. Vous me suivez ?

Un peu gêné, Ashe fronça les sourcils et demanda :

— Ces femmes seront-elles nues ?

— Nues ?

— Il t'a aperçue pendant la séance de photos, ma chérie, intervint Eleanor.

— Oh !

Ce n'était certainement pas la première impression qu'elle voulait donner de son travail.

Pour ce faire, elle avait pris soin d'organiser la séance au fond du parc, à l'abri des haies touffues et des regards indiscrets. Si cet homme se trouvait dans la maison, il n'avait pas pu apercevoir grand-chose. Et, de toute façon, où était le problème ? De nos jours, les gens s'exhibaient nus ou presque à la une des magazines et à la télévision.

Lilah regarda Ashe droit dans les yeux et y lut de la désapprobation. Elle en fut tout à la fois surprise et agacée. Un si bel homme, si plein de vie, s'offusquer devant une femme sans vêtements ? Voilà qui était inhabituel. Et très prude. La plupart des hommes aimaient les femmes nues, surtout aussi belles et bien faites que Zoé. Quel mal y avait-il à admirer une belle jeune femme nue ?

Elle le toisa :

— Auriez-vous un problème avec la nudité féminine, monsieur le juge ?

Derrière elle, Eleanor étouffa un gémissement.

Ashe cilla et se raidit.

Lilah ferma les yeux, respira à fond et décida de bien se comporter. Après tout, elle avait besoin de cet homme.

— Je veux dire… ce n'est pas comme si j'organisais une retraite de nudistes, dit-elle.

Le juge lui lança un regard encore plus circonspect et déclara :

— C'est bon à savoir.

Etait-il condescendant ? Honnêtement soulagé ? Pour une raison qu'elle ne s'expliquait pas, elle avait envie de le savoir. Au diable les précautions oratoires !

— Je n'ai rien contre les camps de nudistes en général, mais ce n'est pas ce que j'ai l'intention de faire avec mes ateliers, lui asséna-t-elle.

— Voulez-vous dire que…

— Aucune femme ne sera nue lors de cette cérémonie.

Elle ne put s'empêcher d'ajouter :

— A moins qu'elle n'en ait envie, bien sûr !

Derrière, elle entendit les rires étouffés de Kathleen et Gladdy. Le juge la regardait, le visage de pierre, la mâchoire serrée. Elle ne put s'empêcher de trouver séduisantes sa barbe naissante et la lueur d'agacement au fond de son beau regard.

Etait-il interdit d'agacer un juge ? songea-t-elle soudain. Manifestement, cet homme n'avait pas l'habitude qu'on se moque de lui. Quel dommage ! Pourtant, pour autant qu'elle pût en juger, il avait besoin d'être bousculé, de s'amuser un peu.

« Arrête de l'agacer », lui souffla une petite voix dans sa tête. Mais en vérité, s'il se révélait prude et coincé, elle ne risquait pas de le présenter à ses étudiantes.

Croisant les bras, elle lui adressa son plus joli sourire et reformula sa question :

— Avez-vous réellement un problème avec les femmes nues ?

Il lui rendit son sourire avec une condescendance certaine.

— En effet, j'ai un problème avec les femmes nues en public. Mon travail l'exige.

— Quel dommage, répliqua-t-elle, le même sourire plaqué sur son visage.

— Arrêtez ! s'exclama Eleanor. Monsieur le juge, ma petite cousine vous taquine. Aucune femme ne sera nue à ses cours, sans cela elle nous en aurait averties avant que nous lui prêtions la propriété pour qu'elle les y organise. Et toi, Lilah, arrête de jouer avec les nerfs de monsieur.

— Désolée, lâcha-t-elle, la mine faussement contrite.

Ashe resta de marbre.

Décidément, on ne badinait pas avec un juge.

— Je ne ferai rien qui vous mette dans l'embarras, lui assura-t-elle en le regardant droit dans les yeux.

C'est alors qu'il lui sourit. Un sourire différent, un peu ironique. Il se pencha à son oreille et murmura :

— Je n'en crois pas un mot ! Vous êtes le genre de femme qui adore mettre les autres dans une position inconfortable.

Un petit frisson parcourut Lilah des pieds à la tête. Son corps tout entier sembla se réveiller d'un long sommeil des sens.

Au point que la sensation l'effraya un peu.

Le juge le remarqua. Elle avait pris plaisir à l'embarrasser, à le déstabiliser, songea-t-elle. Maintenant, il ne se gênait pas pour lui rendre la pareille. Etaient-ils à égalité, à présent ? Les hostilités pouvaient-elles cesser ?

— Parfois, je… parle trop vite et… je dis des choses inappropriées, concéda-t-elle. Je vous prie de bien vouloir m'en excuser. Les femmes seront vêtues, soyez-en sûr. A part, peut-être, au moment de la destruction des robes.

— Vous allez détruire des robes ?

Cette fois-ci, il paraissait estomaqué, remarqua-t-elle. Qu'importe ! Elle aimait surprendre. Trop longtemps, elle avait accepté de mener une vie ennuyeuse et sans saveur.

— Des robes de mariée, répliqua-t-elle. En cours, les femmes apporteront leur robe de mariée et… elles en feront ce qu'elles voudront. Elles les brûleront, les lacéreront, que sais-je. Elles se rouleront dans l'herbe avec, se jetteront à la rivière qui longe la propriété, ce sera selon leur fantaisie.

— En robe de mariée ? demanda Eleanor.

— Oui, répondit-elle doucement. Elles les porteront et les abîmeront à leur gré. Je ne sais pas ce qu'il restera de ces robes quand elles en auront terminé avec elles. Elles disposeront de la plus grande liberté lors de cette étape. Je me refuse à censurer toute forme d'expression sincère de leurs émotions. Il s'agit de thérapie.

— J'en suis sûr, ironisa le juge.

— C'est le cas, insista-t-elle. J'essaie d'être honnête avec vous. Certaines pourront détruire leur robe au point de se retrouver… presque nues. Donc, s'il s'agit pour vous d'une cause de rupture…

— Attendez, intervint de nouveau Eleanor. Vous avez à peine eu le temps de vous parler vraiment. Monsieur le juge a simplement besoin de mieux comprendre le concept de tes ateliers. M. Asheford, Lilah essaie d'aider certaines femmes. Elle est depuis des années une excellente thérapeute.

La tête penchée sur le côté, Ashe étudiait la jeune femme. Elle essaya de ne pas s'offenser de son regard inquisiteur. Par ailleurs, l'expression « depuis des années une excellente thérapeute » lui semblait un brin exagérée.

— Elle a fait une thèse de psychologie, se vanta Eleanor.

— En fait, l'informa Lilah, j'ai une licence de psychologie et je travaille à ma thèse. Les cours font partie des recherches sur lesquelles j'appuierai mon argumentation.

Le juge parut impressionné.

A dire vrai, rectifia-t-elle en son for intérieur, les choses étaient un peu différentes. Elle avait travaillé à sa licence par intermittence pendant dix ans. Quand elle s'était inscrite en thèse, son ex-mari caressait le rêve de devenir président d'université. Pour ce faire, ils avaient changé d'Etat trois fois. Tout ce temps, elle s'était contentée de postes administratifs, mettant de côté ses rêves et projets pour servir l'ambition d'un homme qui, en définitive, lui avait été infidèle. Pour tout dire, il ne supportait pas qu'elle ait davantage de diplômes que lui. Quelle suite d'erreurs elle avait commises !

— Ma chérie, n'as-tu pas un rendez-vous avant 18 heures ? lui rappela Eleanor.

— Si. Je dois rencontrer l'imprimeur pour les affiches de mes cours.

— Monsieur le juge et toi devriez vous retrouver plus tard pour parler de tout ça calmement. Ainsi, tu pourras répondre à toutes ses questions et il pourra prendre une décision réfléchie. Un dîner, peut-être ?

Eleanor leur offrait le sourire radieux d'une femme passée maîtresse dans l'art de la manigance.

Ni Ashe ni Lilah ne se décidant à répondre, elle poursuivit :

— Non ? Un déjeuner, alors ? Ou peut-être un simple café ? Ma chérie, donne ta carte à monsieur le juge, et prends la sienne.

L'air sceptique, Ashe tendit sa carte de visite et accepta celle de la jeune femme.

— Elle vous appellera, promit Eleanor en le prenant par le bras. Je vous raccompagne. Nous sommes si heureuses que vous ayez pu venir cet après-midi. Je sais que Wyatt et vous êtes très occupés.

Lilah les regarda s'éloigner, puis se tourna vers les deux complices de sa cousine. Kathleen et Gladdy, deux femmes directes et rieuses, qui semblaient avoir vécu des vies riches et pleines. Elles aussi paraissaient manigancer quelque chose, sous leur air de vieilles dames inoffensives.

Que pouvaient-elles bien avoir en tête ?

- 2 -

Ashe se rendit directement de la propriété aux bureaux qu'il partageait avec son ami et collègue Wyatt Gray. Il trouva celui-ci penché sur des piles de dossiers.

— C'est une plaisanterie, c'est bien ça ? lança-t-il tout de go.

Wyatt feignit l'innocence, état d'esprit qu'il ne connaissait plus depuis ses années d'étudiant en droit.

— De quoi parles-tu ? demanda-t-il.

Les yeux d'Ashe lançaient des étincelles.

— Cette faveur que tu m'as demandée, c'est une blague ? Tu t'es vengé de quelque chose ?

— Me venger ? De quoi ?

— A toi de me le dire.

A une époque, en effet, les deux amis se jouaient des tours pendables. Ainsi, une fois, Ashe avait subtilisé toutes les notes de Wyatt sur un cas qu'il devait défendre. Au moment de plaider, son ami s'était retrouvé à court d'arguments devant le juge Whittaker. La tête de Wyatt, à ce moment-là, avait été impayable !

Une autre fois, il avait fourré des sous-vêtements coquins dans l'attaché-case de Wyatt, juste avant son entrée dans la salle d'audience. Son ami s'était presque étouffé en ouvrant sa serviette devant la cour et le même juge. Mais tout cela, c'était de l'histoire ancienne. A présent, ils n'étaient plus des gosses sortant de l'école de droit et ne perdaient plus leur temps à ce genre de canulars.

Du moins, le croyait-il.

— Tu reviens de chez Eleanor, je suppose ? demanda Wyatt. Je t'ai prévenu, elle peut être un peu…

— Etrange ?

— Quelquefois.

— Ta belle-famille me paraît encore plus étrange, si tu veux mon avis.

— Ce sont des femmes intéressantes. Elles ne sont pas… dangereuses. Elles ont toutes quatre-vingts ans et des poussières.

— Et des poussières ?

— Oui. Elles mentent à propos de leur âge, comme toutes les femmes. Mais elles sont toutes en pleine forme mentale.

— Et celle qui se balade nue dans le jardin ?

Wyatt se figea.

— Eleanor se baladait nue dans son jardin ?

— Pas elle.

— Kathleen ? Gladdy ? Une octogénaire dénudée à Barrington ?

Ashe roula les yeux au ciel et rétorqua :

— Elle n'est pas vieille ! Une vingtaine d'années.

— Vraiment nue ?

— Elle portait un voile de mariée. Mais à part ça, rien.

Wyatt se mit à rire et s'exclama :

— Un mariage nudiste chez Eleanor ?

— Pas un mariage. Simplement, une femme

enveloppée dans un voile de mariée, un type qui se trimbalait avec des éclairages et une femme avec un appareil photo.

— Que fabriquaient-ils dans le jardin d'Eleanor ?

— Pas la moindre idée.

Wyatt soupira et dit :

— Je t'avais bien prévenu que ces femmes étaient… différentes. C'est à des incongruités pareilles que je faisais allusion.

— Des femmes nues qui errent dans un parc ? Tu as déjà fait évaluer leurs aptitudes mentales ? s'enquit Ashe.

— Leur santé mentale n'est pas en cause, je te l'assure. En outre, ce sont les meilleures amies du monde, et elles sont heureuses d'être ensemble. Quand des membres de ta famille ont quatre-vingts ans et des poussières, tu souhaites que tout se passe bien ! Si ces trois vieilles dames sont heureuses, Jane l'est aussi. Et, quand Jane est heureuse, je le suis aussi. Nous essayons de… satisfaire leurs désirs. Que manigancent-elles en ce moment ? Je n'en sais rien. Eleanor m'a parlé de cours. J'ai cru comprendre que ça avait un rapport avec le mariage.

— Ce sont des cours sur le divorce, expliqua Ashe.

— Quel rapport avec des mariées dévêtues ?

— Je n'en sais rien. Après tout, ce sont les membres de ta famille. J'ai cru qu'il s'agissait d'une blague. Et maintenant, je dois de nouveau rencontrer cette Lilah, celle qui anime les cours, pour qu'elle m'explique tout.

Wyatt hocha la tête d'un air entendu.

— J'en ai entendu parler. C'est une cousine éloignée d'Eleanor. Elle a grandi dans notre ville. A un moment, nous étions dans la même classe, d'après Eleanor. Je ne me souviens pas bien. Ses parents avaient déménagé en Floride, il y a des années. Elle est de retour depuis peu, je crois.

— C'est elle qui prenait les photos.

— Ah bon ? Que devient-elle ?

— Eleanor prétend qu'elle travaille à une thèse en psychologie, mais j'ai du mal à le croire. Elle ressemble au fruit de l'amour entre deux hippies des années soixante, si tu veux mon avis !

— Ah… j'espère que ce n'est pas une chasseuse d'héritage… Elle a surgi de nulle part, et Eleanor l'a tout de suite invitée à s'installer chez elle. Je n'ai pas encore pu vérifier tout cela par moi-même. Avec ces vieilles dames, il faut y aller avec des pincettes. Elles détestent qu'on les surveille.

— Et alors ?

Wyatt haussa gentiment les épaules et répliqua :

— Si tu pouvais parler à Lilah, trouver ce qu'elle manigance, j'apprécierais beaucoup.

Comme Ashe rechignait, Wyatt soupira :

— Tu n'as pas idée de la difficulté pour surveiller ces oiseaux ! Elles sont roublardes, obstinées et déterminées à préserver leur indépendance à tout prix. En outre, pas question de bousculer ces charmantes vieilles dames !

— Je suis heureux d'entendre que tu ne martyrises pas les membres de ta famille, ironisa Ashe.

— Quand viendra l'heure des élections, Eleanor peut te devenir très utile, ne l'oublie pas. Elle connaît tout le monde en ville, et elle n'a pas son pareil pour lever des fonds pour soutenir les candidats qu'elle choisit. Or tu vas avoir besoin d'argent, et je sais que tu détesteras en demander directement.

Ashe grogna. La perspective de faire campagne pour garder son poste de juge le hérissait. C'était une particularité de l'Etat du Maryland : la première nomination des juges dépendait du gouverneur. Mais ensuite, pour conserver le poste les années suivantes, il fallait se présenter devant les électeurs. Pour l'instant, il refusait de songer à toutes ces complications. Il se consacrait à sa tâche, qui requérait déjà toute son attention.

Wyatt avait raison. Eleanor Barrington Holmes comptait dans la communauté. Dans le passé, elle avait aidé de nombreux candidats à récolter des fonds. Si elle n'était pas devenue si fantaisiste, elle aurait pu énormément l'aider, le moment venu.

— Allez, vieux ! dit Wyatt. Déjeuner avec une femme, ce n'est tout de même pas l'enfer ?

Ashe se résigna :

— Tu as raison.

Quelques jours plus tard, à l'heure du déjeuner, Ashe retrouva Lilah Ryan chez Malone. Il connaissait presque tout le monde dans ce petit restaurant près du tribunal, où le service était rapide et la cuisine convenable.

Hommes et femmes portaient des vêtements stricts, leur attaché-case posé à leurs pieds, un bloc-notes à proximité tandis qu'ils discutaient ou téléphonaient. Des employés du tribunal, avocats et secrétaires pour la plupart. Quelques clients ici et là. Il les reconnaissait à leur air inquiet. L'idée d'affronter la cour impressionnait la plupart des gens.

Au milieu de tous ces costumes sombres éclatait une tache de couleur vive : Lilah, en jupe ample chamarrée et blouse de soie orange sans manches. Elle portait des sandales, et les ongles de ses orteils étaient du même orange que son haut.

Tous les hommes du restaurant l'observaient, nota Ashe. Les têtes se détournaient des blocs-notes, avant d'y replonger précipitamment. Il aurait été mieux inspiré de choisir un autre lieu de rendez-vous, se reprocha-t-il.

Levant la tête, elle l'aperçut et agita dans sa direction une main manucurée de vernis orange. Une demi-douzaine de bracelets se mit à tintinnabuler à son poignet.

Ashe sentit tous les regards passer de Lilah à lui.

Le juge Asheford, avec une hippie ?

Il se dirigea vers elle, saluant en chemin amis et collègues. Ceux-ci lui répondirent par de légers sourires et des hochements de tête respectueux.

Ici, les gens le respectaient.

Il aimait ça.

Et il entendait que ça dure.

Quand il parvint à la table de Lilah, la jeune femme se leva et lui tendit une main qu'il serra brièvement. Puis ils s'assirent.

— Merci de prendre le temps de me parler, commença-t-elle. Je n'étais pas sûre que vous le feriez. Eleanor m'a assurée que vous étiez la personne idéale pour mes cours.

La remarque dérouta Ashe, qui répliqua :

— Je ne vois pas bien pourquoi. Je la connais à peine. Je suis simplement l'ami de Wyatt, qui est le petit-fils par alliance de Kathleen. Il m'a d'ailleurs dit que vous vous connaissiez, enfants.

— Wyatt l'impertinent ? acquiesça-t-elle en hochant la tête. Un jour, quand j'avais six ou sept ans, il a essayé de regarder sous ma jupe, dans la cour de récréation. Ou alors, il incitait les autres à le faire, je ne sais plus.

— C'est tout à fait le genre de Wyatt ! répliqua Ashe.

— Est-il vraiment marié à la petite-fille de Kathleen ?

— Oui.

— Ils sont heureux ensemble ? Je suis curieuse de rencontrer Jane. Kathleen m'a dit qu'elle avait écrit un livre de conseils financiers destinés aux femmes. En ce moment, elle prépare une tournée de promotion de son livre. Mais l'idée de Wyatt heureux en ménage me surprend un peu !

Que dire ? songea Ashe. Lui aussi avait été surpris, et il n'était pas le seul. Il s'en tira avec une formulation neutre :

— Ils ne sont pas mariés depuis longtemps.

— Kathleen et Gladdy le jugent parfait. L'avis d'Eleanor est un peu plus nuancé, sans doute parce qu'elle connaît ses frasques passées ! Mais, quand ses deux amies parlent des merveilleuses qualités de Wyatt, elle ne proteste pas. Je commence d'ailleurs à m'inquiéter à leur sujet. Ont-elles vraiment… toute leur tête ? Je l'espère, elles sont tellement adorables. Un peu obstinées, curieuses, mais très gentilles.

Ashe ne trouva rien à redire à ce portrait.

— Wyatt s'inquiète à leur sujet et garde un œil sur elles, sans en avoir l'air, répondit-il.

Cela suffirait-il à arrêter Lilah, au cas où elle voudrait profiter de l'innocence et de la fragilité mentale de ces vieilles dames ? Il l'ignorait.

— Très bien, acquiesça-t-elle. Il faut que quelqu'un s'occupe d'elles de façon indirecte. Pour leur bien.

Etait-elle sincère ? Jouait-elle la comédie ? Ashe ne savait que penser. Pourtant, d'ordinaire, il parvenait très vite à cerner les gens. Déformation professionnelle.

Chacun d'eux étant pressé, ils optèrent pour un repas léger et passèrent commande à la serveuse.

Cette femme se décidait vite, constata Ashe. Une qualité rare, dont il lui sut gré. En plus, elle se montrait beaucoup moins agressive que l'autre jour. Qui sait, ce déjeuner ne serait peut-être pas la corvée qu'il redoutait.

A ce moment-là, la serveuse revint et s'adressa à Lilah :

— J'ai failli oublier de vous dire, le patron accepte que vous mettiez une de vos affiches dans son établissement.

Sur-le-champ, Lilah sortit une petite affiche de son paquet et la tendit à la serveuse.

— Merci beaucoup, répondit celle-ci avec un sourire.

Sur la photo, Ashe aperçut le voile transparent qui flottait autour de la femme nue. Il n'en crut pas ses yeux. Quoi ? Une femme nue sur une affiche ? Une affiche à placarder dans CE restaurant ? Le patron n'avait sûrement pas accordé à la chose toute l'attention nécessaire !

— Vous ne pouvez afficher ça ici, affirma-t-il.

— Je vous signale que le patron m'y autorise.

— La photo d'une femme nue sur une affiche,

ça fera scandale en ville. Je suis même certain qu'il existe une loi contre.

— Cette photo n'a rien de scandaleux, insista Lilah en sortant une affichette de son sac. Laissons les gens en juger par eux-mêmes, voulez-vous ?

— Ne faites pas ça, dit Ashe en la saisissant au poignet. Pas maintenant. Pas ici.

— Monsieur le juge, ce n'est pas parce que vous avez un problème avec la nudité féminine que c'est le cas de tout le monde, rétorqua Lilah, agacée, en haussant le ton.

Il fit la grimace et détourna le regard.

Autour d'eux, les conversations s'arrêtèrent.

Les gens les dévisageaient en murmurant. Quelques gloussements parcoururent l'assemblée.

Présentant l'affiche à la ronde, elle demanda à la cantonade :

— Quelqu'un parmi vous s'oppose-t-il à ce que cette affiche circule en ville ?

Des voix masculines amusées s'élevèrent, aucune n'émit la moindre opposition. Ashe n'en revenait pas. Il reporta son regard sur Lilah, qui semblait jubiler. Un serveur rougissant s'approcha et demanda :

— C'est vous, sur la photo ?

— Non, ce n'est pas elle, répliqua Ashe suffisamment fort pour être entendu de l'ensemble des clients.

L'idée que tous ces gens s'imaginent qu'il déjeunait avec une femme qui posait nue le hérissait !

Un murmure déçu parcourut la salle. Quelques voix s'élevèrent pour exprimer le désir de rencontrer la femme nue sur l'affiche.

Lilah remercia son jeune admirateur. Puis, tout en

étalant l'affiche sur la table pour qu'il la voie bien, elle lança à Ashe un regard malicieux.

— Cette jeune fille était nue quand j'ai pris la photo, mais sur l'affiche ça ne se voit pas, dit-elle. Je ne suis pas idiote, je sais ce que je fais.

Toujours sceptique, il baissa les yeux vers l'affichette. Une publicité pour des cours de « remise en forme après divorce », affirmait le slogan. En effet, la nudité de la jeune femme se devinait plus qu'elle ne se voyait.

Le modèle était photographié à travers la gaze d'un voile de mariée. La photo, d'un flou artistique, montrait une femme courant dans un tourbillon vaporeux, qui masquait sa nudité.

Une belle photo, provocante certes, mais de bon ton, reconnut-il. Tout à coup, il comprit l'intention de Lilah : provoquer pour attirer l'attention et la retenir. Après tout, la publicité ne fonctionnait pas autrement.

Avait-il sous-estimé Lilah ? se demanda-t-il. De sa part, c'était inadmissible. La jeune femme semblait contente d'elle-même, à en juger par le regard satisfait et moqueur qu'elle lui adressait en ce moment précis.

— Vous êtes comme ça avec tout le monde ? demanda-t-il. Ou seulement avec moi ?

— Je me suis promis dernièrement de profiter de la vie au maximum, ce que je n'ai pas fait depuis très longtemps. En plus, je trouve la plupart des gens beaucoup trop sérieux. Pas vous ?

— Le monde est sérieux, avec des problèmes sérieux, des objectifs sérieux. Entre autres, le divorce est un sujet on ne peut plus sérieux. C'est une épreuve difficile pour les gens qui s'y trouvent confrontés.

— Justement, je m'emploie à les aider. J'y consacre le plus clair de mon temps.

D'un coup, Ashe se décida. Lilah méritait d'avoir une chance de présenter son projet. De plus, il avait promis à Wyatt de faire de son mieux pour déterminer si elle cherchait à nuire aux vieilles dames.

— Racontez-moi donc ce que vous faites pendant vos cours, dit-il d'un ton encourageant.

— Eleanor me dit que vous êtes juge des affaires familiales, commença-t-elle. Vous êtes en charge des divorces ?

— Des divorces et des questions de garde d'enfants. Je travaille aussi avec les services sociaux pour les personnes âgées qui ne sont plus autonomes. Ce genre de choses.

— Avez-vous déjà rencontré des gens divorcés depuis longtemps, mais qui restent prisonniers de leur mariage sur le plan émotionnel ?

— Oui.

— Au point que cela nuise gravement à leur vie et brouille leur jugement ? Des gens qui ne peuvent pas tourner vraiment la page, lâcher prise ?

Oh oui ! songea Ashe. Il connaissait des drames à dégoûter du mariage les plus romantiques et les plus naïfs. Dans ses dossiers, il avait de quoi faire pleurer les plus idéalistes de ses compatriotes américains !

— Eh bien, moi, j'ai l'ambition de changer cela, déclara Lilah tandis que la serveuse déposait deux assiettes garnies devant eux. Je veux m'occuper des divorcés pour qu'ils rebondissent dans la vie et laissent leur passé derrière eux.

Ashe hésitait. Cette jeune femme était-elle une

indécrottable naïve ou simplement une personne prétentieuse ? Pourquoi ne pas plutôt supprimer l'institution du mariage une fois pour toutes ? eut-il envie de rétorquer. De la sorte, les divorcés ne seraient plus brisés sur le plan émotionnel.

— Je ne suis pas sûr que cela soit possible, dit-il.

— Eh bien, j'ai l'intention d'essayer.

Ashe sentait sa première impression se confirmer : non seulement cette femme était naïve, mais elle était idéaliste et complètement irréaliste. Navrant. Il en éprouva une curieuse envie de la sauver d'elle-même.

— Je ne pense pas qu'une personne seule puisse atteindre cet objectif, dit-il.

— Alors, aidez-moi.

— Ce n'est pas possible à deux non plus. Le problème est trop vaste.

Déçue, elle soupira :

— Gandhi a dit : « Soyez le changement que vous voulez pour le monde. »

Ashe cilla. Elle lui citait Gandhi ?

— Je me demande si Gandhi a été marié ? dit-il.

— A la même femme, pendant soixante ans, rétorqua-t-elle.

— Vraiment ?

— Ils se sont mariés très jeunes. Il avait… treize ans à peu près, et elle un peu plus… Un mariage arrangé…

Ashe éclata de rire.

— Ce qui n'a rien à voir avec…

— C'est vous qui avez commencé à parler de Gandhi, lui rappela-t-il.

— Parce que je l'admire. Le monde serait bien

meilleur si nous décidions tous de nous consacrer à une cause passionnante.

Mon Dieu ! songea Ashe. S'était-il montré aussi naïf dans le passé ? Il ne le pensait pas.

Clairement déçue par son interlocuteur, Lilah tenta un dernier argument :

— S'il vous plaît, aidez-moi. Je promets de ne plus jamais vous taquiner sur la nudité. Aider les gens qui en ont réellement besoin ne peut être une mauvaise chose.

— Vos… « cours » auront-ils lieu à Barrington ?

— Oui. L'endroit est idéal.

— Je croyais qu'Eleanor destinait la propriété aux mariages ?

— C'est ce qui en fait l'endroit parfait, répliqua-t-elle. Toute l'attente, l'excitation, le bonheur, tous les préparatifs pour faire de la cérémonie du mariage un souvenir éblouissant. Les gens se laissent prendre au rêve, et puis la réalité s'installe, et… Vous savez tout cela, vous le voyez tous les jours. Le fantasme du mariage idéal ne dure pas.

— En effet.

— Je vais utiliser toute cette énergie, me servir de tous ces sentiments, de tous ces souvenirs qui imprègnent cette propriété. Trop souvent, nous fuyons ces sentiments ou nous les enfouissons en nous si profondément que nous ne les ressentons plus. Ce n'est pas bon.

— Vous avez l'intention de remuer toutes ces émotions, de façon délibérée, dans le cœur des femmes qui suivront vos ateliers ?

— Pas par méchanceté. Juste pour qu'elles ne fuient

plus leurs sentiments. Pour pouvoir avancer, il faut affronter les problèmes et les régler.

Ashe ne trouva rien à redire à cet argument.

— C'est pour cela que vous organisez vos cours chez Eleanor ? demanda-t-il.

— Dès que j'y ai songé, l'endroit m'a semblé parfait. Eleanor est très gentille avec moi, c'est une vieille amie de ma mère et une distante cousine.

— Et vous vivez sur la propriété ?

— Pour le moment. Je n'en avais pas l'intention, mais Eleanor m'a proposé d'habiter chez elle, et il y a tant de place, au domaine, que j'ai accepté, à titre provisoire. Je ne suis pas une pique-assiette, si c'est ce que vous insinuez.

— Loin de moi cette idée !

— Mais vous le pensez. Dans quelque temps, je me trouverai un logement. Pour l'instant, je suis installée dans une petite chambre près de la cuisine. Elle est paisible et à l'écart, et c'est ce dont j'ai besoin.

— Excusez-moi… Je ne voulais pas vous blesser.

— Eleanor est solitaire, je crois, malgré ses amies et les mariages qui se font dans sa propriété. Son filleul, sa fille et leur fils ont vécu auprès d'elle quelque temps. Mais ils ont acheté une maison et viennent d'en achever la restauration. Ils ont donc déménagé, et ma cousine se retrouve isolée.

— Je suis sûr qu'elle est heureuse de ne pas être tout le temps seule, concéda Ashe en consultant sa montre. C'est tout ce que vous attendez de moi ? Que je préside une sorte de cérémonie de divorce ?

— Beaucoup de gens auront des questions à vous poser sur le déroulement d'un divorce. Ils ne sont pas à la recherche de conseils, mais aimeraient des explications sur le processus.

— Ça, c'est dans mes cordes.

— Dernière chose... Quelques femmes sont maltraitées par leur mari ou ex-époux... Elles aussi viendront vers moi pour obtenir de l'aide.

— C'est mon pain quotidien dans l'exercice de mes fonctions. Faites attention, certaines situations peuvent se révéler très dangereuses.

— J'ai déjà travaillé avec des femmes battues. Je sais aussi que certains flics se débrouillent mieux que d'autres dans ces cas-là. Pouvez-vous me communiquer le nom d'un policier qui prendra la plainte de ces femmes en considération ? En tant que juge, vous connaissez les bons flics et les moins bons.

— En effet.

— Mais vous ne souhaitez pas me donner de nom ?

— Je ne préfère pas. Quant à vous, il vous faut un protecteur. Je ne veux rien faire qui vous plonge dans une situation familiale violente.

— Un protecteur, voyez-vous ça ! ironisa Lilah. Un homme grand et fort, qui en sait beaucoup plus que moi, c'est ça ? Qui prendrait les décisions à ma place ?

— Ce n'est pas ce que j'ai dit, protesta-t-il.

Mais au fond, c'était ce qu'il pensait.

Non parce qu'elle était une femme, mais parce qu'elle se croyait invincible, prête à endosser les situations les plus dangereuses afin de les régler elle-même. Quelqu'un devait la freiner, pour l'empêcher de souffrir.

Bien entendu, elle refusait toute protection et semblait se délecter de le provoquer de toutes sortes de façons.

Ce qui n'était pas pour lui déplaire, reconnut-il.

— Ecoutez, dit-elle, la première cérémonie de divorce n'interviendra qu'à la fin de la première session, dans deux mois et demi. Ne vous décidez pas tout de suite, prenez le temps d'y réfléchir.

— Je vous le promets.

- 3 -

Ashe classait ses dossiers quand Wyatt frappa à sa porte. Il lui fit signe d'entrer.

— Tu as vraiment déjeuné au Malone avec une femme nue ? demanda-t-il, l'air curieux.

— J'ai déjeuné avec Lilah, qui était tout habillée, rectifia Ashe.

— Dommage… C'était la rumeur la plus intéressante de ces dernières semaines !

— C'est à cause des affichettes qu'elle a placardées en ville, pour la promotion de ses ateliers sur le divorce.

— Je comprends mieux ! Alors, Lilah ? Dois-je m'inquiéter de sa présence à Barrington ?

— Si ces trois vieilles dames étaient mes parentes, je pense que je m'inquiéterais en permanence.

— Réponds-moi : dois-je m'inquiéter de la présence de Lilah ?

— Je ne pense pas que ce soit un escroc. Mais elle aime mettre la pagaille, c'est le moins qu'on puisse dire.

— Eleanor et ses amies adorent ça ! J'espère que tu vas participer à ces cours. Comme ça, tu seras au courant de ce qu'elle fabrique.

Son ami lui offrait une excuse idéale pour aider Lilah, songea Ashe. Il ferait cette cérémonie pour Wyatt. Mais il n'était pas dupe de ce prétexte. En fait, il pensait beaucoup à la jeune femme, depuis le déjeuner. Elle lui avait paru si vibrante…, si intéressante.

Plus qu'intéressante.

Depuis combien de temps n'avait-il pas rencontré une femme vraiment attirante ? Une femme qui le défiait comme elle le faisait ?

— Elle m'a cité Gandhi, figure-toi. « Soyez le changement que vous voulez pour le monde. » Selon elle, le monde serait beaucoup plus beau si nous faisions tous l'effort de résoudre un problème.

— C'est exactement ce que tu fais, lui rappela Wyatt. Tu essaies à longueur de temps de trouver des solutions.

— Je me contente d'essayer de limiter les dégâts.

— La journée a été dure, monsieur le juge ? demanda son ami.

Ashe hocha la tête sans répondre.

— Qu'en penses-tu, au juste ? Tu crois que Lilah peut aider les gens à bien se sortir de leur divorce ? demanda Wyatt au bout d'un moment.

— Ce serait bien. Tant de gens se font avoir et coulent, en ce bas monde.

— Ecoute… Accepte de participer à une session de cours de Lilah. Une seule. Puis tu laisseras tomber.

— Une seule session, alors. Et après ça, tu me seras redevable !

Lilah disposa ses affiches dans toute la ville. Elle était fière de son travail artistique et ravie d'avoir ébranlé le juge Asheford !

Elle rejoignit Eleanor, Kathleen et Gladdy à Barrington au moment où elles finissaient leur dîner.

Elles l'invitèrent à boire le café. Les trois vieilles dames étaient exquises, leur compagnie intéressante, même si elles donnaient toujours le sentiment de comploter.

— Tes affiches te donnent-elles satisfaction, mon petit ? demanda Eleanor tout en savourant un biscuit.

— Tout à fait. Mais j'aimerais savoir ce que vous en pensez, ajouta Lilah en tirant une affiche de son sac.

— Oh ! que c'est joli ! s'exclama Kathleen.

— Et ça attire l'œil ! ajouta Gladdy. J'espère que personne ne vous a fait d'ennuis ?

— Disons que… le juge a émis quelques réserves, avant même de les voir. Mais, après les avoir regardées, il a reconnu qu'elles n'étaient pas offensantes.

— Offensantes ? s'étonna Eleanor. C'est une très belle photo.

— C'est aussi mon avis, répondit Lilah.

— Il est dommage qu'un jeune homme aussi beau soit aussi prude, commença Gladdy.

— Nous ne savons pas si le juge est prude, intervint Eleanor. Nous n'en savons rien du tout.

— On le dirait bien, en tout cas. Il faut que quelqu'un décontracte un peu ce garçon, insista Gladdy.

Lilah étouffa un petit rire. Décontracter ce garçon ? Le taquiner, d'accord. Mais le décontracter ? Cela demanderait des efforts, et surtout des actes qu'elle ferait mieux de ne pas entreprendre. Elle l'avait suffisamment agacé lors de leurs deux premières rencontres. Maintenant, elle devait filer droit.

— Il va t'aider pour tes cours ? s'enquit Eleanor.

— Il y réfléchit.

— Je suis sûre que tu vas le convaincre. Les femmes de notre famille savent obtenir ce qu'elles veulent.

Le sourire entendu de sa cousine en disait long. De toute évidence, ces trois vieilles dames aimaient les hommes de tous âges, sous toutes les coutures. L'autre soir, elle avait été surprise de les entendre évoquer leurs conquêtes masculines. Trois coquines…

En comparaison, elle avait mené une vie très protégée, très rangée, à l'écart de toute tentation. De façon générale, elle n'avait pas assez prêté attention aux hommes. Encore moins accompli avec eux les « rapprochements » dont parlaient les vieilles dames.

Ce qui lui fit penser au juge Asheford.

Un bel homme au physique de jeune premier, la maturité en plus. L'espace d'un instant, un rapprochement avec lui la tenta.

— Kathleen, qu'a dit Wyatt au sujet du juge ? s'enquit Eleanor. Célibataire ? Marié ? Divorcé ?

— Divorcé. Apparemment, il s'est marié très jeune. Leur couple n'a pas tenu. Il est célibataire depuis des années.

— C'est peut-être à cause de son divorce qu'il se montre réticent envers le projet de Lilah, réfléchit Eleanor à haute voix. Il a des enfants ?

— Aucun. Il paraît que les femmes lui tournent autour comme des mouches.

— Pour ma part, si j'avais vingt ans de moins, je lui courrais après, déclara Gladdy.

— Vingt ans ? s'écria Kathleen, les yeux écarquillés.

— Ça se fait beaucoup de nos jours, poursuivit Gladdy. Une femme… mûre, avec un homme plus jeune.

Lilah pouffa de rire derrière sa serviette. Eleanor

et Kathleen en firent autant, et Gladdy finit par se joindre à elles.

Celle-ci n'en démordait pas.

— Une femme n'est jamais trop vieille pour apprécier un bel homme.

— D'accord avec toi, répliqua Eleanor.

— A votre avis, quel âge a le juge ? s'enquit Gladdy.

— La bonne trentaine, je crois. Il est si distingué…

— Environ trente-cinq ans, rectifia Eleanor. Il essaie de se donner l'air plus vieux, à cause de son travail.

— Oh ! un jeune et bel homme, se prit à rêver Gladdy.

Les trois vieilles dames gloussèrent de plaisir.

— L'âge venant, les hommes mûrs ne se comportent plus avec la même… vigueur, et c'est bien dommage, se plaignit Gladdy.

— Je t'en prie, arrête, dit Kathleen.

— Je dis simplement qu'un homme jeune présente des avantages indéniables, rétorqua Gladdy. Souvenez-vous-en, ma chère Lilah. Beaucoup de femmes se tournent vers des hommes plus âgés, qui ont souvent plus d'argent et de pouvoir. Mais moi, j'ai toujours préféré les jeunes hommes. Avec eux, pas de problèmes de… Vous voyez ce que je veux dire. Dans ce domaine, je ne pense pas que le juge ait le moindre problème.

— Je m'en souviendrai, promit la jeune femme en riant. Même si, en ce moment, les hommes sont le cadet de mes soucis.

Ce week-end-là, le domaine était loué pour un mariage élégant. Le jeudi soir, Lilah observa les allées et venues des personnes chargées de l'organisation de la cérémonie de mariage et de la soirée.

Quand le soir tomba, et que les employés eurent installé chaises et tables ainsi que du matériel divers, elle sortit faire son jogging. De retour, elle prit une douche et enfila un pyjama confortable, heureuse que la maison ait retrouvé son atmosphère calme.

Dans un des réfrigérateurs, elle trouva une bouteille de pinot que les mariés avaient goûtée dans l'après-midi. Elle s'en servit un verre. Elle en était au second quand elle aperçut les phares d'une voiture qui remontait l'allée de la maison d'Eleanor. Sa parente revenait sans doute d'un dîner en ville, songea-t-elle. Il lui sembla entendre un coup discret frappé à la porte. Puis la porte s'ouvrit, et le juge entra.

Lilah gémit de frustration en songeant à sa tenue. Elle portait un bas de pyjama retroussé, un petit haut à fines bretelles, ni soutien-gorge ni maquillage, et ses cheveux étaient encore humides.

Le juge la contemplait, l'air sérieux dans son costume sombre irréprochable, sa chemise blanche amidonnée, sa cravate foncée. Beau et classique à la fois, avec ses cheveux noirs, ses yeux marron vif et intelligents, le teint hâlé qui suggérait de longues périodes au soleil.

— Monsieur le juge, finit-elle par dire. Quelle surprise !

Il sembla la jauger du regard. Il tenait à la main ce qui ressemblait à un cadeau de mariage, qu'il déposa sur le comptoir de la cuisine.

— Eleanor m'a dit que la porte latérale serait ouverte, et que je n'avais qu'à entrer. Je devais assister au mariage, mais j'ai un empêchement de dernière minute. Elle ne vous a pas prévenue de ma visite ?

— Non, mais l'après-midi a été très chargé. Il y a eu beaucoup de passage.

Que croyait-il ? Qu'elle se trouverait en pyjama dans cette cuisine si elle avait eu vent de sa visite ?

— Je viens juste déposer un cadeau, expliqua-t-il.

— Pour la fille du président de l'assemblée législative de l'Etat ?

— Oui. Euh… nous sommes sortis ensemble, à un moment.

— Intéressant… Sans rancune, j'espère ?

— C'est une femme belle et intelligente, et j'espère qu'elle sera très heureuse.

— Dommage que vous manquiez le mariage, je suis sûre qu'il sera parfait.

Les mains dans les poches, il observait Lilah dans la demi-pénombre. Soudain agacée, elle but une dernière gorgée de vin. Il la regarda faire, puis son regard glissa vers la bouteille presque vide sur le comptoir de la cuisine.

— Vous allez bien ? demanda-t-il enfin.

— Je n'ai pas vidé la bouteille à moi seule, si c'est ce que vous pensez, dit-elle. Elle a été goûtée par une douzaine de personnes, en vue du repas de mariage. J'en ai bu deux verres, et j'avoue que ça me monte un peu à la tête. J'aurais dû aller me coucher.

Elle regretta sur-le-champ ses paroles. Pourtant, c'était vrai, elle aurait mieux fait de se réfugier dans son lit douillet, plutôt que se retrouver seule avec lui. Vulnérable, triste et mal habillée.

— Lilah, dit-il, je ne parviens pas à vous cerner.

— Je sais…

— En principe, j'analyse très vite les gens. C'est un aspect important de mon métier. Pourquoi est-ce que je n'y arrive pas avec vous ?

Elle eut un petit rire.

— Je ne me comprends pas toujours moi-même. Et ce n'est pas une bonne chose. Je ne suis pas sûre d'être faite comme les autres femmes de mon âge.

D'être faite comme les autres femmes… Décidément, elle n'en loupait pas une.

— Tenez, reprit Ashe. En cet instant, je ne sais pas si vous êtes délibérément provocante.

— Mais non ! Je reconnais que je vous ai… taquiné l'autre jour, et je m'en excuse. Je veux dire… Je sais que je devrais…

— Vous n'êtes pas désolée du tout.

— Vous êtes si… coincé, lâcha-t-elle tout de go.

— Pas du tout, riposta-t-il. J'occupe simplement une position publique importante dans la communauté. Les gens attendent de moi une certaine réserve et une attitude convenable.

— Bien entendu.

— Et vous, pour ce que j'en sais, vous mettez un point d'honneur à vous comporter de façon outrancière.

— C'est faux. Je… je veux seulement être moi-même. Et non pas donner aux autres l'image d'une femme qui se réprime pour leur complaire.

— Je ne me réprime pas, répliqua-t-il en articulant chaque syllabe avec agacement.

— Je ne parle pas de vous. Je parlais… de quelqu'un d'autre. Quelqu'un qui me demandait de me… En fait… c'est moi qui m'imposais de me réprimer.

Mais maintenant, c'est fini. Je refuse de changer pour complaire à qui que ce soit.

Ashe hocha la tête d'un air méditatif.

— Dorénavant, je me tiendrai bien, promit-elle.

— A quoi jouez-vous ?

— Je promets d'essayer de ne plus vous taquiner.

Cependant, elle ne put réprimer un éclat de rire. Quelque chose chez cet homme la poussait à le faire sortir de ses gonds…

— Vous adorez ça, dit-il en se rapprochant de Lilah. Vous savez parfaitement ce que vous faites. Vous aimez jouer avec les gens, les déstabiliser, les pousser hors de leurs retranchements, les choquer.

— Un peu, oui… Les gens viennent me voir parce qu'ils sont mal dans leur vie. Ils souhaitent changer, et, pour changer, il faut sortir de son cocon. En tant que thérapeute…

— Je ne parle pas de vous en tant que thérapeute, interrompit Ashe en avançant encore d'un pas.

Maintenant, il la dominait de toute sa taille. Coincée entre les meubles de cuisine et ce grand corps puissant, elle se sentit un peu mal à l'aise.

— Oh ! vous parlez de ma personne…, dit-elle dans un murmure.

Elle sentait l'odeur de son eau de toilette, épicée et très sensuelle. Elle aurait pu demeurer ainsi longtemps, à respirer son parfum, à sentir monter en elle de petites vagues de chaleur.

— Vous en tant que femme, Lilah, dit-il d'une voix calme et un peu rauque.

Elle frissonna.

Jouait-elle vraiment avec lui, comme il l'insinuait ?

Elle réfléchit. Elle aimait bien cet homme. En tout cas, elle aimait bien titiller son côté trop sérieux. Qui sait, peut-être possédait-il une autre facette, plus drôle ?

C'était cela, ce qu'il appelait jouer avec lui ?

Se comportait-elle de façon trop indiscrète ? Mesquine ? Agaçante ?

— Je me tiens si mal que ça ? demanda-t-elle.

De plus en plus agacé, Ashe leva les yeux au ciel.

— Dites-moi franchement… Vous essayez d'amorcer une histoire entre nous ? demanda-t-il.

Surprise et intriguée, elle rétorqua :

— Non, je ne crois pas.

— Vous ne croyez pas ? Pourtant, ma question est très claire : me faites-vous comprendre que vous avez des vues sur moi ? Si c'est le cas, dites-le. Ça pourrait être… intéressant.

Que voulait-il dire ? Etrange ? Amusant ? Gênant ?

— Ce serait sûrement intéressant, reprit-il. Mais je ne pense pas que ce serait avisé.

— Ça a le mérite d'être clair, répondit-elle.

Et pourtant, songea-t-elle, s'il était moins rigide, cela pourrait l'amuser, le décoincer un peu. Mais saurait-il comment s'y prendre ?

— Je suis assez sûre de ne pas essayer de vous séduire, affirma-t-elle.

— Assez sûre, répéta-t-il.

— Je… je, bégaya-t-elle, à la fois sur le qui-vive et vaguement excitée. Vous m'avez posé une question à brûle-pourpoint et je vous réponds de mon mieux. Je suis assez sûre, parce que… parce que vous n'êtes pas mon type… Vous ne l'êtes plus.

— Parfait, déclara-t-il en cachant mal ce qui ressemblait à de la déception.

Il se pencha vers elle. Pendant quelques secondes, sa bouche frôla presque celle de Lilah.

— Je ne suis pas un jouet, déclara-t-il. Mettez-vous ça dans la tête, et arrêtez de jouer avec moi.

— Si vous y tenez…

A ses propres oreilles, sa réponse sonna comme un regret. Un regret de quoi ? se demanda-t-elle. De ne plus pouvoir jouer avec le juge ? Elle l'étudia de la tête aux pieds : son beau visage hâlé, son corps puissant, l'impression de pouvoir qui se dégageait de lui…

Peut-être avait-elle cherché à le séduire sans s'en apercevoir ? Un vieux réflexe inconscient ? Le besoin d'éprouver sa toute nouvelle liberté… ou de se sentir femme de nouveau ?

— Vous voyez, dit-il sans reculer d'un pas. En ce moment même, vous me titillez, vous me provoquez.

— Pas du tout ! Si je voulais vraiment vous provoquer, je vous dirais que les trois vieilles dames qui vivent ici me serinent qu'il faudrait que quelqu'un vous décoince…

Ashe laissa échapper un grognement.

— Et je suis certaine qu'elles pensent que je suis la personne la mieux placée pour cela, même si j'en ignore la raison. Peut-être pensent-elles que ce serait drôle de me voir jouer avec vous…

— Lilah, si vous n'arrêtez pas, je jure que…

— Et, si je voulais, je vous dirais que Gladdy a passé son temps à me convaincre des inconvénients de sortir avec un homme plus âgé que soi, si vous voyez ce que je veux dire.

— Quel rapport avec moi ?

— Eh bien, elles pensent aux performances de…

L'air en colère et quelque peu scandalisé, il s'exclama :

— Vous voulez dire que vous vous entretenez avec une vieille dame de plus de quatre-vingts ans de mes… performances éventuelles dans le secret d'une chambre à coucher ?

— Pas moi, insista Lilah. Gladdy, et Gladdy seulement.

— Incroyable, proféra-t-il.

La colère le rendait très beau.

Il respirait bruyamment, et son haleine mentholée caressait le visage et les lèvres de Lilah. Il avait le corps si chaud… Voilà longtemps qu'elle ne s'était pas trouvée si près d'un homme aussi attirant, malgré sa raideur.

Une partie d'elle-même désirait se blottir contre lui, profiter de sa chaleur et de sa force. Elle oscillait vers lui contre son gré, et peut-être que… Oui, lui aussi oscillait vers elle, comme si une force invisible les poussait l'un vers l'autre.

Fit-il le premier pas ? Elle n'aurait su le dire. Le contact de leurs deux corps la fit sursauter. Un contact délicieusement sensuel.

Lui ressentait la même chose, elle en aurait mis sa main au feu. Il lui était impossible de le dissimuler, son corps parlait à sa place.

Gladdy avait raison, le juge n'avait besoin d'aucune aide pharmaceutique.

Au bout de quelques secondes, elle osa lever les yeux et le regarda en face.

— Eh bien, maintenant, vous savez. Satisfaite ?

demanda-t-il d'une voix rauque en pivotant sur lui-même.

Non, elle n'était pas satisfaite, loin de là.

Mais pour une fois, elle tint sa langue.

Elle le suivit du regard pendant qu'il gagnait la porte.

- 4 -

Vendredi et samedi, Ashe eut à traiter en urgence un cas très grave. Il termina tard dans l'après-midi. Comme il avait pour mission de remettre dès que possible le dossier à son patron, le juge administratif, qui assistait au même moment au mariage de la nièce de sa seconde femme au domaine Barrington, il se voyait donc dans l'obligation désagréable de s'y rendre.

Désagréable car s'y trouvaient également les deux femmes les plus scandaleuses qu'il lui ait été donné de rencontrer. Lilah et Gladdy. Le domaine Barrington était bien le dernier endroit où il avait envie de terminer sa journée. Si l'on exceptait la chambre d'hôpital où il venait d'entendre la déclaration qui l'avait bouleversé.

La réception battait son plein quand il pénétra dans la cuisine où il avait surpris Lilah en pyjama, deux nuits auparavant.

Il fut soulagé de ne pas l'y croiser aujourd'hui.

L'équipe des traiteurs faisait la vaisselle. Il se guida au bruit vers la grande cour pavée où se trouvaient encore de nombreux invités, occupés à boire, manger et danser.

— Monsieur le juge ! J'avais cru comprendre que vous ne pouviez vous joindre à nous ? dit Eleanor en s'approchant de lui.

— En effet. Je viens juste m'entretenir avec le juge Walters d'une affaire qui nous préoccupe. Savez-vous où il se trouve ?

— Je vais le chercher. Mais avant, je vous conduis dans mon bureau, vous y serez plus tranquille.

— Merci, répondit-il en la suivant dans une grande salle, puis une autre, avant d'atteindre une petite pièce très calme.

— Vous avez l'air fatigué, remarqua Eleanor. Les deux derniers jours ont dû être très durs. Le juge Walters est un vieil ami. Je crois connaître le cas qu'il vous a confié.

— Excusez-moi, je ne suis pas censé en parler.

— Je comprends… Avez-vous dîné ? Je serais heureuse de vous faire porter un plateau.

— Non, merci. Je veux juste m'entretenir avec le juge et rentrer chez moi.

— Comme il vous plaira. Je vous l'envoie tout de suite.

Lilah s'était forcée à assister à la cérémonie et à la réception. N'ayant pas bu d'alcool, elle avait l'esprit clair lorsque Eleanor lui demanda comme un service de porter un plateau-repas dans son bureau.

— Avec plaisir, répondit-elle d'abord.

Puis une question lui vint à l'esprit : pourquoi un serveur ne s'acquittait-il pas de cette tâche ?

— Qui se trouve dans le bureau ? demanda-t-elle.

— Un jeune homme fatigué qui vient de terminer un travail très pénible. Sois gentille avec lui.

— Pourquoi dois-je le faire moi-même ?

— Parce que, lorsque l'homme avec lequel il s'entretient en ce moment partira, il se retrouvera seul, et tu pourras à loisir lui présenter tes excuses.

Comprenant enfin, Lilah s'écria :

— Impossible ! Je ne peux regarder le juge Asheford en face.

Elle avait confié à sa vieille cousine une partie de ce qui s'était passé lors de leur dernière entrevue. Eleanor s'en était réjouie.

— Mais si, mon petit ! Il est juge, il en a vu de toutes les couleurs et peut tout entendre.

— Je ne suis pas l'un des cas dont il s'occupe. Il n'est pas tenu de se montrer juste, impartial et raisonnable avec moi.

— Lilah ma chérie, je te l'ai déjà dit, cet homme est fatigué, il a faim, et il a besoin d'un peu de réconfort, ce soir.

— Du réconfort ? Que veux-tu dire au juste ?

— Je ne te demande pas de pénétrer dans le bureau et de te déshabiller ! Contente-toi d'être gentille avec lui, il a eu une journée extrêmement difficile.

— Je ne crois pas qu'il me trouve le moins du monde réconfortante !

— Fais de ton mieux, mon petit. Défier un homme, le déstabiliser, cela peut avoir du bon. Mais à d'autres moments, un peu de sympathie et de finesse est de rigueur. Mettre sa main sur celle d'un homme n'est jamais une mauvaise idée.

Comme elles atteignaient la porte du bureau, Eleanor murmura :

— Ne sois pas lâche, mon enfant. Présente-lui tes excuses, donne-lui son repas, et laisse-le te raconter sa journée. Il oubliera en un clin d'œil le malentendu malheureux de l'autre jour. Et puis, rassure-le : Gladdy n'est pas de la fête, je l'ai envoyée à la maison avec Kathleen !

Pas de Gladdy dans les parages ? Bonne nouvelle ! Pourtant…

— Je ne t'ai pas tout dit, reconnut Lilah. Asheford m'a clairement fait comprendre de le laisser tranquille.

Eleanor balaya l'objection d'un revers de la main.

— C'est un homme. Un très bel homme, et tu es une femme ravissante. Je suis certaine qu'il ne pensait pas ce qu'il disait.

— Il dit qu'il ne serait pas avisé d'entreprendre quoi que ce soit avec moi.

Eleanor eut un rire cristallin.

— Enfin, ma chère ! Tu ne penses tout de même pas que les hommes sont toujours avisés avec les femmes ?

— Il a été très clair, renchérit Lilah. Il m'a demandé d'arrêter de jouer avec lui. « Je ne suis pas un jouet », a-t-il affirmé.

— Dans ce cas, arrête de jouer.

Arrêter de jouer ? Tel était le conseil d'Eleanor ? L'espace d'un instant, Lilah ne sut que répondre.

La poignée de la porte du bureau tourna. Eleanor s'enfuit, l'air triomphant. La jeune femme se retrouva seule devant la porte qui livrait passage à un homme d'un certain âge, qui félicitait le juge Asheford pour le travail accompli sur un cas difficile.

L'homme regarda Lilah.

— Est-ce que nous nous connaissons ? Je suis le juge Walters. La mariée est la nièce d'une de mes anciennes épouses.

— Je suis Lilah Ryan, une cousine éloignée d'Eleanor.

— La jeune femme que l'on peut voir sur les affiches qui couvrent la ville ?

— Non, monsieur. Je suis la photographe.

— Ah ! Celle qui a déjeuné l'autre jour avec le coquin ici présent ? dit l'homme en lançant un regard malicieux au juge Asheford.

— Nous avons déjeuné ensemble une fois, en effet, reconnut Lilah.

— Ne croyez pas un mot de ce qu'il vous dira, lui murmura l'homme à l'oreille. Il met les femmes dans sa poche comme de rien. Souvenez-vous-en.

— Je suis seulement venue lui apporter un plateau-repas, sur la demande insistante de ma cousine.

L'homme se retourna vers le bureau et lança avant de partir :

— Asheford, mangez ce que vous apporte cette ravissante jeune femme, buvez un peu de bourbon de la réserve d'Eleanor, et oubliez tout de ce terrible cas.

La seconde d'après, elle se retrouva seule avec Asheford. Elle jeta un regard oblique vers son visage impassible. Fatigué ? Frustré ? En colère ? Désagréablement surpris ? Impossible à dire.

Elle lui tendit le plateau.

Après une hésitation, il l'invita à pénétrer dans la pièce. Lilah déposa le plateau sur le bureau, à côté de deux verres et d'une bouteille de bourbon.

— Walters est mon patron, expliqua-t-il enfin. Je pense qu'il m'a vraiment ordonné de manger et de boire un bon verre.

Elle lui versa à boire. Puis, rassemblant tout son courage, elle se lança :

— Je suis vraiment désolée pour l'autre soir. Disons que… que j'étais ivre, et n'en parlons plus.

Ashe prit une chaise derrière le bureau, goûta le sauté de veau et fit claquer sa langue de plaisir. Puis il la regarda calmement et dit :

— L'autre soir, vous prétendiez pourtant ne pas l'être.

— C'est difficile à avouer…

— En effet. Mais vous n'étiez pas ivre, je le sais.

— N'en parlons plus. Je veux juste… Croyez-moi, je n'avais pas la moindre envie de vous revoir. C'est Eleanor qui m'a poussée à venir ici.

Ashe avala une deuxième bouchée, l'air satisfait.

— Poussée ? demanda-t-il.

— Elle m'a traitée de lâche, répliqua Lilah avec une grimace.

Il éclata de rire.

— Je suppose que vous ne tolérez de personne un tel affront ! déclara-t-il avant de manger avec appétit le contenu de son assiette.

De toute évidence, il mourait de faim. Au moins avait-elle réussi à le faire rire. Même s'il riait à ses dépens.

Comme elle s'attardait près de la porte, incertaine de l'attitude à adopter, il proposa :

— Fermez la porte et asseyez-vous.

— Vous êtes sûr ? demanda-t-elle. On ne sait jamais ce que je pourrais dire de mal…

— Certes, cette éventualité m'inquiète un peu. Mais, avec la porte fermée, cette pièce est un merveilleux refuge, dont j'apprécie le calme. Je supporterais mal de me retrouver face à face avec Gladdy.

— Elle n'assiste pas à la soirée.

— Bonne nouvelle !

Lilah ferma la porte, s'assit sur l'autre chaise près du bureau et demanda :

— Voulez-vous que j'aille vous chercher une part de la pièce montée ?

— Non merci, le plateau était parfait, répondit-il en s'adossant à sa chaise pour siroter une gorgée de bourbon.

— Il paraît que vous avez eu une rude journée ?

Il hocha la tête.

— Vous avez envie d'en parler ? poursuivit-elle.

— Je ne suis pas censé discuter des cas dont je m'occupe. Mais celui-ci a été abondamment commenté dans la presse. Il s'agit d'une jeune fille de quinze ans qui souffre d'un cancer. Elle intente un procès à ses parents pour faire valoir son droit à prendre seule les décisions médicales qui la concernent. Les médecins lui donnent peu de chance de s'en sortir, et elle exige le droit d'arrêter tout traitement et de rentrer chez elle. Ses parents ne sont pas prêts à renoncer.

— C'est horrible, murmura Lilah.

— En effet.

— Je ne savais pas que vous traitiez de tels cas.

— Heureusement, c'est assez rare, dit-il en buvant une gorgée de bourbon.

— Comment vous y prenez-vous pour régler pareil cas ?

— La loi offre de vagues pistes sur ce qui convient le mieux à l'enfant.

— Et c'est à vous d'en décider, alors que la jeune fille et ses parents n'y parviennent pas ?

Il hocha la tête.

— Qu'avez-vous décidé ?

— Je n'ai rien décidé. Pas vraiment.

— Qui l'a fait, alors ?

— Comme vous le lirez demain dans les journaux, ses parents ont fini par donner leur accord pour qu'elle rentre à la maison. L'affaire est classée, acheva-t-il avec prudence.

— Vous les avez mis d'accord, quand personne n'y arrivait ?

— C'est mon travail.

— Pourquoi avez-vous décidé de convaincre les parents de permettre à leur fille de rentrer à la maison ?

— Je n'ai pas dit que je l'avais fait, dit-il en regardant Lilah droit dans les yeux.

— Pas exactement, mais c'est ce que vous avez fait, j'en suis sûre.

— Ecoutez… Je ne suis pas censé parler des détails de l'affaire, commença-t-il.

— Excusez-moi.

— Pas de problème… En général, dans un cas pareil, on observe et on écoute. C'est tout ce qu'on peut faire. Qui croire ? Et, en définitive, à qui revient la décision ultime ?

— Qui doit décider…, je pense que c'est le point le plus délicat.

Il hocha la tête.

Lilah aurait beaucoup aimé savoir comment il avait pris sa décision. Mais elle ne voulait pas le pousser à enfreindre ses propres règles.

— Certaines personnes ne parviennent pas à prendre seules les bonnes décisions, expliqua-t-il.

Elles ont trop peur, sont trop tristes, trop en colère. Pour toutes sortes de raisons, elles n'envisagent pas clairement les situations. Surtout quand il n'existe pas véritablement de bonne solution. Ainsi, dans ce cas, soit la jeune fille poursuit un traitement toxique qui provoquera probablement son décès, soit elle rentre chez elle, et meurt tout aussi probablement.

Lilah acquiesça de la tête. Dans le cas qu'il présentait, il n'y avait pas de bonne solution.

— Et, si me mettre la faute sur le dos facilite, pour les parents, le retour de leur fille à la maison, et sa mort probable, je l'accepte. Non que j'accepte sa mort, mais je ne peux pas l'empêcher. C'est la volonté de cette jeune fille. Elle a assez souffert pour savoir ce que signifie l'arrêt du traitement.

Quel horrible poids à porter sur ses épaules, songea Lilah. Et pourtant, il avait l'air si calme, si sûr de lui.

— Comment savez-vous que vous avez pris la bonne décision ? demanda-t-elle.

— On ne sait jamais vraiment. Je veux dire… à moins de se tromper de manière flagrante. Supposez par exemple que vous renvoyiez chez lui un enfant que les services sociaux avaient enlevé à la garde de ses parents. Et que vous le retrouviez quelque temps après à l'hôpital, plein d'ecchymoses. Ou mort. Là, vous savez que vous n'avez pas pris la bonne décision. Mais la plupart du temps… vous faites de votre mieux, en espérant avoir raison.

Il ferma les yeux et secoua la tête.

— Ça a été un moment très difficile. Nous avons parlé un long moment en tête à tête, elle et moi. Elle avait l'air si normale, en dépit de tout ce qu'elle avait enduré. Plus que tout, elle aurait voulu être jolie, être comme les autres. Comme toutes les adolescentes de son âge.

— Ses cheveux sont tombés ?

— Oui. Et elle n'aime pas les perruques, ça se comprend. Bon… j'en ai assez dit. Ce qui est frappant et très touchant, c'est ce souci de son apparence, chez une adolescente qui veut en même temps rentrer chez elle pour y mourir.

— C'est terrible… Je regrette de vous avoir taquiné sur des broutilles, alors que vous affrontez des choses aussi dramatiques.

— Oublions tout ça. Pour moi, vous êtes une sorte de puzzle… pas entièrement déplaisant.

Pas entièrement déplaisant ?

Comme compliment, on pouvait rêver mieux, mais elle s'en contenta.

— C'est pour cette raison que vous n'avez pas assisté au mariage ? demanda-t-elle. Vous saviez que vous aviez ce cas à résoudre, le soir où vous êtes venu apporter votre cadeau ?

Il opina de la tête.

— Je n'étais pas en forme. J'avais dit à Eleanor que je passerais et, quand je vous ai vue en pyjama dans la cuisine…

— Je vous promets qu'elle ne m'avait pas prévenue de votre passage.

— Je vous crois sur parole.

— Si je l'avais su, vous pensez bien que je ne me serais pas présentée en pyjama !

— Je me suis seulement demandé si vous aviez

une… idée en tête avec moi. Je me le demande encore, d'ailleurs.

Lilah cilla. Ashe but une gorgée de bourbon, et la contempla.

— Vous m'avez intimé d'arrêter de jouer avec vous, lui rappela-t-elle.

— Exact. Je ne voulais pas mal interpréter votre attitude et faire quelque chose qui vous déplaise.

— Vous avez aussi dit qu'il ne serait pas avisé d'avoir une relation avec moi.

— Vous pensez que ce serait sage ? répondit-il du tac au tac en reposant son verre sur le plateau.

— Probablement pas, reconnut-elle. Je… je ne pensais pas que… que ce soit une option, parce que… je pensais que ça ne vous intéressait pas…

— Vous vous souvenez de comment notre conversation s'est achevée, l'autre soir, Lilah ? demanda-t-il d'une voix lente en s'asseyant sur le rebord du bureau.

Maintenant, vous savez, avait-il dit. *Satisfaite ?*

— Je ne me souviens pas…

Il la défia du regard.

— Non, se hâta-t-elle de rectifier en rougissant, je n'ai pas oublié. Je veux dire… moi aussi, j'ai un peu de mal à vous comprendre, monsieur le juge…

- 5 -

— Ashe, rectifia-t-il d'une voix douce. C'est ainsi que mes amis m'appellent.

Le regard qu'il lui adressa la fit frissonner. Il tendit la main vers elle. Elle la prit, le cœur battant la chamade. Il l'aida à se lever, se cala un peu mieux contre le bureau, et l'attira entre ses cuisses. Ils se retrouvèrent les yeux dans les yeux. Leurs lèvres s'effleuraient presque.

— Ashe, prononça-t-elle.

Le nom roula plaisamment dans sa bouche, et elle en aima la sonorité.

Il lui caressa les bras lentement, une façon de lui laisser l'occasion de faire marche arrière. Mais comment aurait-elle pu, compte tenu de la charge érotique qui existait entre eux ?

Elle posa ses mains à plat sur le buste d'Ashe, non pour le repousser, mais pour éprouver la réalité de sa présence. Ses mains glissèrent sous la veste de son costume. Il sentait bon, son corps était solide et merveilleusement chaud. Elle avait envie de se lover contre lui. Et plus encore.

Du revers de sa main, Ashe lui caressa le bras, remonta vers la ligne souple de son cou, s'égara vers son oreille. Il glissa ses doigts dans sa chevelure abondante. Puis il l'attira tout contre lui. Elle prit une profonde inspiration, et il sentit ses seins se gonfler contre son torse.

— Je n'arrive pas à décider par où commencer, dit-il d'une voix rauque. Que goûter en premier.

Lilah frémit. Cet homme agissait comme s'il disposait de tout le temps du monde, comme si elle était son festin très privé.

Quelqu'un l'avait-il déjà considérée comme un festin délicieux ? Elle en doutait. Elle sentit ses jambes vaciller sous elle et s'accrocha aux épaules d'Ashe pour garder l'équilibre. Le corps puissant du juge l'attirait comme un aimant.

Enfin, il se décida et l'embrassa sur la bouche avec une exquise lenteur. Puis il lui lécha les lèvres avec une expertise qui l'affola. Elle s'efforça de rester maîtresse d'elle-même. Qu'il agisse à sa guise, c'était divin. Sans se presser, il lui titilla l'oreille, le cou, la nuque, de sa langue et de sa bouche brûlantes.

Comment pouvait-il rester aussi maître de lui ? se demanda Lilah. Pour sa part, elle l'aurait dévoré tout entier. Sans la preuve de son désir tout contre son ventre, elle l'aurait pris pour l'homme le plus détaché de la terre.

Mais il ne l'était pas. Et elle le désirait avec la même violence. Submergée de désir, elle se laissa aller contre lui avec de petits gémissements.

Lui souriait, tout en effleurant de ses lèvres son décolleté et la chair gonflée de ses seins.

La tête rejetée en arrière, elle s'offrit à lui, le souffle court. Quand il referma ses lèvres sur son mamelon, à travers l'étoffe de sa robe, elle s'enivra de la sensation de son souffle contre sa peau, de sa chaleur, de ses dents qui la mordillaient et qui l'électrisaient jusqu'au plus profond d'elle-même.

Il poursuivait sa lente exploration sensuelle, et elle eut envie de crier.

Il releva soudain la tête et déclara, la fixant intensément :

— Je veux vous allonger sur ce bureau, vous déshabiller tout entière et goûter chaque centimètre de votre peau. Cette porte ferme-t-elle à clé ?

— Je... je ne sais pas.

— Il nous faut une porte qui ferme à clé.

Se redressant, il pivota sur lui-même tout en tenant Lilah par la taille. Puis il la lâcha, le temps de vérifier la porte.

— Elle ferme, annonça-t-il avec une satisfaction non déguisée.

Il l'attira contre lui.

— Vous avez l'air nerveuse, dit-il en l'observant.

— En effet, je le suis un peu.

— Vous êtes nerveuse, ou vous avez peur ?

— Je... Les deux, je crois.

— Je vais bientôt m'arrêter, promit-il. J'ai juste besoin d'un... d'un peu plus.

Lilah acquiesça. Nerveuse ou pas, effrayée ou pas, elle aussi en voulait davantage.

Il s'empara de sa bouche, en força le passage avec sa langue, comme s'il avait l'intention de la dévorer.

Les bras noués autour de son cou, elle s'ouvrit tout entière, enroula ses jambes autour de son bassin et lui rendit ses baisers avec ardeur.

Il gémit de volupté, pencha la tête, entrouvrit sa

robe et s'empara d'un de ses seins, qu'il suça avec délectation.

Elle se tordit contre lui. C'était délicieux.

La dévorer, avait-il dit. C'était donc ça…

D'un geste hâtif, elle se débarrassa de son soutien-gorge, qu'elle laissa tomber à ses pieds. Relevant la tête, elle aperçut le regard satisfait d'Ashe. Se renversant un peu sur le bureau, elle l'attira à lui, désireuse de sentir sur elle tout le poids de son corps. C'était tellement bon… Elle n'avait pas envie que ça s'arrête. Si lui…

A cet instant, sa tête toucha quelque chose.

Un verre, songea-t-elle en l'entendant rouler sur le bureau, avant de s'écraser par terre.

Tous les deux tentèrent à tâtons de retenir l'objet. Dans leurs efforts désordonnés, ils renversèrent le plateau, qui tomba avec fracas sur le parquet.

Il y eut des bris de cristal et de porcelaine, le cliquetis de l'argenterie. Puis le silence revint.

La magie était brisée. Lilah tâtonna pour retrouver son vêtement. Penché sur elle, Ashe respirait bruyamment. Il jura entre ses dents.

— Je suis désolé, dit-il.

— Non, c'est moi. Croyez-vous que quelqu'un…

Elle n'eut pas le temps d'achever sa question. A sa plus grande horreur, la porte s'ouvrit. Comment la porte pouvait-elle s'ouvrir ?

Une voix féminine s'éleva :

— Tout va bien, ici ? Oh ! Pardon !

Lilah ferma les yeux et enfouit sa tête contre le torse d'Ashe, dans l'espoir vain de cacher son visage. Puis elle entendit des pas. Les pas de plusieurs personnes.

— Personne n'a été blessé par le verre brisé ? s'enquit Eleanor.

— Tout va bien, répondit Asheford. Nous nous occupons du…

— Oh, oh… la serrure de cette porte n'a jamais bien marché.

Constatation suivie de petits rires étouffés.

— Bon sang, combien de personnes y a-t-il dans ce maudit couloir ? murmura Ashe.

Il aida Lilah à se redresser et, de son corps, la protégea des regards indiscrets.

— Je ne sais pas, souffla-t-elle.

— Quelqu'un peut-il fermer cette porte ? ordonna Ashe d'un ton d'autorité.

— Bien sûr, répondit Eleanor. Je suis vraiment désolée.

Lilah attendit contre Ashe que la porte se referme et que les petits rires et les pas s'éloignent. Ensuite, elle demeura lovée contre lui, entre ses bras, délicieusement consciente de sa chaleur, de son odeur masculine et sensuelle. Elle n'avait pas envie de bouger.

Ashe grogna, prit une profonde inspiration, et caressa le dos de Lilah d'une main absente. Elle frémit. Où trouvait-il la patience de la séduire et de la caresser avec une telle lenteur ? C'était à la fois frustrant et dévastateur.

— Je suis désolé, Lilah, dit-il d'une voix douce. Je n'aurais pas dû agir de la sorte. Pas ici, avec tous ces gens autour.

— Je suis désolée aussi.

— J'ai complètement oublié le plateau, les verres, les assiettes…

— Moi aussi… Pouvez-vous… retrouver mon soutien-gorge ?

— Bien sûr, dit-il en la lâchant pour se baisser et ramasser le sous-vêtement léger comme une plume. Je… je me suis demandé si vous en portiez un, avoua-t-il. Non pas que ça me dérange… Je me suis juste demandé…

Il ne termina pas sa phrase. Ils restèrent plantés l'un devant l'autre. Lilah brisa le silence la première :

— Tout cela est très gênant. A votre avis, combien de personnes nous ont-elles vus ?

— Je ne suis pas sûr.

— Eleanor, en tout cas. Et qui était la première personne ?

— Un des serveurs, je pense.

— Qui d'autre ?

Pour une raison qu'elle s'expliquait mal, elle éprouvait le besoin de savoir.

— Pas la moindre idée, je n'ai pas regardé, répliqua Ashe.

— Votre patron, l'autre juge ?

— J'en doute. Il marche avec une canne, et n'aurait pas pu s'éloigner aussi vite.

— Mais il y a ici beaucoup de gens qui travaillent au tribunal.

Le jeune marié était assistant de l'avocat général, la mariée, l'assistante du maire de la ville et une parente éloignée du patron d'Ashe.

— Certes. Nous vivons dans une petite ville, tout le monde se connaît. Nous sommes tous pour la plupart sortis les uns avec les autres.

— Dans votre cercle professionnel, tout le monde

sera au courant de cette mésaventure dès lundi matin, n'est-ce pas ?

— Les nouvelles se propagent très vite, dans cette ville, dit-il d'un air sombre.

— Je m'en veux beaucoup…

— Ce n'est pas votre faute, insista-t-il. C'est moi qui ai voulu vous prendre nue sur le bureau.

La bouche du juge la savourant avec volupté… Cette simple évocation la fit frissonner.

Furieux contre lui, Ashe jura entre ses dents.

— Il ne m'est pas venu à l'esprit de vérifier si le loquet de la porte tenait bon, reconnut-il.

— Je n'y aurais pas pensé non plus…

L'air agacé, il conclut :

— C'est une bonne chose que nous ne soyons pas allés plus loin.

— Vous avez raison.

Asheford avait toujours dit qu'il ne serait pas sage d'avoir une relation avec elle, se raisonna Lilah. Mais il n'avait sans doute pas imaginé à quel point les choses tourneraient mal. Une folle envie de fuir le monde entier, de le fuir, lui, s'empara d'elle.

Sans oser le regarder en face, elle balbutia une nouvelle fois :

— Je suis désolée.

— Moi aussi.

— Je vais rester ici et faire profil bas en attendant que tout le monde s'en aille, déclara-t-elle.

— Quant à moi, je pars. J'ai eu une rude journée. Je vais essayer d'échapper à tout le monde en rejoignant ma voiture.

— D'accord.

Elle ne sut pas quoi ajouter.

— Merci de m'avoir écouté parler de ce cas douloureux, dit Ashe. Ça m'a aidé. Mais je vous demande de n'en parler à personne.

— Vous pouvez compter sur moi.

— Bonsoir, Lilah.

— Bonne nuit.

Le lendemain après-midi, Eleanor était aux anges. Installée sur la terrasse avec Kathleen et Gladdy, elle partagea avec elles la bonne nouvelle du rapprochement de Lilah et du juge. En fin de compte, tout avait été beaucoup plus aisé que prévu ! Le caractère ombrageux de Lilah les avait inquiétées pour rien !

Elles se réjouissaient de leur succès facile quand Wyatt arriva et les embrassa. Jane, sa femme, était en tournée pour la promotion de son livre, leur expliqua-t-il.

— Alors mesdames, lança-t-il en s'asseyant, comment marche votre plan ?

— Tu n'es pas au courant ? s'enquit Kathleen.

— J'ai quitté la soirée de bonne heure. Je voulais voir le match de football à la télévision. Ensuite, j'ai dormi, je me suis réveillé affamé et j'ai filé jusqu'ici sur les chapeaux de roues ! Que devrais-je savoir ?

— Eleanor a été brillante, hier soir.

— Je n'en doute pas un instant, répliqua Wyatt avec un sourire charmeur.

— Nous parlons de ses talents d'entremetteuse, spécifia Gladdy.

— Entre Ashe et Lilah ? Vous arrivez vraiment à les rapprocher ? Je n'y crois pas !

— Tu n'as jamais apprécié nos talents à leur juste valeur, lui reprocha Kathleen. Ce qui m'étonne, pour tout te dire, car, sans nous, Jane et toi ne vous seriez jamais rencontrés. Et Dieu sait que tu es maintenant le plus heureux des hommes. Tâche donc de nous montrer un peu plus de respect, espèce de coquin !

— Désolé, je suis sans ma femme depuis trop longtemps, et mon humeur s'en ressent. Allons ! Racontez-moi vos succès avec Ashe.

Les trois vieilles dames se tortillèrent de plaisir sur leur chaise.

— Ça ne peut pas avoir marché aussi bien que ça ! s'exclama Wyatt. Depuis qu'il a pris ses fonctions au tribunal, Ashe a changé du tout au tout, il est devenu sérieux comme un pape.

— Eleanor a réussi à les mettre en présence l'un de l'autre dans son bureau, vers la fin de la soirée, dévoila Gladdy.

— Ton ami et Lilah ont apparemment passé un très bon moment ensemble, insinua Kathleen.

— Un bon moment ? Comment le savez-vous ?

— Parce que le loquet du bureau ne fonctionne pas, dit Eleanor.

— Ça alors ! s'exclama Wyatt.

— Dorénavant, je ne ferai plus jamais réparer ce loquet, dit Eleanor. Cela pourrait nous resservir, dans l'avenir.

— Tu as vu Lilah, depuis ? s'enquit Kathleen.

— Non, elle se cache pour le moment. Mais il faudra bien qu'elle sorte de sa chambre un jour ou l'autre.

Bouche bée, Wyatt contemplait les vieilles dames, mi-éberlué mi-amusé.

— Moi qui croyais qu'il acceptait de rencontrer Lilah pour me rendre service. Et qu'elle le fréquentait uniquement pour une affaire un peu mystérieuse…

— Une cérémonie de divorce, dit Eleanor. Je ne suis même pas sûre qu'il ait accepté d'y participer. Il a le temps d'y réfléchir, la cérémonie ne se déroulera pas avant la fin de la session, je crois.

— Mesdames, vous me stupéfiez, déclara-t-il.

— Tu n'as jamais mesuré à quel point nous sommes bonnes dans ce domaine, souligna Kathleen.

Dès le lundi matin, comme convenu, Ashe présenta son rapport détaillé au juge Walters.

— Fallait-il vraiment que vous vous conduisiez de la sorte au mariage de la nièce de mon ex-femme ? demanda celui-ci d'un ton sévère.

Avec le juge Walters, Ashe connaissait la chanson : en cas de problème, il fallait agir avec discernement, en dire le moins possible.

— Je suis désolé, monsieur, lâcha-t-il.

— Dieu merci, Dana et ma fille ont eu la sagesse de ne pas vous épouser. Je n'arrive toujours pas à croire que cette fille… Comment s'appelait-elle, déjà ?

— Regina Brower.

— C'est ça. Je n'arrive pas à croire qu'elle vous ait épousé. Je lui laisse le bénéfice du doute, elle était si jeune à l'époque…

A cette époque, lui-même avait tout juste vingt et un ans, songea Ashe. Aveuglé par la beauté de Regina, son habileté au lit, son patronyme très connu et le travail monstrueux de la première année de droit, il avait commis une grossière erreur.

— Je ne vous ai jamais beaucoup aimé, vous savez, déclara Walters.

— J'en suis bien conscient, monsieur.

— Mais jusqu'à maintenant, je ne vous prenais pas pour un imbécile ! Dois-je vraiment vous rappeler que ce genre d'éclats ne doit pas parvenir aux oreilles des électeurs ?

— Non, monsieur.

— Si quelqu'un a réalisé la moindre vidéo, elle va se répandre sur internet comme une traînée de poudre ! Et vous serez fichu, mon vieux ! Un juge ne fait pas l'amour en public !

— Oui, monsieur.

Personne ne les avait photographiés, il en était quasi certain. En tout état de cause, le voleur d'intimité n'aurait capté que son dos à lui, et la jupe de Lilah. Il avait très bien protégé le corps de la jeune femme.

Mais bien sûr, il y avait le petit soutien-gorge très sexy sur le plancher. Dans ce petit bout de tissu, les seins de Lilah lui avaient paru si… libres, si mouvants.

Ashe jura en silence. Le moment était malvenu pour penser à des choses pareilles.

— Moi qui commençais à vous trouver bon au tribunal ! reprit Walters. Je projetais même de vous garder.

Il marqua une légère pause, puis reprit :

— Cette femme, ce sont des ennuis assurés. Je pensais que vous saviez repérer ce genre de personnes à des kilomètres.

— C'est le cas, monsieur.

Dès le début, il avait pressenti qu'il devait se tenir

à l'écart de cette femme. Pourtant, il n'avait pas suivi son intuition. Qu'est-ce qu'il lui avait pris ? Mystère.

— Bien, reprit le juge Walters. Vous pouvez disposer, et ne m'obligez plus à vous convoquer dans mon bureau.

En traversant le tribunal, Ashe sentit les regards posés sur lui et entendit des murmures furtifs. Quelqu'un avait collé une des affichettes de Lilah sur la porte de son cabinet. Il l'arracha d'un geste rageur.

En le voyant entrer, Mme Davis, sa secrétaire, une femme d'une cinquantaine d'années à l'air compassé, qui s'entretenait au téléphone, parut soudain avoir avalé sa langue. Elle mit fin à sa conversation avec une hâte coupable et annonça d'une voix suraiguë :

— M. Gray vous attend.

Parfait, songea Ashe en ouvrant la porte de son bureau. Il y trouva Wyatt, installé confortablement, un large sourire aux lèvres. Il jeta l'affichette en boule dans la corbeille à papier et s'installa derrière son bureau.

— Alors, demanda son ami, l'air goguenard, tu étais vraiment nu ?

— Mais non !

— Et elle ?

— Non plus. Elle portait… la majorité de ses vêtements.

Une robe ample et longue, raisonna-t-il. Cela comptait davantage que l'étoffe d'un minuscule soutien-gorge. Donc, il ne mentait pas.

— Vraiment ? Pourtant, Eleanor avait l'air extatique en racontant ce qui s'était déroulé dans son bureau.

— Cette femme manigance quelque chose.

— Je te l'ai dit, toutes les trois complotent sans arrêt.

— Et la tante de Jane ? Gladdy ?

— La grand-tante, rectifia Wyatt.

— Tu t'es déjà demandé si elle ne frôlait pas la sénilité ? En général, ça fait perdre aux gens leurs… inhibitions.

— Honnêtement, je crois qu'elle n'a jamais été inhibée. Kathleen non plus, d'ailleurs. Toutes les deux ont vécu des vies… bien remplies. Pourquoi tu me dis ça ? Gladdy a flirté avec toi ?

— En quelque sorte.

— Ça lui arrive ! Elle aime les hommes, Kathleen aussi. Il fut un temps où Jane et moi croyons qu'elles allaient en venir aux mains avec mon oncle, avant qu'il meure !

Ashe s'interrogea en silence : l'état de la pauvre Gladdy nécessitait-il une aide médicale ? Le scandale et la conduite inappropriée étaient-ils simplement dans sa nature ?

— Gladdy ne t'a rien fait de spécial ? demanda Wyatt.

— Non.

— C'est bien ce que je pensais. Tu essaies juste de changer de sujet ! A savoir, Lilah et toi dans le bureau d'Eleanor, au beau milieu d'un mariage mondain !

Wyatt éclata de rire et poursuivit :

— Mais… à quoi pensais-tu ?

— Je ne pensais pas, justement ! Je n'ai même pas été capable de vérifier l'état du loquet.

— Je croyais que Lilah ne te plaisait pas ?

— J'étais presque sûr que c'était le cas.

— Nue chez Malone… Nue sur une affiche…

— Elle n'était pas nue chez Malone, ne dis pas de sottises ! Et sur l'affiche, ce n'est pas elle. Elle n'est que la photographe.

— Et maintenant, nue avec toi dans le bureau d'Eleanor. Les gens ne l'appellent plus que « la femme nue » ! Le rêve de chaque homme.

— Pas le mien.

— Oh ! pour l'amour du ciel ! Tu n'es pas un saint, que je sache ! Une femme nue te trouble autant que nous tous. Tu les aimes seulement en privé, voilà tout.

— En effet. La nudité en public… c'est comme ça que tout a commencé.

— Attends ! dit Wyatt en bondissant de sa chaise. Tu viens de jurer qu'elle n'était pas nue.

Ashe ne savait plus vraiment ce qu'il disait.

— Lilah ne l'était pas, rectifia-t-il. Personne ne l'était. Ça n'a pas d'importance. Je savais depuis le début que c'était une mauvaise idée. Et c'est toi qui m'as mis dans ce pétrin, je te signale.

— J'ai seulement dit que ce serait une bonne chose pour ta carrière de rencontrer Eleanor.

— Pas en faisant l'idiot avec sa cousine, dans son bureau, un soir de mariage.

— Je ne pouvais prévoir que tu ferais une chose pareille ! répliqua Wyatt. Je suis fier de toi. Tu n'es pas aussi morne que je le craignais depuis que tu sièges au tribunal !

— Arrête tes remarques déplacées !

Wyatt éclata d'un rire joyeux.

— Méfie-toi, menaça Ashe d'un air bourru. Sur

une simple déclaration, je pourrais appeler l'huissier et te faire jeter en cellule.

— Dans ce cas, assure-toi que la porte de la cellule ferme bien ! plaisanta Wyatt.

- 6 -

C'était gênant et enfantin, Lilah le savait. Pourtant, rien n'y fit, elle resta enfermée dans sa chambre tout le dimanche. Elle fuyait toute occasion de rencontre avec Eleanor et ses amies. Le lundi matin, elle se glissa hors du domaine sans voir personne, et fila en ville faire ses courses.

Au cours du week-end, une idée lui était venue pour aider Wendy Marx, la jeune adolescente qui souffrait d'un cancer dont lui avait parlé Ashe. Elle avait lu l'article dans le journal. Pourquoi ne pas photographier cette jeune fille, faire d'elle des portraits qui la mettraient en valeur ? La photographie était pour elle un simple passe-temps. Sans doute ne serait-elle pas en mesure de rendre Wendy jolie au jour le jour, mais elle pouvait au moins réussir d'elle des photos où elle serait belle. Peut-être cela mettrait-il du baume au cœur de cette malade en fin de vie ?

Le projet l'enthousiasmait au plus haut point. Pour le mener à bien, il lui fallait obtenir une licence professionnelle. Pour ce faire, elle devait se rendre au tribunal, ce qui l'enthousiasmait beaucoup moins. Elle repoussa cette corvée jusqu'au dernier moment. Puis, résignée, elle se dirigea vers le lieu de travail d'Asheford.

Pour se donner du courage, elle se traita de poltronne. Quel risque courait-elle au juste ? Elle pouvait quand même entrer au tribunal, obtenir sa licence et ressortir sans rencontrer Ashe ! Il suffisait pour cela de se fondre dans la masse des gens qui allaient et venaient.

Elle pénétra dans le bâtiment, trouva un panneau qui la dirigea au deuxième étage, et nota que le prétoire se trouvait au troisième. Elle attendit devant l'ascenseur, l'esprit tranquille, se croyant à l'abri. Mais, quand la porte de l'ascenseur s'ouvrit, elle se trouva nez à nez avec Ashe.

En la voyant, il se figea, comme s'il n'en croyait pas ses yeux. La plupart des gens sortirent les uns après les autres. Sauf Ashe. En désespoir de cause, Lilah monta dans l'ascenseur.

— Que faites-vous ici ? demanda-t-il d'une voix étouffée.

— Je viens chercher une licence professionnelle, expliqua-t-elle.

Elle se tenait à côté de lui. Au moins deux des quatre personnes présentes les dévisageaient. L'une d'elles semblait maîtriser difficilement une envie de rire.

Le visage d'Ashe trahissait un agacement certain.

— Désolée, dit-elle à voix basse. Je pensais pouvoir entrer et sortir du tribunal sans vous rencontrer. Je me suis fait du souci en songeant aux éventuelles rumeurs au sujet de l'autre soir. Vous n'avez pas eu d'ennuis, j'espère ?

A cet instant précis, la femme qui riait sous cape se pencha vers sa voisine et lui souffla quelque chose à l'oreille.

Compris. Les gens savaient, conclut-elle. Et cela

les amusait, à en juger par les regards furtifs que lui lançaient les deux femmes.

L'ascenseur s'arrêta au deuxième étage. Lilah s'apprêtait à en sortir, mais Ashe la retint par le bras. Elle leva les yeux vers lui, et il lui fit non de la tête. Ils montèrent donc jusqu'au troisième étage et sortirent dans un hall presque désert. Il l'escorta vers une porte qui portait son nom, et ils traversèrent un bureau, pour finalement pénétrer dans un autre. Sans doute le cabinet du juge.

Il ferma la porte derrière eux, puis s'immobilisa, le visage perplexe.

— Qu'y a-t-il ? demanda Lilah.

— La serrure de cette porte fonctionne. Mais je me pose la question suivante : qu'y a-t-il de pire ? Qu'on nous découvre ensemble sans que la porte soit fermée ? Ou bien que les gens sachent que nous étions ensemble dans mon cabinet, derrière une porte fermée à clé ? J'avoue que je ne sais pas.

D'ordinaire, le juge avait des problèmes bien plus graves à trancher que de savoir s'il devait ou non verrouiller une porte, songea Lilah.

— Je… je peux partir, tout simplement, proposa-t-elle. Je ne m'étais pas rendu compte que me trouver dans le même bâtiment que vous causerait autant de difficultés.

Il ouvrit la porte en grand, semblant réfléchir. Elle s'attendait à ce qu'il la referme, mais il n'en fit rien. Il la laissa à peine entrouverte, de sorte qu'ils n'étaient pas enfermés, mais que personne ne les voyait.

Finalement, il lui fit signe de s'asseoir devant son

bureau, tandis qu'il se glissait de l'autre côté. Il resta debout, appuyé à la crédence, les yeux fixés sur elle.

— Quoi ? demanda-t-elle enfin.

— Je ne sais absolument pas quoi vous dire, reconnut-il au bout d'un moment.

Comme il semblait désemparé, elle demanda :

— Et c'est affreux ?

— Je déteste ne pas savoir que faire.

— Moi aussi. Mais de quoi parlons-nous ? De me faire disparaître du bâtiment par une porte dérobée ? Ou bien de ne plus jamais me voir ?

— Les deux.

Les deux ?

— Ça m'aiderait, s'il n'y avait pas un bureau entre nous, dit-il d'une voix plate. Quoique… il vaut mieux qu'un bureau nous sépare que de s'y allonger tous les deux.

— Oh ! ça…

Pas une seconde elle n'avait imaginé qu'après l'épisode au domaine, se retrouver près d'un bureau lui poserait le moindre problème.

Pourtant, maintenant qu'elle y songeait, le bureau d'Ashe lui paraissait bien trop propre, presque nu.

Nu ? Un mot on ne peut plus malvenu, étant donné les circonstances.

La nuit dernière, elle avait rêvé de lui et elle allongés sur un bureau. Le simple souvenir de ce rêve érotique l'embrasait encore tout entière.

— Oui, penser à nous sur un bureau, c'est un problème, reconnut-il. Avoir un bureau à disposition, c'est un problème. Vous ici dans mon cabinet, près de ce bureau, c'est un problème.

— En somme, je suis un problème, rétorqua-t-elle avec humeur.

En trois secondes, elle était passée de l'excitation à l'irritation.

— Je l'ai senti dès que je vous ai vue.

— Eh bien… je ne souhaite pas du tout être un problème pour vous, déclara-t-elle en se levant pour partir.

Il bondit, contourna le bureau et l'empêcha de partir.

— Ce n'est pas ce que je voulais dire, plaida-t-il en se penchant vers elle.

Elle sentit la chaleur qui irradiait de son corps, et un long frisson la parcourut.

— Le fait que moi, je pense à vous allongée sur mon bureau, c'est un problème. Moi, en train de penser à vous allongée sur n'importe quelle surface horizontale, c'est le problème.

— Oh…

Maintenant, elle comprenait.

— Je… Moi aussi, j'y pense, murmura-t-elle.

Ashe jura entre ses dents et posa son front contre celui de Lilah en soupirant :

— S'il vous plaît…

— Quoi ?

— Vous ne me facilitez pas la tâche, se plaignit-il. Dès que vous êtes près de moi, je n'arrive plus à réfléchir.

— Je ne veux plus vous causer le moindre ennui, affirma-t-elle. Mais… j'avoue que… j'aime l'idée que je vous empêche de réfléchir et d'être raisonnable.

Il jura une nouvelle fois. Puis soudain, il se pencha et s'empara de sa bouche avec une avidité et une fougue qui la firent vibrer. Plus encore que la lenteur torturante de l'autre nuit.

Quand il détacha ses lèvres des siennes, elle demanda :

— Vous êtes toujours très raisonnable ?

— Depuis des années. Et prudent.

— Pourquoi ?

— Parce que, jeune, je ne l'ai pas toujours été. Je viens d'une famille où personne n'était raisonnable ni prudent. Mon père était un escroc qui a extorqué tout leur argent à beaucoup de gens de cette ville. Il est allé en prison quand j'avais onze ans. En réaction, ma mère s'est mise à boire, et elle n'a jamais arrêté. De sorte que se montrer prudent, être respecté par les autres, cela compte énormément pour moi. Je n'aimais pas la vie que je menais dans mon enfance, et j'en ai changé du tout au tout.

Elle comprenait et admirait cette attitude. Elle-même s'était sentie malheureuse dans sa vie à un moment donné, et elle avait fait beaucoup d'efforts pour en changer.

— Nous devrions parler de tout cela, dit-il. Mais pas ici.

Comme elle acquiesçait, il proposa :

— Chez moi. Je vis seul, c'est un endroit privé.

Il se troubla et ajouta :

— Peut-être trop privé. Nous ne devrions pas rester seul à seule avant de… avant de savoir ce que nous voulons faire. Ce qui implique ni ici ni chez Eleanor. Un endroit privé, mais pas trop. Je vais y réfléchir. Que faites-vous, ce soir ?

— Je donne un cours, mais mon atelier se termine à 20 h 30.

Devant son air inquiet, elle ajouta :

— Je vous en prie ! Ne refusez pas dès maintenant de m'aider. Nous ne serons prêtes pour la cérémonie du divorce que dans quelques semaines. Cela vous laisse tout le loisir de vous décider.

— Entendu. Je vous appelle pour vous proposer un lieu de rendez-vous pour ce soir.

Elle hocha la tête et se leva. Lui aussi suscitait en elle beaucoup de confusion, songea-t-elle. Indéniablement, il l'excitait, lui retournait les sens. Parce qu'il était le premier homme à l'attirer depuis son divorce ? Elle n'aurait su le dire. De toute façon, elle ne se faisait pas assez confiance pour le moment. Pas assez en tout cas pour savoir ce qu'elle voulait, ou pourquoi elle le voulait. Mieux valait donc s'en aller pour l'instant, ce qui lui laisserait un peu de temps pour réfléchir. Ensuite, ils se parleraient.

— Je dois partir, dit-elle.

Il acquiesça sans bouger, la fixant intensément.

Lilah sentit que la tête lui tournait.

Il jura entre ses dents tandis qu'elle lui souriait.

Très vite, il l'embrassait de nouveau, la dévorait littéralement, et c'était aussi délicieux que le samedi soir précédent. La lenteur avec laquelle il ponctuait chacun de ses gestes et chacune de ses caresses la rendait folle. Elle avait envie de prendre le contrôle de la situation, de l'inciter à aller plus vite, droit au but. Mais une autre partie d'elle rêvait de se laisser aller contre lui, de s'abandonner aux désirs de cet homme, quels qu'ils soient.

Il l'avait attiré tout contre elle, et elle sentait contre ses fesses le rebord du bureau.

— Ne vous avisez pas de vous allonger sur ce bureau, murmura-t-il contre ses lèvres.

— Pourquoi ?

— Vous le savez très bien.

Elle eut un petit rire tout contre sa bouche, une bouche habile et chaude, dont elle adorait le goût et la texture.

— Et ne me permettez pas de vous enlever le plus petit vêtement, poursuivit-il en lui caressant un sein.

— Promis.

— Vous portez cet adorable petit soutien-gorge de l'autre soir ? s'enquit-il.

— Un semblable, de couleur pêche.

Il grogna, caressa du pouce son mamelon gauche en lui mordillant le cou. Elle enfouit ses mains dans sa chevelure. Elle n'avait plus qu'une idée en tête : s'allonger sur le bureau bien rangé, et laisser le juge découvrir chaque parcelle de son corps, l'explorer à sa guise. Avec lenteur et expertise.

Mais c'était impossible. Pas ici. Pas maintenant. Elle ne voulait lui causer aucun ennui. Si elle agissait mal, peut-être ne le reverrait-elle jamais. Cette éventualité lui était tout bonnement insupportable.

Elle lui rendit son baiser, frotta son corps contre le sien avec une sensualité extrême.

Au bout d'un instant, il jura et s'arracha à leur baiser.

— Arrêtez !

— Vraiment ? demanda-t-elle.

— Oui.

Mais il ne cessait pas de l'embrasser.

— Si je revenais quand tout le monde sera parti ? suggéra-t-elle. Votre bureau est trop bien rangé, trop grand, trop propre pour ne pas en profiter. Et je n'ai jamais été… bousculée sur un bureau auparavant.

Il grogna et l'écarta de la table en la tenant à bout de bras, la respiration haletante.

— Ne me faites pas penser à des choses pareilles dans mon bureau, dit-il. Ici, je dois travailler, sans avoir l'esprit pollué par des images… importunes.

Soudain, il s'immobilisa, aux aguets.

Lilah crut entendre deux voix féminines dans le bureau contigu. Ashe la jaugea d'un regard rapide. Que voyait-il ? se demanda-t-elle. Certes, elle était tout habillée et ne s'était pas vautrée sur le bureau. Mais sa bouche était gonflée des baisers reçus et donnés, et la pointe de ses seins était durcie sous l'étoffe de son chemisier.

Du doigt, Ashe désigna une porte latérale et posa un doigt sur ses lèvres, l'intimant au silence. Elle marcha vers la porte sur la pointe des pieds, la passa et se retrouva dans une salle d'audience. Elle se tourna vers lui en riant doucement.

— Je croyais que vous alliez me cacher dans un placard, dit-elle.

Il se mit à rire aussi et la prit dans ses bras.

A cet instant, elle entendit le rire de quelqu'un d'autre.

Elle fit volte-face. Un homme et une femme étaient assis dans la salle d'audience déserte. Ils compulsaient des dossiers étalés sur une table. La femme parut vaguement familière à Lilah.

La main d'Ashe retomba le long de son corps. Son visage s'assombrit.

— Votre Honneur, dit la femme d'un ton à la fois révérencieux et coquin. Mon client et moi-même cherchions un coin tranquille avant que l'audience reprenne. Toutes les salles de réunions étaient occupées, et je n'ai pas pensé que vous… pourriez utiliser la salle d'audience.

— Ce n'est pas le cas.

— Nous allons partir, dit-elle en se levant.

Son client se leva aussi.

— Ce n'est pas nécessaire, insista Ashe. Nous ne faisons que passer.

— Vous étiez au mariage, dit Lilah. Je vous y ai aperçue.

La jeune femme hocha la tête et tendit la main en se présentant :

— Je suis Allison Walters. La mariée est une de mes amies. Quant à mon grand-oncle, il est juge administratif dans ce tribunal.

— Allie, je vous présente Lilah Ryan, une cousine d'Eleanor Barrington Holmes, dit Ashe, la voix tendue.

Allison Walters serra la main de Lilah d'un air enchanté.

— Le domaine était magnifique, déclara-t-elle. Je suis heureuse que Dana l'ait choisi pour son mariage. Tout s'est déroulé à merveille… à part un petit incident, m'a-t-on rapporté.

— Ah ? fit Lilah.

— Allons-y, ordonna Ashe en la poussant vers la sortie.

— Mais… si quelque chose a déplu à la mariée, je suis sûre qu'Eleanor aimerait en être informée, dit-elle. Je m'apprêtais à demander à cette jeune femme ce qui n'avait pas fonctionné…

— Le détail dont Allison parlait, c'est le loquet de la porte.

— Oh ! Et son grand-oncle est…

— Mon patron. Je vous ai déjà dit que tout le monde est lié, au tribunal de cette ville.

— Alors… j'ai aggravé les choses pour vous ? dit-elle.

— Nous avons tous les deux aggravé la situation, rétorqua-t-il en l'escortant vers l'ascenseur.

Il appuya sur le bouton et l'observa.

Qu'il est beau ! songea-t-elle. Sérieux, fort, raisonnable. Et pourtant, elle lui faisait tourner la tête. Cette pensée l'enivra. Le souvenir de leurs baisers brûlants l'étourdit encore davantage.

— Je vous appelle ce soir, répéta-t-il.

Juste avant que la porte de l'ascenseur ne se referme sur elle, elle remarqua un détail embarrassant : une trace de son rouge à lèvres sur la joue du juge.

Trop tard.

A la cafétéria du tribunal, où il croisa le regard surpris de plusieurs personnes, il fallut à Ashe un bon quart d'heure pour comprendre ce qui se passait.

Il tomba enfin sur Wyatt, qui ne se priva pas de rire et le dirigea vers un des miroirs des toilettes.

Il avait du rouge à lèvres sur la joue.

— Cette fois-ci au moins, vous portiez tous les deux vos vêtements, s'amusa Wyatt. En tout cas, c'est ce qu'on m'a dit. Totalement vêtus.

Ashe s'essuya le visage et lança à son ami un regard courroucé.

— Et dans ta propre salle d'audience, encore ! Jamais je ne t'aurais cru aussi audacieux !

— Nous ne faisions que traverser la salle.

— Ah ? Tout s'est passé dans ton bureau ? C'est presque aussi…

— Rien ne s'est passé dans mon bureau ! interrompit Ashe d'un ton un peu trop vif.

D'autant plus qu'un homme entrait à ce moment précis dans les toilettes. Le greffier d'un autre juge. C'était le bouquet ! fulmina-t-il.

— Cette femme me porte la guigne, dit-il. Chaque fois que je la vois, il m'arrive quelque chose de désagréable.

— Dans ce cas, cesse de la voir ! s'exclama Wyatt en riant.

Comme si c'était si facile, songea Ashe.

— Toi, mon vieux, tu as envie de voir cette femme ! remarqua Wyatt. Qu'en dis-tu ?

— Elle est… Elle est…

Elle est sexy, affriolante, dérangeante, acheva-t-il en son for intérieur.

— Regarde-toi ! Tu es fou d'elle, s'exclama Wyatt. Ça me plaît !

— Ce n'est pas ça, protesta Ashe. C'est seulement… Ça fait longtemps que… Je ne vois plus Cynthia depuis… six mois déjà. Depuis, j'ai eu un travail fou, et peu de temps pour faire de nouvelles connaissances, c'est tout, raisonna-t-il.

— C'est ça, beaucoup de travail ! ironisa Wyatt. Tu devrais régler ce problème.

— C'est mon intention.

Ce soir, il inviterait Lilah chez lui, derrière des

portes bien closes. Chez lui, il n'y aurait personne pour entrer par inadvertance, personne pour colporter des ragots. Là, il la mettrait dans son lit ou l'allongerait sur n'importe quelle surface plane. Il ferait l'amour à satiété, et l'extirperait une fois pour toutes de son esprit et de son corps.

Telle était la solution.

Encore tout étourdie de sa rencontre avec Ashe, Lilah se dirigea vers sa voiture. A la fois nerveuse et excitée, elle était incapable de penser à autre chose que leur rendez-vous de ce soir.

Que voulait-il, qu'espérait-il ? Elle n'en était pas sûre. Une seule chose semblait claire : il la voulait nue. Et une part d'elle-même aspirait à la même chose.

Mais une autre part la ramenait à une réalité différente : elle sortait juste d'un mariage douloureux. De plus, elle n'était pas du genre à sauter au cou du premier homme venu.

Avec Ashe, la situation évoluait très vite. Tout semblait rapide, excitant, libérateur, pour elle qui ne se sentait plus désirée et désirable depuis longtemps.

Ashe était si attirant. Elle adorait le rendre fou d'elle, lui faire perdre toute maîtrise de lui-même.

Combien de femmes avant elle lui avaient-elles ainsi fait perdre la maîtrise de lui-même ? Peu, espérait-elle. Sérieux comme il était…

Il suscitait en elle l'envie irrésistible de se montrer scandaleuse et libre, de jouir de chaque moment passé en sa compagnie.

Il lui avait fait quitter le tribunal dans la précipitation, sans sa licence professionnelle. Et maintenant, à cause de lui, elle errait sans but dans les rues commerçantes du centre-ville.

Elle passa devant le restaurant où elle avait déjeuné en sa compagnie, devant la banque où elle avait ouvert son compte, puis… devant une boutique de lingerie.

Elle la dépassa, puis revint sur ses pas, non sans lancer autour d'elle un regard prudent. Quelqu'un qui la connaissait ou qui connaissait Ashe se trouvait-il justement dans les parages ? Jusqu'à maintenant, ils avaient fait preuve d'une telle malchance… Chaque fois qu'il s'approchait d'elle, quelqu'un les surprenait.

Ce serait bien d'avoir quelque chose de joli et de sexy à porter ce soir, pour lui tout seul. Il aimait son petit soutien-gorge, et cela la ravissait. Mais maintenant, il le connaissait, l'effet ne serait plus le même.

Elle s'engouffra dans la boutique et se retrouva au milieu de satins, dentelles, soies chatoyantes, depuis d'élégantes robes de chambre jusqu'aux sous-vêtements les plus coquins. Par où commencer ? Il y avait longtemps qu'elle n'achetait plus de lingerie pour affrioler un homme.

Qu'aimait Ashe ?

S'il avait aimé son soutien-gorge, cela signifiait qu'il avait du goût pour les choses délicates et sexy sans tapage. Et le magasin regorgeait de ce genre d'articles.

Après bien des hésitations, elle jeta son dévolu sur une sorte de caraco couleur chair, un chef-d'œuvre de dentelle et de satin mêlés, qui accentuait sa taille fine.

Les joues empourprées de plaisir, elle s'examina dans la glace, rêvant du regard brûlant d'Ashe posé sur elle. Aurait-elle le courage de porter ce vêtement devant lui ?

— Est-ce un sous-vêtement ou un haut ? s'enquit-elle auprès de la patronne du magasin.

— C'est ce que vous déciderez d'en faire, répondit celle-ci d'un air entendu.

— Je vois…

Que voulait-elle en faire ? Elle ne le savait pas au juste. Mais elle l'acheta.

L'affaire conclue, la vendeuse du magasin se présenta. Elle s'appelait Sybil Gardner, et s'enquit :

— Je crois que vous êtes l'auteur de cette belle affiche qui est collée sur ma devanture ?

— En effet.

— Nous devrions parler, vous et moi. Toutes ces femmes qui repartent à zéro…, elles ont besoin de se sentir belles. Rien ne rend une femme plus belle que de beaux dessous. Rien sauf un homme pour les admirer dans ces sous-vêtements et les leur enlever.

Comme Lilah opinait de la tête, Sybil poursuivit :

— Vous devriez les faire venir dans mon magasin. Ça leur servirait de travaux pratiques. Qu'en pensez-vous ?

En découvrant Lilah avec, à la main, le sac noir marqué de la lettre S blanche, reconnaissable entre tous, Eleanor poussa une exclamation de triomphe. Elle se précipita à la recherche de Kathleen et Gladdy, qu'elle trouva assises dans le petit jardin, et s'écria :

— Lilah est allée chez Sybil !

Un concert de « Oh ! » et de « Ah ! » s'ensuivit, accompagné de hochements de tête entendus et de grands sourires.

— Quand ? s'enquit Kathleen.

— Elle vient juste de rentrer avec un sac du magasin.

— Après sa déconfiture avec son ex-mari, j'avais peur qu'elle ne fuie à tout jamais les hommes. Mais le juge est de toute évidence irrésistible !

— Personnellement, je ne lui résisterais pas, déclara Gladdy.

— Moi non plus, convint Kathleen. Tout marche à merveille, à ce que je vois. Nous sommes vraiment très habiles, mes chères amies !

- 7 -

Troublé, Ashe passa cependant le reste de la journée sans autre incident. Il s'attarda dans son bureau, le temps que Lilah finisse son atelier. Il en profita pour ressasser toutes les raisons pour lesquelles il ferait mieux de s'abstenir d'inviter la jeune femme chez lui.

Tout d'abord, il n'invitait jamais de femme à son domicile. Après tout, il s'agissait de son territoire.

Ensuite, la conduire chez lui était un acte beaucoup trop privé et dangereux. A son domicile en effet, personne ne les surprendrait et ne les empêcherait d'aller jusqu'au bout, les portes seraient closes, il possédait un système de sécurité très au point. En tant que juge, il ne prenait nullement à la légère les précautions en matière de sécurité.

Enfin, dans sa maison, il possédait un vaste bureau où il travaillait le soir. Il ne souhaitait pas que, plus tard, son esprit soit troublé par le souvenir de ses ébats passionnés avec Lilah dans cette pièce.

Un rendez-vous chez lui était donc hors de question, décida-t-il. Il préférait un endroit calme où personne ne les verrait, mais où il ne serait pas tenté de lui sauter dessus dès son arrivée. Un restaurant loin du centre, calme et tamisé, non fréquenté par son cercle professionnel ? Un tel lieu existait-il ?

Il arriva au domaine Barrington avec une demi-heure d'avance. En quittant sa voiture, il se sentit saisi d'une impatience qui lui rappela ses années d'adolescence. Se laissant guider par la voix de Lilah, il contourna la maison et la découvrit dans le petit jardin, entourée de dix femmes assises en cercle. De ce qu'il pouvait en juger de loin, elles avaient fait de la peinture avec leurs doigts. Etait-ce vraiment une activité digne d'adultes matures ? se demanda-t-il.

Sur leurs dessins, elles semblaient avoir gribouillé des tas de choses qu'il ne parvenait pas à distinguer. Une des femmes leva sa feuille et se mit à parler. Les autres l'écoutaient. Plusieurs étaient en larmes, d'autres avaient les yeux rougis et tenaient en boule des mouchoirs en papier dans leur poing serré.

Ashe voulut battre en retraite, mais Lilah leva la tête au même instant et l'aperçut. Elle l'interpella et le pria de bien vouloir rester. En quelques minutes, il se retrouva en train d'exposer la loi sur le divorce en vigueur dans le Maryland, puis répondit à quelques questions. Ensuite, le cours terminé, les femmes se dispersèrent en se saluant chaleureusement.

Lilah le conduisit alors dans la cuisine, où elle le remercia de son intervention.

— Puis-je vous demander une faveur supplémentaire ? lui demanda-t-elle.

— Essayez toujours.

En cet instant, il aurait fait n'importe quoi pour elle, songea-t-il. Surtout si cela lui permettait de la tenir bientôt dans ses bras.

— J'ai une femme battue dans mon cours et…

— Ne me dites pas son nom. Il se peut qu'elle

arrive dans mon bureau, un jour ou l'autre. En plus, je ne saurais trop vous recommander, une nouvelle fois, de ne pas vous impliquer dans ce type de cas qui peuvent se révéler dangereux.

— Je vous demande simplement le nom d'un policier qui prendra son cas au sérieux. Certains flics sont meilleurs que d'autres, pour ce genre d'affaires.

Ashe n'aimait pas ça du tout. Mais elle avait raison. Et surtout, elle était jolie à se damner.

— Dan Brewer, lâcha-t-il enfin. Je n'ai pas son numéro, mais appelez le standard de la police, et on vous le communiquera.

— Merci.

— Promettez-moi d'être prudente.

— Promis, dit-elle avec un sourire exquis. J'ai été surprise de vous voir ici. Vous deviez me téléphoner pour me dire où vous rejoindre, non ?

Sa propre impatience avait surpris Ashe. Il avait été incapable d'attendre, ce qui ne manquait pas de l'effrayer un peu.

— J'ai pensé que je pouvais aussi bien venir passer vous prendre ici, dit-il.

Après tout, c'était une attitude de gentleman, songea-t-il en guise d'excuse.

Pourtant, ses pensées actuelles n'avaient rien à voir avec celles d'un gentleman. Il mourait d'envie de l'embrasser. Elle paraissait si… vivante. Ce soir, elle portait une longue jupe rouge et noire, d'où dépassaient ses pieds nus aux ongles vernis de rouge vif. Un haut blanc tout simple dévoilait ses épaules hâlées et la délicieuse ligne de son cou.

Sans prendre le temps de peser ses mots, il lui confia :

— J'ai envie de mordiller votre chair.

Elle le gratifia d'un large sourire.

— Pas ici, reprit-il. Mais je ne veux pas attendre trop longtemps.

Lilah le prit par la main et l'entraîna le long du hall jusqu'à une porte.

— Eleanor m'avait proposé une chambre en haut, expliqua-t-elle. Mais je n'ai pas voulu la déranger. De plus, cette chambre de bonne est la plus privée de toutes. Et les serrures fonctionnent, j'ai vérifié. Au cas où…

Au cas où ? Elle regretta aussitôt ce mot de trop.

Ashe était tenaillé par l'envie de l'embrasser. Mais… pouvait-il baiser ses lèvres sans aller plus loin ?

Incapable de se retenir davantage, il la prit dans ses bras, la plaqua contre le mur, et riva son regard au sien.

Elle glissa ses mains sous sa veste et l'enlaça, le tenant serré tout contre elle.

— Vous avez changé d'avis ? demanda-t-elle. Vous disiez que nous devions parler. Pas plus.

— J'ai changé d'avis, oui. Vous avez une objection ?

Elle fit non de la tête.

— Je vais vous embrasser. Pas longtemps. Ensuite, nous irons je ne sais où. Pour parler.

— D'accord.

— Vous êtes une femme dangereuse.

Elle s'humecta les lèvres de la langue et cela mit le feu aux poudres.

Ashe l'embrassa à pleine bouche. Un baiser profond et brûlant. Ses mains exigeaient de caresser le corps nu de Lilah. Il la plaqua contre le mur et passa sa main sous sa jupe. Pas la peine de prendre le temps de la lui ôter, songea-t-il dans la brume de son désir. Si elle enroulait ses jambes autour de lui, ce serait parfait. Il ne voyait plus rien d'autre, elle et lui contre le mur d'une chambre, dans le domaine d'Eleanor.

Mais tout à coup, la réalité reprit ses droits. La respiration haletante, il s'efforça de reprendre le contrôle de lui-même et recula. Elle se tenait devant lui, une invitation non déguisée dans ses yeux magnifiques.

— Nous ne devrions pas faire ça ici, déclara-t-il d'une voix rauque, dans un dernier éclair de lucidité.

— Je sais.

— Cela m'aiderait, si vous n'aviez pas l'air aussi consentante.

— Vous voulez que j'aie l'air de ne pas vous désirer ? demanda-t-elle.

— Ça m'aiderait.

Elle prit une profonde inspiration :

— Je ne suis pas sûre d'en être capable. Peut-être... si vous arrêtiez de me regarder comme vous le faites ?

— Impossible.

— Dans ce cas, nous avons un problème.

Elle souriait. A l'évidence, ce problème l'amusait.

— Partons tout de suite, proposa-t-il. J'habite à cinq minutes.

— D'accord. Mais attendez, j'ai quelque chose pour vous.

Se dirigeant vers son lit, elle prit un sac noir orné d'un S blanc.

Ashe jura entre ses dents.

— Vous êtes allée chez Sybil aujourd'hui ? demanda-t-il.

— Vous connaissez ce magasin ?

Il opina de la tête. Tous les hommes de la ville reconnaissaient ce sac noir avec le grand S. Chaque homme y faisait pour une femme ses achats de Noël, ses cadeaux d'anniversaire.

Lilah, dans sa jupe flamboyante, l'avait laissé au tribunal avec une marque de rouge à lèvres sur la joue, et s'était ensuite rendue chez Sybil…

Rien de tout cela n'avait la discrétion qu'il appelait de ses vœux.

— Quoi ? demanda-t-elle. Vous aimerez ce que j'ai acheté, je crois. C'est très joli.

Elle plongea une main dans le sac et en tira un tissu vaporeux couleur chair, très transparent et sexy, qu'elle plaqua contre son corps.

— Qu'en pensez-vous ?

Comment qualifier son attitude ? songea Ashe. Innocence, malice ou séduction ? Probablement tout cela à la fois.

Les sens en émoi, il essaya de détourner la tête, sans y parvenir.

Enfile cette chose, songea-t-il, l'esprit hagard. *Enfile-la, et plaque-toi contre le mur.*

Pourquoi ne pas le faire tout de suite ? songea-t-il dans sa convoitise exacerbée. Tout serait fini en trente secondes, mais tant pis ! Ils le referaient, plus lentement, la prochaine fois.

— Ashe ? Que se passe-t-il ?

— Rangez-moi ça, supplia-t-il.

— Vous ne l'aimez pas ?

— Beaucoup, au contraire. Mais… voulez-vous que nous fassions l'amour avec ces trois fouineuses tout près de nous ? Elles nous espionnent sûrement depuis la cuisine.

— Vous avez raison.

— Alors, rangez ce sous-vêtement.

— Et si je le portais sous mes vêtements ?

— Mon Dieu ! Non…

— Je l'emporte, alors ?

Il gémit, comme un enfant désarmé. Tout cela devenait trop pour lui. Il imaginait Lilah dans ce petit morceau de tissu raffiné, toute en jambes longues et dentelle ajourée. Cela le rendait fou.

— Que voulez-vous que je fasse, Ashe ?

Il s'empara du sous-vêtement, le tint du bout des doigts comme s'il était brûlant, puis le froissa entre ses doigts et le fourra dans sa poche.

— Avez-vous besoin d'autre chose ? demanda-t-il.

Comme elle secouait la tête, il lui prit la main et dit :

— Parfait. Allons-nous-en.

Ils sortirent de la maison en catimini, montèrent en voiture et arrivèrent chez lui en cinq minutes. Ashe sentait son esprit bouillonner. S'offusquerait-elle, s'il la prenait dès la porte refermée à double tour derrière eux ? Sans doute que oui. Pas question de tout faire échouer par une hâte malhabile.

Dans la voiture, elle s'était évertuée à faire la conversation, mais il la sentait un peu nerveuse. Lui conservait en boule dans sa poche le petit morceau de lingerie qu'elle lui avait montré. Aurait-il la patience de le lui rendre pour qu'elle l'enfile ? se demandait-il tout en conduisant. Peut-être pas la première fois, reconnut-il. Après tout, ils disposaient de toute la nuit. Du moins l'espérait-il.

Où allaient-ils faire l'amour ? Dans sa chambre ? Sur le canapé du salon ? Dans son bureau ? Le cerveau embrumé, il parvenait à peine à suivre le fil du monologue de Lilah.

Floride.

Maison sur le marché de l'immobilier.

Du mal à la vendre.

Assez de son travail.

Avait voulu en changer.

Essayait de se réinstaller dans le Maryland.

Attendait la fin de son divorce.

Dans l'entrée, il la plaqua contre le mur, parce que c'était l'endroit le plus à sa portée et qu'elle le rendait fou. Il n'avait pas été avec une femme depuis trop longtemps. Elle parlait encore quand il commença à lui mordiller le cou.

Cette femme parlait quand elle était nerveuse, songea-t-il. Il se targuait de lui faire oublier sa nervosité en un rien de temps.

Puis les mots *attendre* et *divorce* résonnèrent dans sa tête, à travers la brume de son désir brûlant. Il releva brusquement la tête. Plus question de grignotage. Pas maintenant.

— Attendez, dit-il en la regardant bien en face. Vous êtes divorcée, n'est-ce pas ?

Elle lui jeta un regard sans expression.

Que se passait-il ?

— Oui, répondit-elle.

— Depuis combien de temps ?

— Ça a pris longtemps. Entre la paperasserie,

l'attente et les rendez-vous pour trouver un consensus, puis de nouveau les dossiers à remplir pour obtenir une audience au tribunal, je croyais que ça ne finirait jamais.

Ashe rongeait son frein. Peut-être ne parvenait-il pas à se faire comprendre de manière claire ? Son esprit se raccrochait à un point crucial et ne voulait pas lâcher.

— Le divorce a-t-il été prononcé ? demanda-t-il.

— Eh bien… j'attends toujours la notification officielle…

Les mains d'Ashe retombèrent le long de son corps. Il avait l'air sonné. Comment avait-il pu omettre de poser la question plus tôt ? se reprochait-il.

— Donc, vous n'êtes pas divorcée, lâcha-t-il.

— Nous nous sommes mis d'accord, nous avons signé les papiers, avons comparu devant un juge. Je suis divorcée.

— Quand ? insista-t-il.

— Juste avant que je n'arrive ici.

— C'était quand ? Il y a un mois ?

— Pas tout à fait, reconnut-elle. Pourquoi ?

— Parce qu'il y a une période de probation. Un mois ou deux, cela varie en fonction de chaque Etat. A la fin de cette période, les gens sont officiellement divorcés, mais pas avant.

— Vous en êtes sûr ? demanda-t-elle en fronçant les sourcils.

Il opina de la tête. Il lui suffirait d'une minute pour découvrir sur internet les termes exacts de la loi sur le divorce en Floride.

— Mais… je… je pensais… Je me sens divorcée. Je

me suis offert ma propre petite cérémonie de divorce. J'ai même brûlé certaines choses…

Qu'avait-elle brûlé ? se demanda-t-il, effaré.

— Juste un petit rituel, pour marquer l'occasion, expliqua-t-elle. J'étais si soulagée que tout soit fini. Sans parler du fait que mon ex-mari se comportait depuis deux ans comme s'il était divorcé.

Ashe sentit une sorte de vertige le gagner.

— Quand exactement êtes-vous arrivée ici ? s'enquit-il.

— Il y a presque un mois. Il se peut donc que je sois officiellement divorcée à ce jour sans en être informée. Le document officiel a peut-être déjà été envoyé.

— Peut-être, en effet.

— Cela compte pour vous ? demanda-t-elle d'un air intrigué.

Il acquiesça.

— Vraiment ?

— Oui. Je n'entretiens pas de relation sexuelle avec les femmes mariées.

— Mais je ne le suis peut-être plus ! Et, même si je l'étais…, mon mari m'a quittée il y a un an, quand j'ai découvert qu'il avait une maîtresse depuis quelque temps. Je n'ai plus de mari depuis longtemps…

— Légalement, si. Je suis juge des affaires familiales, et je brigue un second mandat. Je ne peux me permettre une relation avec une femme mariée.

La colère montait en elle.

— Je pourrai vous appeler quand je serai en possession de l'acte officiel de divorce ? lança-t-elle. C'est donc comme ça que ça marche, pour vous ? On pose le papier officiel sur la table de chevet et on se met au lit ?

— Je ne me fixe pas un mode d'emploi..., commença-t-il.

Elle l'interrompit d'un rire sarcastique :

— Ça m'étonne de vous ! Vous êtes si prudent !

— En général, je suis prudent, en effet. Quel mal y a-t-il à l'être ? Je suis désolé, je ne sais pourquoi, je vous pensais divorcée depuis longtemps. C'est pour ça que je ne vous ai pas posé la question.

— La prochaine fois, munissez-vous d'un formulaire avant de conduire une femme chez vous, lança-t-elle en tournant les talons. Faites-le remplir par l'élue du jour et, si les réponses vous conviennent, vous pourrez y aller sans crainte.

— Lilah, attendez ! dit-il en lui emboîtant le pas.

Elle descendit de la voiture. Des larmes ruisselaient le long de ses joues, et elle les essuya d'un geste rageur.

— Je suis vraiment désolé...

Elle lui adressa un regard de dégoût, puis s'éloigna dans l'allée.

— Je vais vous raccompagner, déclara-t-il.

— Je me débrouillerai toute seule.

— Ne faites pas l'enfant. Il n'y a pas de trottoirs sur cette route.

Elle ignora sa remarque et continua son chemin.

Toute la ville savait qui elle était, songea Ashe. Avec sa jupe chamarrée, il était difficile de ne pas la remarquer. En la croisant seule sur une route la nuit, tout le monde croirait à une dispute d'amoureux entre eux. Il se réinstalla au volant. L'allée de sa maison était longue et, avec un peu de chance, il la convaincrait de remonter en voiture avant que quiconque ne l'aperçoive.

— Lilah, supplia-t-il en s'approchant d'elle.

Elle se tourna vers lui et lui lança un regard courroucé.

— Si j'avais reçu ce stupide bout de papier hier, tout irait bien entre nous ce soir ? C'est bien ce que vous me faites comprendre ?

— Non…

— Même si j'avais le papier, ce serait non ?

— La question n'est pas là…

Elle se remit à marcher. Il la suivit au pas. Il crut apercevoir une de ses voisines, une joggeuse invétérée. La cerise sur le gâteau ! se lamenta-t-il. Encore heureux qu'il ne s'agisse pas de la fille du juge général, la jeune mariée de l'autre jour, qui habitait au coin de la rue !

— Lilah, montez dans la voiture, supplia-t-il de nouveau.

— Quel serait le problème, si j'avais ce bout de papier ? s'indigna-t-elle.

— En général, les personnes qui viennent de divorcer ont besoin d'un peu de temps pour tourner la page, et vous venez juste d'entamer le processus.

Bouche bée, des larmes dans les yeux, elle se tut un instant, puis rétorqua :

— Je ne fais que ça depuis un an ! Une longue année frustrante et malheureuse. Sans parler des années de mariage difficiles.

— Je suis désolé.

— Je me suis mise en quatre pour cet homme, pour essayer de le rendre heureux. Il voulait être président d'université. Je suis devenue secrétaire dans un centre d'accueil pour étudiants. Je le suivais partout, trouvant toujours des boulots sur les différents campus. J'essayais de me comporter comme la parfaite épouse du professeur d'université. Et vous savez quelle a été mon erreur principale ? Réussir plus vite que lui.

— C'est une histoire assez courante, malheureusement, reconnut-il.

— Si je me déclare enchantée que ce mariage soit terminé, vous pouvez me croire. En sortant du tribunal pour la dernière fois, j'avais envie de chanter ! Ces dernières années, je n'ai fait que survivre comme j'ai pu. Mais j'ai survécu, et maintenant tout cela est derrière moi. Je me moque pas mal de ce que vous et votre calendrier pensez. Je suis prête à repartir à zéro.

— Je comprends ça…

— Alors, où est le problème ? Vous ne pensez pas que j'ai assez bataillé pour m'en sortir ?

— Si. Et je suis heureux que vous ayez réussi.

— Vous pensez peut-être que je ne sais pas ce que je fais ? Que je suis pour vous une trop grande source d'ennuis ?

Il soupira. Ce qu'il pensait ? Simplement, que la vie de cette jeune femme avait été chamboulée de fond en comble, et qu'elle n'avait pas besoin de complications supplémentaires.

— Vous avez besoin de temps, commença-t-il.

— Ce n'est pas ce que vous pensiez, sur le bureau d'Eleanor, l'autre soir ! Ni dans votre cabinet ! Ni dans ma chambre, tout à côté de la cuisine où se trouvaient ma cousine avec Kathleen et Gladdy.

Ils atteignaient le bout de l'allée quand la joggeuse repassa en courant le long de la rue. Elle les scruta au passage.

C'était le bouquet !

Et il n'avait toujours pas convaincu Lilah de remonter en voiture.

— Je suis désolé, dit-il avec sincérité. Ce n'est pas que je ne veuille pas de vous, croyez-moi…

— Mais vous ne vous autorisez pas une relation avec moi ?

— Non.

Le refus sonna dur et sec à ses propres oreilles, mais il ne flancha pas. Il ne pouvait se le permettre. Ce ne serait pas raisonnable. Que dire de plus ? Lui proposer de revenir vers lui dans un an ou deux ? S'il le faisait, elle le giflerait. Et elle aurait raison.

— Excusez-moi, dit-il enfin. J'ai été très maladroit.

— En effet, rétorqua-t-elle.

Elle s'était arrêtée de marcher.

— S'il vous plaît, montez et laissez-moi vous raccompagner.

Le visage fermé, elle finit par dire :

— Si vous promettez de ne pas dire un mot sur le trajet de retour.

— Entendu, répondit-il en se penchant pour ouvrir la portière côté passager.

Enfin, elle monta dans la voiture.

Derrière son rideau, Eleanor avait assisté avec plaisir au départ de Lilah et du juge. Aussi fut-elle désagréablement surprise de voir la voiture revenir sur les chapeaux de roues un quart d'heure plus tard.

— C'est étrange, murmura-t-elle. Ils viennent juste de partir.

— Ils ne paraissent pas heureux de revenir,

remarqua Kathleen, debout avec son amie à la fenêtre de la cuisine.

Lilah sortit de la voiture et claqua la portière sans ménagement. Quand le juge la suivit, elle se retourna vers lui :

— Vous avez promis de ne plus me parler.

— Pendant le trajet de retour, rétorqua-t-il. Nous sommes arrivés.

— Vraiment ? Vous n'avez pas trouvé meilleur argument ?

Le couple en pleine dispute disparut au coin de la maison, et les phrases suivantes échappèrent aux deux amies. Elles se cachèrent dans la salle à manger juste au moment où Lilah et le juge faisaient leur entrée dans la cuisine.

— Que dire de plus ? demanda Lilah. Vous ne voulez rien avoir à faire avec moi. Très bien ! J'ai reçu le message cinq sur cinq. Vous pouvez partir.

— Lilah, je suis vraiment désolé.

Ashe pivota sur ses talons et sortit.

Elle le regarda s'en aller.

— Allons voir ce qui s'est passé, dit Eleanor.

Kathleen acquiesça, et les deux vieilles dames gagnèrent la cuisine.

— Oh ! s'exclama la première. Je te croyais partie avec le juge, mon petit.

Lilah essuya furtivement ses larmes, renifla et répondit :

— Je ne croyais pas rentrer si tôt. Quel homme agaçant…

— La plupart des hommes le sont, répliqua Kathleen. Qu'a-t-il fait ?

— Je ne peux pas le dire.

— Bien sûr que si ! insista Eleanor.

— Faites comme si nous étions votre mère, suggéra Kathleen. Toute fille a besoin de sa mère, un jour ou l'autre, et la vôtre n'est pas là. Alors, dites-nous, qu'a-t-il fait ?

— Il… il ne veut pas de relation avec moi !

Prises de court, Eleanor et Kathleen retinrent leur souffle. Pourtant, tout allait si bien, jusqu'ici…

— Je ne parviens pas à y croire, dit enfin Eleanor. Le juge est fou de toi. Il t'a presque prise dans le bureau.

— C'est ce que je lui ai fait remarquer !

— Tu as fort bien fait ! Que t'a-t-il répondu ?

— Il est désolé d'avoir été maladroit… Je ne suis pas divorcée depuis suffisamment de temps. Sans compter que je ne suis peut-être pas encore divorcée au sens administratif.

Eleanor fronça les sourcils et s'enquit :

— Je pensais ton divorce prononcé quand tu es arrivée ici.

— Je le croyais aussi. Mais Ashe dit qu'il y a une période de probation d'un mois ou plus avant que le divorce soit définitif. Les documents ne me sont pas encore parvenus. De toute façon, ça ne lui suffirait pas.

— Comment cela ? demanda Kathleen.

— Les femmes récemment divorcées sont trop… perturbées pour lui.

Elle ne parvenait pas à empêcher sa lèvre inférieure de trembler. Elle n'y tint bientôt plus et plongea son visage dans ses mains :

— Il me plaisait tellement.

Les deux vieilles dames l'entourèrent de leurs bras.

— Ne t'inquiète pas, mon petit, déclara Eleanor. Nous allons arranger ça.

— Impossible, gémit Lilah. Sa position est très stricte.

— C'est ce que nous allons voir.

Ses amies et elle ne s'avouaient jamais vaincues. Le juge n'était pas de taille à lutter contre leur volonté !

- 8 -

Le lendemain, Ashe travaillait dans son bureau. Sa secrétaire passa la tête par la porte entrebâillée et lui annonça la présence dans la salle d'attente d'un coursier, chargé de délivrer un message en mains propres.

— C'est personnel, ajouta-t-elle.

Personnel ? songea Ashe sans s'étonner outre mesure. Depuis quelques semaines, sa vie était devenue folle. Il ne s'arrêtait plus à si peu…

Il signa la feuille que lui tendit le livreur et ouvrit l'enveloppe.

A l'intérieur, il trouva une copie du décret de divorce de Lilah, daté de cinq jours auparavant. Pas le moindre petit mot d'accompagnement.

Ainsi, elle était vraiment divorcée au moment de leur dispute. Mais cela ne changeait pas grand-chose. Que représentaient quatre jours ? Rien du tout. Il avait bien agi en refusant toute relation entre eux.

Pourtant, il s'en voulait terriblement. Pour se faire pardonner, il décida de lui envoyer des fleurs, un bouquet extravagant, joint à des excuses en bonne et due forme. Que pouvait-il faire d'autre ?

Le jour suivant, il reçut une invitation comminatoire à se rendre au domaine. Eleanor ne donnait aucune explication. Une simple note écrite à la main, envoyée elle aussi par coursier. Eleanor serait-elle derrière l'envoi du jugement de divorce ? se demanda-t-il. Si tel était le cas, avait-il aussi agacé la vieille dame en refusant de voir Lilah ?

Il se rendit au domaine le soir même, comme le stipulait l'invitation, après sa journée de travail. Eleanor n'était pas une personne qu'il faisait bon se mettre à dos. Elle l'escorta jusqu'au petit jardin à l'arrière de la maison pour y boire le thé, et il fut consterné d'y découvrir le trio de vieilles dames. Kathleen et Gladdy la scandaleuse, assises autour de la table, l'attendaient.

Il s'assit, accepta le thé de la main d'Eleanor, des biscuits de la part de Kathleen, s'attendant à tout, et surtout au pire.

— Eh bien, monsieur le juge, déclara Eleanor, j'ai décidé de donner un cocktail en votre honneur.

Surpris, Ashe la dévisagea sans répondre.

— Vous savez sans doute que j'ai récolté avec succès des fonds importants pour de nombreux candidats, au fil des ans. Eh bien, j'ai décidé de vous aider à vous faire réélire. Il va vous falloir beaucoup d'argent, et vous êtes de ceux qui détestent quémander l'aide financière que nécessite une élection comme la vôtre.

— Euh… je ne sais que dire, Eleanor. Vous êtes très généreuse.

— Pas du tout, répondit-elle. J'ai l'intention de bien m'amuser au cours de ces soirées de collecte, et mes amies Gladdy et Kathleen ont décidé de m'aider. C'est ce qu'on fait, entre amies.

Cette remarque le mit mal à l'aise. Des amies qui aident des amies ? Devait-il y voir une quelconque allusion ?

— Bien entendu, j'accepterai avec plaisir l'offre que vous me faites, dit-il.

Puis il attendit en silence de voir ce qu'elle exigeait en échange.

— Très bien, répondit Eleanor. Jeudi prochain me conviendrait. Est-ce que cela vous agrée ?

Ashe consulta son smartphone. Il n'avait aucun engagement ce jour-là. Pourquoi son malaise persis-tait-il ? Il accepta néanmoins.

— C'est donc décidé, déclara Kathleen. J'ai hâte de commencer à tout organiser. Gladdy et moi voulons aussi inviter quelques amis.

— Je vous remercie infiniment, dit-il.

Il but son thé en grignotant un biscuit. Tout cela avait une suite, qu'il attendait avec une certaine appréhension.

— Nous avons été désolées d'apprendre que Lilah et vous ne vous verriez plus, dit Gladdy.

Nous y voici ! songea-t-il. Ces vieilles dames avaient-elles l'intention de l'interroger ? Lilah ne leur avait-elle pas fourni tous les détails croustillants susceptibles de les intéresser ?

— Mais vos fleurs étaient magnifiques, intervint Eleanor.

— Oh oui ! s'extasia Kathleen. J'adore les orchidées.

Ashe ne réagit pas. Pas question d'exposer à ces trois vieilles femmes les règles qu'il s'imposait dans sa vie amoureuse. Elles le scrutaient sans vergogne, attendant manifestement des explications. Il s'exhorta au calme, s'efforçant de ne pas s'agiter sur sa chaise. Il était juge, bon sang ! Il n'allait tout de même pas se laisser intimider.

— Lilah vous attire, n'est-ce pas, monsieur le juge ? s'enquit Gladdy.

L'attaque frontale, à présent ! Rien ne le surprenait plus de la part de ce trio infernal.

— Mesdames, je ne crois vraiment pas…

— Je sais, l'interrompit Gladdy, il est assez malvenu de notre part de vouloir intervenir entre vous deux…

— Il ne se passe rien entre nous deux, affirma Ashe d'une voix ferme.

— Mais il pourrait très bien se passer quelque chose, insinua Eleanor.

— Ceci ne concerne que Lilah et moi, personne d'autre, tenta-t-il de soutenir.

— Vous avez raison. Mais il nous est pénible de voir notre chère Lilah se morfondre. Tous les deux, vous aviez l'air si heureux ensemble, dit Kathleen.

— C'est une jolie femme, reconnut-il.

— N'est-ce pas ? Et nous placions tant d'espoirs en vous deux, poursuivit la vieille dame.

— Mesdames, vous avez tout fait pour que nous nous rencontrions, me semble-t-il.

Elles sourirent en cœur. L'une d'elles rougit. Toutes les trois paraissaient enchantées d'elles-mêmes. Il avait vu juste, songea Ashe. Elles avaient manigancé de les réunir, lui et Lilah.

— Mesdames, dit-il, je suis désolé, mais je suis célibataire depuis très longtemps, et j'entends le demeurer.

— Mon Dieu ! s'exclama Gladdy avec un petit gloussement. Nous n'avions pas l'intention de vous marier tous les deux !

— Ah non ? demanda Ashe, sceptique.

— Pas du tout ! Lilah n'est pas prête pour ça ! Elle sort à peine d'un mariage raté. Ce n'est pas le moment pour elle de se remarier ! renchérit Eleanor.

Si elles ne cherchaient pas à le marier, quel était donc leur plan ? se demanda-t-il.

— Nous avions d'autres idées en tête, expliqua Kathleen.

Lesquelles ? Il n'en avait pas la moindre idée et craignait le pire.

— Vous voyez, mon ami, il est si difficile de se remettre d'un mauvais mariage. Cette jeune femme ne se sent plus attirante, elle est triste, doute d'elle-même, se méfie des hommes et des relations avec eux.

— Je suis en plein accord avec vous, souligna-t-il, soulagé. C'est un très mauvais moment pour entamer une nouvelle relation.

— Disons… il y a relation et relation…, suggéra Eleanor.

Que voulait dire cette vieille dame ?

— Je pense qu'il est très important pour une femme de revenir à la vie affective avec la personne adéquate, un homme gentil et compréhensif, patient et attentif. Un homme qui lui rappelle comme il est merveilleux d'être une femme. Un homme qui la trouve désirable et belle.

Il sentit que l'éventualité que Lilah rencontre un tel homme le hérissait. Il serra les dents et déclara à contrecœur :

— Je suis sûr qu'elle trouvera un homme formidable…

— Mais elle l'a trouvé ! Elle vous a trouvé. De

toute évidence, vous êtes attirés l'un par l'autre. Elle est libre, et vous aussi.

— Je croyais que vous ne jouiez pas les entremetteuses ? ironisa-t-il.

— En effet. Comme nous venons de le constater ensemble, Lilah n'est pas prête pour un engagement de longue durée. De votre côté, une relation permanente avec une femme ne vous intéresse pas. Ce qui fait de chacun de vous le partenaire idéal pour l'autre.

— J'avoue ne pas vous suivre…

Qui plus est, il commençait à se sentir oppressé sous le feu croisé de ces femmes redoutables, et il avait besoin d'air.

— Nous ne vous poussons nullement à une relation de longue durée avec Lilah, dit Gladdy.

Ouf ! songea-t-il.

— Nous vous demandons simplement de… l'initier à sa nouvelle vie de femme célibataire.

Pardon ? Comprenait-il bien ?

— Je suis sûre que vous excellez dans ce rôle, insista Gladdy avec un sourire un peu trouble. Et nous voulons que l'expérience soit bénéfique pour notre petite Lilah.

— Ma petite cousine doit éviter à tout prix de tomber sur un autre macho égoïste, renchérit Eleanor.

— Vous êtes l'homme de la situation, conclut Kathleen.

Ashe dévisagea tour à tour les trois vieilles dames. Lui suggéraient-elles vraiment de séduire Lilah ? D'être son premier amant après son divorce ? De lui faire passer du bon temps au lit ?

Jamais il n'avait reçu de proposition plus scandaleuse. C'était encore bien pire que de jouer les entremetteuses traditionnelles. Wyatt l'avait bien prévenu que ces trois vieilles dames étaient indignes, toujours à manigancer quelque chose, mais ce qu'il entendait en ce moment dépassait l'imagination.

Que pouvait-il bien leur répondre ?

Pour ne rien arranger, il devait bien convenir que la suggestion des trois amies présentait de nombreux attraits. Pas d'engagement ni de responsabilité. Simplement Lilah dans ses bras, contre un mur, sur un coin de bureau, dans son lit. Il se sentait plus que capable de lui réapprendre à quel point elle était désirable. Oh oui, il la bichonnerait, la câlinerait jusqu'à plus soif !

— Vous mourez d'envie d'accepter, dit Gladdy sans ambages.

Il avala de travers sa gorgée de thé et en renversa une partie sur sa cravate préférée.

— Mon Dieu ! Nous l'avons surpris, remarqua Eleanor.

Kathleen se précipita sur lui et tapota d'un linge immaculé la cravate salie.

— Nous n'avons en tête que l'intérêt de Lilah, assura Eleanor d'une voix douce.

Remis de ses émotions, il ferma un instant les yeux avant de déclarer :

— Mesdames… ceci n'est pas une question à débattre entre nous quatre.

— Pourquoi ? s'étonna Eleanor. Nous adorons Lilah, et nous pensons qu'elle vous plaît aussi. Elle se trouve à un moment très vulnérable de sa vie, et nous souhaitons l'aider de notre mieux.

— Tant de femmes sortent dévastées d'un divorce,

enchaîna Kathleen. Elles ne veulent plus entendre parler des hommes, et c'est tellement dommage. Certes, les hommes sont parfois… difficiles, mais ils ont leur utilité.

Allaient-elles se lancer dans les détails de leur utilité ? se demanda-t-il, atterré.

— Notre suggestion est la solution idéale, renchérit Eleanor. Vous vous connaissez déjà, vous êtes attirés l'un par l'autre. Qu'y aurait-il de difficile ?

Ce ne serait que trop facile, en effet ! Il lui fallait sortir d'ici au plus vite ! songea-t-il. Sortir avant d'en dire trop. Avant de donner son accord à ces sorcières.

— Réfléchissez-y, ajouta Kathleen.

Comme s'il parvenait à penser à autre chose, depuis qu'il connaissait Lilah ! se lamenta-t-il en son for intérieur. Y réfléchir n'était certainement pas la bonne solution.

— Cela me ferait tellement plaisir, susurra Eleanor.

Une nouvelle fois, il la dévisagea, bouche bée.

— Nous sommes amis, n'est-ce pas ? poursuivit-elle. Et nous voulons que nos amis soient heureux, non ? Le propre des amis n'est-il pas de se venir en aide ?

Du chantage, à présent ! On aurait tout vu ! Cette vieille dame lui offrait-elle de récolter des fonds pour son élection en échange de la promesse de séduire Lilah ?

Jamais personne ne l'avait soudoyé jusqu'ici.

Jamais dans l'histoire judiciaire un juge n'avait été l'objet d'un tel chantage, et il ne tenait pas à être le premier. Il voulait oublier Lilah, et ne plus rencontrer ces vieilles dames. Les mots lui manquaient pour qualifier leurs agissements.

*
* *

Les trois amies regardèrent en silence le juge quitter la pièce et disparaître au coin de la maison. Puis elles éclatèrent de rire, enchantées.

— Parfait ! s'exclama Eleanor.

— Réussite totale de notre plan ! ajouta Kathleen d'un air satisfait.

— Le pauvre garçon, dit Gladdy. Il ne va plus pouvoir penser à rien d'autre ! Désormais, il n'aura de cesse de faire ce que nous lui avons demandé !

— Quand il l'aura fait, il ne lâchera plus Lilah. A ce moment-là, nous aurons pleinement réussi !

Ashe avait l'intention de quitter le domaine au plus vite. Mais, au niveau du garage, il aperçut Lilah devant un punching-ball. Il la regarda enfiler des gants de boxe rouge vif et se mettre à taper dans le ballon. Au premier coup, elle grimaça, sans s'arrêter pour autant. Au bout de quelques minutes, elle trouva son rythme et sembla y prendre un certain plaisir.

L'interrompre en cet instant ? L'idée ne lui paraissait pas la bienvenue. Pourtant, il ne cessait de l'observer et n'arrivait pas à se résoudre à quitter le domaine. Résigné, il s'avança vers elle et attendit.

Quand elle le remarqua enfin, elle lui adressa un regard hostile tout en continuant à frapper le punching-ball.

— Que faites-vous ici ? finit-elle par demander.

— Eleanor m'a convoqué.

Il avait le sentiment déplaisant que Lilah tapait dans le punching-ball comme s'il s'agissait de lui.

— Pour quelle raison ? demanda-t-elle.

— Pour me faire un subtil chantage, je crois.

Un chantage ? Lilah cessa de taper dans le punching-ball.

— Eleanor ? s'enquit-elle.

Il opina de la tête.

— Qu'attend-elle de vous ? Ça a quelque chose à voir avec moi ?

— On ne peut plus, répliqua-t-il en enfonçant ses mains dans les poches de son pantalon.

Dieu, qu'elle lui avait manqué ! réalisa-t-il soudain, le regard planté dans celui de Lilah. Bien davantage qu'il n'aurait cru.

— Ça ne me surprend pas… Je sentais qu'elles manigançaient quelque chose, toutes les trois. Pour une raison qui m'échappe, elles pensent que nous allons bien ensemble. Ne vous inquiétez pas, je vais mettre fin à tout ça. Je n'ai pas besoin d'entremetteuses.

— Ce n'est pas exactement ce qu'elles font.

— Bien sûr que si ! Elles pensent que j'ai besoin d'aide pour me trouver un homme.

— Oui, mais pas pour ce que vous croyez.

En fait, il commençait à s'amuser. Il n'avait jamais vu Lilah choquée par quoi que ce soit. Il avait hâte de voir comment elle allait réagir à la nouvelle.

— Vous êtes un homme, dit-elle. Que fait-on d'autre avec un homme ?

— Apparemment, nous avons une autre utilité.

— Laquelle ? demanda-t-elle d'un ton agacé.

— Elles ont l'air de penser que… disons… vous avez besoin d'un coup de pouce pour retrouver le chemin de… la séduction et du plaisir.

Lilah ôta ses gants de boxe et les laissa tomber à terre. Puis elle croisa les bras et le regarda durement.

— Une sorte d'entraînement, en quelque sorte ? Certes, je n'ai pas essayé depuis longtemps, mais je ne crois pas avoir besoin de m'exercer avant de me lancer dans l'arène.

— Ce n'est pas tout à fait ce qu'elles avaient en tête.

— Alors, cessez de tourner autour du pot !

De toute évidence, elle n'avait aucune idée de ce qu'elle allait entendre.

— Elles souhaitent que je vous mette dans mon lit, lâcha-t-il. Que je sois votre premier amant après votre divorce.

Lilah en demeura bouche bée. Le choc qu'elle ressentait lui procura une profonde satisfaction.

— Vous mentez ! lança-t-elle en reprenant ses esprits.

— Je ne mens jamais. Si vous me connaissiez mieux, vous le sauriez.

— Eleanor vous a offert de l'argent pour que vous me mettiez dans votre lit ? demanda-t-elle, les joues empourprées.

— Plus ou moins.

— Comment ça, plus ou moins ?

— Elle a commencé par me proposer de récolter des fonds pour ma réélection, puis elle m'a dit que nous étions amis, et m'a parlé de s'entraider entre amis. Enfin, elle m'a expliqué qu'elle s'inquiétait pour vous. Vous êtes vulnérable, selon elle. Elle souhaite que votre premier homme après votre divorce soit… Comment a-t-elle dit, déjà ? Gentil, attentif et patient.

— Mon Dieu !

L'expression horrifiée de Lilah le soulagea. Elle n'était de toute évidence pas au courant des manigances de sa cousine.

— Je les savais un peu excentriques, déclara-t-elle. Leur amour de la vie m'amusait. Je veux dire… j'aimerais être aussi gaie qu'elles au même âge.

Ashe opina de la tête.

— Croyez-moi, je ne savais rien de tout ça, affirma-t-elle.

— Je vous crois sans problème.

— Je vais m'entretenir avec elles et leur demander de cesser immédiatement leurs manigances.

— Vous aurez peut-être plus de succès que moi, répondit-il. Je ne crois pas avoir réussi à les dissuader d'un pouce.

Tout était dit. Il ne lui restait qu'à partir, songea-t-il. Sans un mot de plus, sans la toucher.

Elle se remit à cogner dans le punching-ball.

— Vous boxez ? demanda-t-il.

— Le punching-ball, c'est une bonne façon de passer sa colère sans faire mal à personne.

— Vous voulez dire que vous aviez envie de me frapper ?

— Oui.

— Et votre ex ? Vous avez encore envie de le frapper ?

— Plus vraiment. Je suis devenue plus sage, ces derniers mois. J'ai beaucoup appris sur moi-même, comment me débarrasser de ma colère, pardonner, savoir ce que j'attends de la vie. Mon ex ne me trouble plus d'aucune façon. A propos, j'ai reçu le jugement de divorce le lendemain de notre dispute.

— Je sais. Quelqu'un a pris la peine de m'en faire parvenir une copie. Sans doute Eleanor.

— Quelle femme étonnante, soupira Lilah.

— En effet. J'espère qu'elle vous écoutera…

Voilà ! Il ne savait plus quoi dire et ne trouva aucune raison de prolonger sa visite au domaine. D'ailleurs, un homme intelligent serait parti depuis longtemps.

— Bien… je dois partir, dit-il. Bonne chance avec votre cousine.

Il tourna les talons.

- 9 -

Pendant quelques jours, Lilah rumina de sombres pensées. Elle tapa dans son punching-ball, en pestant contre son ex, contre Ashe, contre les hommes en général. Elle tint à l'œil Eleanor et ses amies. Se repentaient-elles vraiment de leurs agissements grossiers ? Elle avait eu avec elles une discussion animée, au cours de laquelle les trois vieilles dames avaient juré de ne plus manipuler Ashe. Malgré tout, elle se méfiait.

Entretemps, elle avait déjeuné avec Sybil. Elle recherchait des conseils féminins avisés. Mais certainement pas ceux de vieilles dames de quatre-vingts ans et plus, qui demandaient à Ashe de faire l'amour avec elle par pitié.

Par pur défi, elle avait choisi pour sa rencontre avec sa nouvelle amie le Malone, où elle avait déjà déjeuné avec Ashe. S'il y venait aussi, eh bien tant pis pour lui ! Et, s'il la trouvait jolie et sexy, et regrettait toutes ses règles morales absurdes, ce serait encore mieux !

Sybil avait une allure très française dans sa petite robe noire cintrée, ornée d'un foulard noué de façon désinvolte, à la manière des Parisiennes. A leur entrée dans le restaurant, toutes les têtes se tournèrent vers elles.

— La salle est remplie de mes clients, murmura Sybil. Ne te laisse pas impressionner par leur costume sévère. Ils viennent tous chez moi acheter des sous-vêtements affriolants pour leur femme ou leur maîtresse. Je suis heureuse de notre future coopération. Toi et moi, nous sommes complémentaires. Chacune à notre façon, nous aidons toutes les deux des femmes malheureuses à se reconstruire.

— J'ai parlé de ton magasin à celles qui suivent mon cours. Elles sont emballées. Elles ont un peu d'appréhension, mais sont aussi très excitées à l'idée de ces travaux pratiques, comme tu les appelles.

Sybil sourit et poursuivit :

— Nous choisirons un moment où le magasin est fermé au public. Ce ne sera ouvert que pour toi et ton atelier. J'offrirai champagne et amuse-bouches, et présenterai mes derniers modèles. Elles pourront tout essayer et s'aider à choisir.

— On va bien s'amuser ! On en a toutes besoin.

— En parlant de ça, comment ton juge a-t-il trouvé le sous-vêtement que tu m'as acheté ?

— Oh… il l'a beaucoup aimé… Maintenant que j'y pense, il l'a gardé…

— Ça semble très prometteur…

— S'il l'a gardé, ce n'est pas parce qu'il m'a déshabillée. Il l'a fourré dans sa poche et m'a emmenée chez lui, dans le but de me le faire enfiler pour me l'enlever ensuite, tu vois ce que je veux dire… puis il a découvert que mon divorce ne datait que de quelques semaines, et il a fait marche arrière. Il s'est dégonflé. Il a ses propres règles, tu vois le genre ? acheva-t-elle avec un soupir résigné.

— Ne te retourne pas… il vient juste d'arriver. Il n'arrête pas de te regarder.

Lilah sourit, sans détourner la tête. Depuis le début, elle espérait qu'il viendrait. Dans cette perspective, elle avait apporté un soin particulier à sa toilette. Elle se redressa et prit une pause aussi nonchalante que possible, même si le regard d'Ashe lui brûlait la peau.

— Tu le désires toujours, déclara Sybil sur le ton de l'évidence.

Sa nouvelle amie avait-elle raison ? Lilah réfléchit un moment.

— C'est peut-être vrai… ou alors je cherche seulement à me venger de son rejet…

— Dans les deux cas, tu dois te montrer au sommet de ta forme. Quand vas-tu le revoir ?

— Ma cousine Eleanor organise un cocktail jeudi soir. Elle lève des fonds pour sa réélection. Je ne sais pas encore si j'y assisterai ou non.

L'initiative continuait à la mettre mal à l'aise. Sa cousine avait beau jurer ses grands dieux qu'elle le faisait parce que la présence d'Asheford au barreau lui semblait indispensable, elle se méfiait. Même si elle connaissait son goût immodéré pour la politique locale.

— Bien sûr que si, tu vas y assister ! répliqua Sybil. D'ailleurs, je te propose mon aide. Tu seras rayonnante, et il en aura le souffle coupé.

L'idée séduisait Lilah. Mais soudain, elle se souvint…

— Il y a un petit détail, commença-t-elle.

Elle raconta à son amie les agissements des trois vieilles dames.

La première surprise passée, Sybil mesura l'aspect positif de la situation.

— Certes, c'est malencontreux, dit-elle, mais ne laisse rien te dévier de ton but. As-tu encore envie de lui ?

— Je n'en suis pas sûre.

— Tu n'as pas besoin de te décider tout de suite. Procédons comme si c'était toujours le cas, et occupons-nous de ton apparence physique, au cas où…

Avec un soupir satisfait, elle ajouta :

— Il est vraiment très beau. Et la rumeur le dit très doué au lit…

— Pardon ? Comment le sais-tu ? Tu as…

— Non, pas moi ! Mais il est déjà venu dans ma boutique. Et les femmes qui sont sorties avec lui se sont parfois confiées à moi. Fais-moi confiance, je connais tous les hommes de la ville qui sont… disons, dignes de l'attention féminine. Et crois bien qu'il en fait partie.

Sur-le-champ, Lilah décida de ne jamais mettre en présence Eleanor et Sybil. Qui sait ce que, à elles deux, elles ourdiraient comme plans machiavéliques !

Quarante minutes plus tard, Lilah quittait le café quand elle sentit une main la prendre par le coude et l'entraîner vers une rue adjacente. Elle reconnut cette main, le léger parfum qui flottait dans l'air, et l'allure générale de la personne qui la guidait.

Ashe.

— Que faites-vous ? demanda-t-elle.

— Et vous, à quoi jouez-vous ? demanda-t-il en la poussant dans un coin.

— Je marchais dans la rue. Depuis quand est-ce interdit ?

— Que faisiez-vous dans ce restaurant, avec cette personne ?

— Cette personne, comme vous dites, tient une boutique à deux rues d'ici. Une boutique que beaucoup de vos amis et vous-même fréquentez à l'occasion.

Ashe eut l'air interloqué.

— J'y suis entré une ou deux fois, pour acheter des cadeaux, admit-il.

— Oh ! je n'en doute pas un instant.

A l'idée des cadeaux qu'il avait achetés, et des femmes qui les avaient portés, Lilah fulminait.

Il la contempla un instant, puis reprit :

— Je vous ai déjà dit que j'étais désolé pour l'autre soir… Je le pensais vraiment.

— Puisque nous parlons lingerie, je vous prierai de me rendre mon sous-vêtement. J'entends le porter pour un homme qui saura véritablement l'apprécier.

Prends toujours ça dans les dents ! triompha-t-elle en le voyant rougir de colère.

Au début, il ne put articuler le moindre mot. Puis il se reprit :

— Je ne me souvenais pas de l'avoir en ma possession.

Et moi, jamais je ne le porterai ni ne l'enlèverai pour vous, songea-t-elle avec une sombre satisfaction.

— Vous êtes en colère parce que j'ai déjeuné en ville avec une femme d'affaires ?

— Pas n'importe quelle femme d'affaires. Il s'agit de la personne qui tient la boutique de lingerie à la mode de la ville. Et tout le personnel du tribunal vous a vues ensemble. Dans le restaurant où vous saviez très bien que je me rendrais. Vous jouez un drôle de jeu, et je n'aime pas ça.

— Sybil et moi sommes en affaires.

Ashe parut encore plus déstabilisé. Un muscle de sa mâchoire se tendit.

— Quel genre d'affaires pourriez-vous mener avec une patronne de boutique de lingerie ? demanda-t-il.

Lilah croisa les bras sur sa poitrine et soutint le regard d'Ashe.

— Je ne vois pas en quoi cela vous concerne, lança-t-elle.

— S'il vous plaît, ne faites rien d'extravagant, supplia-t-il.

Elle éclata de rire.

— En somme, vous avez le droit d'acheter de la lingerie fine chez Sybil, pour toutes les femmes que vous courtisez, mais vous êtes terrifié à l'idée que je fasse des projets avec elle. Deux poids, deux mesures, c'est cela ?

— Lilah, je vous en prie…

— Vous ne voulez rien à voir à faire avec moi, c'est ce que vous m'avez affirmé. En conséquence, cette conversation est sans objet, et j'entends y mettre fin sur-le-champ.

Ashe semblait fulminer, et Lilah en tira un plaisir sans nom. De la sorte, elle se sentait un peu lavée de l'humiliation que lui avait provoquée la sollicitude compatissante d'Eleanor.

— Si vous n'avez plus rien à me dire, je retourne à mes affaires, déclara-t-elle d'un ton résolu.

Elle tourna les talons avec un sourire pincé et rejoignit la rue principale.

*
* *

Ashe était dans le pétrin. Un sacré pétrin. Il avait provoqué la colère d'une femme imprévisible. Quelle mesure de rétorsion allait-elle adopter ?

Il se rendit dans le bureau de Wyatt. Jusqu'à maintenant, il ne lui avait pas parlé de la proposition indigne des trois vieilles dames. Mais, à présent, comment continuer à la garder secrète ? Il s'assit en face de son ami, lui dévoila toute l'histoire et acheva par un :

— Il faut que tu m'aides !

— Je ne suis pas sûr de pouvoir, répondit Wyatt avec une grimace. Je n'arrive pas à croire qu'elles t'aient proposé de… ré-initier Lilah à la vie amoureuse !

— Attends, il y a pire… Elles ont essayé de m'acheter.

— T'acheter ? gémit Wyatt, de plus en plus stupéfait. Elles t'ont fait du chantage pour que tu… te livres à des actes sexuels avec Lilah ?

Comme Ashe acquiesçait, il ajouta :

— Combien t'ont-elles proposé ?

— Le financement de ma campagne électorale. Eleanor organise une soirée pour moi jeudi soir… si j'accepte de… prendre soin de Lilah.

Wyatt paraissait abasourdi.

— Il faut que j'en parle à Jane, dit-il. Si quelqu'un peut canaliser Kathleen, c'est bien elle. Et, si quelqu'un peut canaliser Gladdy, c'est bien Kathleen. Jane est notre seul espoir.

— Et Eleanor ? C'est elle qui fait le lien entre toutes.

— Il faut espérer qu'elle a été entraînée dans cette histoire par ses deux amies. Si Jane parvient à raisonner Kathleen, celle-ci pourra ensuite tenir en laisse les deux autres.

— Espérons-le. Pour ma part, je ne peux rien, ces trois vieilles dames m'ont vaincu. Elles me terrifient. Ainsi que la colère de Lilah, d'ailleurs. Elle se pavane en ville avec Sybil, la reine de la lingerie féminine. Toutes les deux auraient des projets d'affaires communs. Elles en parlaient aujourd'hui au restaurant, ouvertement, alors que n'importe qui pouvait les entendre. Tous les employés du tribunal les ont vues et entendues.

A mesure qu'il parlait, il se sentait se décomposer.

— C'est toi qui m'as entraîné dans cette galère, dit-il à son ami. Tu dois absolument m'aider à m'en sortir.

— Je te jure que je n'imaginais pas un seul instant de telles tactiques.

— Arrange-moi ça coûte que coûte ! Exige qu'elles annulent cette soirée en ma faveur. Ce qui pourrait se passer au cours de cette collecte d'argent me terrifie.

— Pourquoi l'avoir laissée programmer cette soirée, une fois que tu as compris ce qu'Eleanor attendait en échange ?

— Je ne l'ai rien laissée faire du tout ! Tu crois qu'elle attend une permission pour faire ce qu'il lui plaît ? Jamais je n'ai donné mon accord ! Elles ont envoyé les satanées invitations de leur propre chef.

Il était trop tard, ruminait Ashe. Eleanor tenait à son cocktail de jeudi soir, et elle comptait bien sur sa présence. Que décider ? Sans doute valait-il mieux se rendre à cette soirée pour en contrôler le déroulement ? Son absence laisserait libre cours à l'imagination des vieilles dames.

Il aurait payé cher pour évincer Lilah de cette soirée. Mais, à part la soudoyer ou la kidnapper, comment l'éloigner de ce maudit cocktail ? Il ne lui restait qu'à espérer qu'elle décide de son propre chef de ne pas y assister.

En revanche, il pouvait compter sur Wyatt. Peut-être à eux deux neutraliseraient-ils les trois vieilles amies ? Malheureusement, Jane, la femme de Wyatt, était toujours en tournée de promotion pour son livre.

Les deux hommes pénétrèrent ensemble dans la grande pièce où se tenait le cocktail et observèrent la scène. Tout semblait normal. L'assemblée se composait pour l'essentiel d'hommes de loi et de politiciens en costume cravate, qui buvaient et grignotaient leurs canapés en discutant calmement.

Eleanor aperçut Ashe. Elle se précipita vers lui d'un air triomphant et le prit par le bras.

— Monsieur le juge, je suis heureuse que nous soyons parvenus à une entente.

Ashe supplia Wyatt du regard.

Celui-ci glissa son bras sous celui d'Eleanor et lui murmura à l'oreille quelque chose qu'il n'entendit pas. La vieille dame n'en parut pas du tout ébranlée.

Elle conduisit Ashe d'un invité à un autre, le présentant à chacun, s'assurant qu'il serrait toutes les mains, lui tressant une couronne de louanges. Elle se donnait sans compter. Pour l'instant, tout se passait bien. Le pire semblait évité.

Tout à coup, il aperçut une femme en tailleur jaune. Pas le genre de tailleur que portent les femmes dans un tribunal. La jupe, juste un peu trop courte, dévoilait des jambes de rêve. Elle avait chaussé des sandales à hauts talons, assortis à son ensemble. La veste du tailleur, cintrée à la taille, s'évasait vers le haut, découvrant des seins somptueux.

Lilah.

Ashe sentit son cœur bondir dans sa poitrine. Lilah avait noué ses cheveux en un chignon élégant, qui soulignait la courbe gracile de sa nuque. De là où il se trouvait, elle avait l'air plus respectable, plus normale qu'il ne l'avait jamais vue. Pourquoi cela éveilla-t-il ses soupçons ?

Il essaya pourtant de rester optimiste. Qui sait, peut-être n'était-elle plus en colère contre lui ?

Puis elle se retourna, et il vit. Sous la veste de son tailleur, elle portait ce maudit caraco de dentelle, sexy en diable, qu'elle destinait à l'origine à leur vie privée. Celui qu'il lui aurait enlevé avec un délicieux plaisir avant de la prendre dans son lit avec délectation. Quelle erreur il avait commise en lui renvoyant ce bout de dentelle par la poste, deux jours auparavant !

Cependant, elle avait l'air tout à fait respectable, dans son petit tailleur jaune pâle. Lui seul connaissait la hardiesse de ce sous-vêtement sous son tailleur, et cela le rendait fou. Les autres ne voyaient sans doute qu'un bout de dentelle dépassant de la large échancrure en V de sa veste.

— Elle est là, murmura-t-il à Wyatt, à son côté.

— C'est elle ? Tu m'avais dit qu'elle s'habillait comme une bohémienne.

— D'habitude, oui.

— Elle est superbe. Que t'arrive-t-il ? Elle a fait quelque chose ?

Lilah choisit ce moment pour lui adresser un sourire sexy en le regardant droit dans les yeux. Puis elle but une gorgée de champagne et lui tourna délibérément le dos.

Ashe se mit à transpirer. Il la regardait dans son petit tailleur assez sage, mais l'imaginait nue sous son audacieux caraco de dentelle.

— Fais-la partir, supplia-t-il.

— Pourquoi ? s'étonna Wyatt. Qu'a-t-elle fait ? Je n'ai rien vu.

— Ce n'est pas ce qu'elle fait, c'est ce qu'elle porte.

Ashe tourna le dos à Lilah, mais cela ne lui fut d'aucune aide.

— Que reproches-tu à sa tenue ? demanda son ami. Ce tailleur me plaît bien. Jane aime en porter de semblables. Ils sont sexy sans être impudiques. Surtout quand on sait ce qu'elle porte en dessous !

— Le problème, c'est ça. Je sais ce qu'elle porte en dessous.

Wyatt fronça les sourcils et s'enquit :

— Comment le sais-tu ? Tu n'as pas quitté cette pièce depuis que nous sommes arrivés.

— Je le sais, c'est tout. Je t'en prie, aide-moi. C'est toi qui m'as mis dans cette galère. Je ne peux être près d'elle en sachant ce qu'elle porte sous son tailleur.

— Mais…

— En esprit, je lui ai déjà enlevé ce caraco un million de fois.

Wyatt sembla soudain comprendre.

— Souhaite-moi bonne chance, dit-il à son ami. Je vais faire de mon mieux.

Ashe suivit Wyatt du regard pendant qu'il traversait la pièce. Par une malchance incroyable, Eleanor passait par là. Elle le prit par le bras et l'entraîna vers un coin de la pièce pour lui présenter un invité.

Découragé, il ferma les yeux un instant. Livré aux mains de cette entremetteuse, il se sentait très seul.

Trois personnes essayèrent d'entrer en conversation avec lui. Il se révéla incapable de suivre le fil des propos qu'on lui tenait. Sans doute avait-il l'air d'un idiot ? Les gens lui adressaient des regards intrigués. De son côté, Lilah flirtait avec l'assistant imbécile d'un autre juge.

Il ne put supporter longtemps cette situation. Traversant la salle, il s'interposa entre eux, s'excusa auprès de l'assistant, prit Lilah par le bras et la conduisit sur la terrasse. Il s'arrêta derrière un grand pot, espérant que personne ne les verrait de l'intérieur. Quelles étaient ses intentions ? voulait-il lui demander. Mais au fond, il les connaissait déjà. Elle avait l'intention de le rendre fou.

Elle leva les yeux vers lui, et il ne fut plus sûr de pouvoir articuler une parole. Ce maudit petit bout de dentelle lui tournait la tête.

— Fallait-il vraiment que vous portiez ce… vêtement ? demanda-t-il. Sachant que j'assisterais à la soirée ?

— C'est un tailleur, dit-elle en le regardant froidement. Je l'ai acheté parce qu'Eleanor m'a indiqué que toutes les femmes en porteraient un.

— Vous savez de quoi je parle, Lilah. Ça, ajouta-t-il en montrant du doigt le caraco de dentelle.

Il avait eu l'intention de le montrer du doigt, mais, au lieu de cela, il le toucha. Juste au creux entre les seins.

Le souffle coupé, elle sentit sa poitrine se soulever et s'affaisser sous son tailleur.

— La veste s'est révélée trop échancrée. Je ne voulais pas être indécente au milieu d'une telle assemblée.

Il avait une furieuse envie de la prendre par les bras et de la secouer. Et une aussi furieuse envie de la déshabiller avec ses dents. Il n'était pourtant pas homme à malmener une femme. Mais là… il avait envie de la faire basculer par-dessus son épaule pour la conduire dans sa voiture et la soustraire à cette réunion. Ça lui éviterait peut-être de commettre ici quelque chose d'irréparable.

Penché vers elle, il lui murmura à l'oreille :

— Vous savez aussi bien que moi ce que vous êtes en train de faire. Alors arrêtez.

— Qu'attendez-vous de moi ? Que je quitte la ville ? le pays ? l'univers, peut-être ?

— Je veux que vous cessiez de porter ce ridicule morceau de dentelle quand je suis susceptible de le voir.

Elle le gratifia d'un sourire qui le mit sur les dents. Elle se mit à déboutonner sa veste, révélant une portion plus vaste du caraco de dentelle.

Il sentit la sueur perler à son front.

— Bon sang ! Que faites-vous encore ?

— Vous me dites que vous ne voulez plus que je porte ce caraco. Donc je l'enlève.

Les quatre boutons de son tailleur défaits, elle fit glisser la veste le long de ses épaules et se retrouva vêtue de ce caraco affriolant, qu'il n'avait jamais vu sur elle.

Deux fines bretelles mettaient en valeur la blancheur ivoire de ses épaules et la peau laiteuse de son décolleté parsemé de quelques grains de beauté. La dentelle ne dissimulait que le bout de ses seins.

Il s'apprêtait à la supplier. Mais à quoi bon ? Il l'avait déjà priée de cesser de le tourmenter. Et voilà le résultat.

Elle croisa ses bras derrière son dos, et il comprit aussitôt. Elle défaisait la fermeture de sa jupe, qui tomberait bientôt à ses pieds. De toute évidence, elle ne portait pas de soutien-gorge. Aussi, si son intention était de lui obéir en tout point et d'enlever ce maudit sous-vêtement, elle se retrouverait nue devant lui, en culotte et talons aiguilles.

Dieu fasse qu'elle porte une culotte…

Etait-il maudit ? Il n'y avait pas d'autre explication. En désespoir de cause, il la cacha de son propre corps, espérant que personne ne les voyait à travers l'arbuste en pot. Puis il attrapa à deux mains la jupe de Lilah et la lui maintint sur les hanches. Il ne voulait surtout pas la toucher, pas au moment où elle enlevait ses vêtements. Mais que faire d'autre ? C'était soit s'agripper à la jupe pour la maintenir en place, soit laisser cette femme insupportable se déshabiller. Et ça, il ne le pouvait pas.

— J'abandonne, dit-il. Je ferai ce que vous voulez. Dites-moi ce que vous attendez de moi.

Il baissait les armes, reconnaissait son pouvoir sur lui. D'un côté, il était même heureux de ne plus lutter.

— Vous disiez que vous vouliez que j'enlève ce caraco, et je m'apprêtais à le faire…

— Arrêtez, Lilah. Vous gagnez. J'abandonne, je viens de vous le dire. Que voulez-vous de plus ?

— Eh bien… je croyais vous vouloir. Mais vous

m'avez refusée… J'ai juste voulu me prouver que je pouvais vous contraindre à me désirer…

Ashe jura entre ses dents.

— Vous désirer n'a jamais été le problème, dit-il d'une voix basse. Vous le savez bien.

Elle cessa d'essayer d'enlever sa jupe, et laissa Ashe la lui maintenir en place. Puis elle posa ses mains sur son torse et le regarda au fond des yeux.

— Maintenant, je ne sais plus vraiment ce que je veux, reconnut-elle. Mais ce que nous vivons en ce moment me satisfait pleinement. On dirait que votre tête va exploser.

Se hissant sur la pointe des pieds, elle déposa un petit baiser sur sa joue. Puis elle rattacha sa jupe, remit sa veste, la boutonna et s'éloigna sans se retourner.

Transformé en statue, il la suivit du regard jusqu'à ce qu'elle se perde parmi les invités.

— Tu as fait quoi ? s'exclama Sybil, plus tard dans la soirée, en avalant une gorgée de champagne.

— Je me suis déshabillée, sur la terrasse, derrière une plante géante, expliqua Lilah, toute fière. Ashe me disait qu'il ne voulait pas que je porte en sa présence le caraco que j'avais acheté chez toi. Alors j'ai fait semblant de l'enlever sur-le-champ.

Elles se mirent à rire comme des adolescentes.

— Comment a-t-il réagi ? demanda Sybil.

— Il a failli avoir une crise cardiaque ! Il s'est accroché à ma jupe pour m'empêcher de l'enlever.

— Bien fait pour lui ! Ça fait sûrement trop longtemps qu'il agit à sa guise avec les femmes. Il était temps que quelqu'un lui résiste.

— Je me sentais à la fois coquine et puissante ! Toute femme devrait éprouver cette sensation, un jour ou l'autre. Mais je ne sais toujours pas quelle suite donner, avec lui.

— Il peut attendre ! Ça lui fera les pieds !

— D'accord avec toi !

— Tu le veux de toutes tes forces, à mon avis. Mais, pour une raison que j'ignore, tu ne te le permets pas. Pense qu'avec lui, tu te fais un beau cadeau à toi-même. Ton ex était un pauvre type, tu mérites une petite récréation. Même s'il doit être bien plus qu'une petite récréation !

Toutes deux pouffèrent.

— Il sera temps plus tard de penser à la direction générale que tu veux donner à ta vie, acheva Sybil.

Tout cela était au goût de Lilah. Mais en était-elle capable ?

— Il faut qu'il y ait un premier homme après ton divorce, affirma Sybil. Et tu sais très bien qui tu as envie que ce soit.

Vrai ! reconnut Lilah en son for intérieur. Tout à l'heure, elle avait adoré déstabiliser Ashe. Renouveler l'expérience ne lui déplairait pas. Sybil avait-elle raison ? Devait-elle considérer le juge comme un cadeau à s'offrir et se donner tous les moyens d'y parvenir ?

- 10 -

La semaine suivante, Lilah emmena sa classe dans la boutique de lingerie, où elles burent trois bouteilles de champagne et mangèrent trois douzaines de truffes en chocolat. Peu à peu, à mesure que leurs inhibitions tombaient, elles essayèrent tous les modèles du magasin. Chacune défila devant les autres. Tout le monde, y compris Lilah, s'amusa beaucoup.

Se sentir belle, leur avait affirmé Sybil, était la seule façon d'être belle. A partir de maintenant, avaient-elles décidé ensemble, elles feraient de leur mieux pour se sentir désirables.

La sortie s'acheva par un dîner au petit restaurant du coin. Au milieu d'éclats de rire et de quelques larmes, elles parlèrent de leur vie amoureuse depuis leurs différentes ruptures. Pour la plupart, la situation n'était guère encourageante. Plusieurs avaient déjà recouché avec leur ex. Les autres doutaient de pouvoir ressortir avec un homme ni d'avoir une sexualité épanouie. Mais toutes trouvaient beaucoup de réconfort dans la présence de chacune et dans les cours de Lilah.

Celle-ci se dirigeait vers sa voiture quand des pas résonnèrent derrière elle. Elle prit peur : une des femmes du groupe était harcelée par son ex-mari, un homme violent et obstiné.

Elle jeta un regard à la ronde. La rue était déserte. Elle s'arrêta sous un réverbère et se tourna résolument, prête à affronter le danger.

Ashe s'avançait vers elle.

Soulagée, elle souffla profondément.

Il lui lança un regard intense et balaya la rue déserte des yeux.

— Je vous ai fait peur ?

— Pas du tout !

Il ne la crut pas.

— Votre crainte est-elle en rapport avec la femme pour laquelle vous m'avez demandé le nom d'un policier psychologue ? s'enquit-il. Son ex vous cause des problèmes ?

— Non.

L'homme ne lui avait rien fait, à elle. Mais Erica avait cru remarquer une ou deux fois qu'il la suivait.

— Bon sang, Lilah ! Je vous ai déjà dit qu'il était dangereux pour vous de vous impliquer dans ce genre d'affaires !

— Je le sais ! Mais Erica est venue vers moi pour que je l'aide, et je ne veux pas lui tourner le dos. Je me suis déjà trouvée dans des situations semblables.

— Ça ne me rassure pas pour autant, soupira-t-il.

Son attention fut soudain attirée par le sac que portait Lilah.

— Vous avez encore fait des courses ? demanda-t-il.

— Sortie de classe, répondit-elle, laconique.

— Vous avez emmené la classe entière dans ce magasin de lingerie ?

— Un vrai succès ! Nous avons dépensé une fortune,

mais nous nous sommes bien amusées. Et nous avons de belles choses nouvelles à porter.

A qui dévoilerait-elle ces dessous tout neufs ? Elle le laissa conjecturer sur ce point.

— Comment allez-vous ? lui demanda-t-elle. Vous rentrez chez vous ?

Il opina de la tête.

Que dire d'autre ? Gênés, ils demeurèrent immobiles l'un en face de l'autre.

Lilah chercha comment poursuivre la conversation.

— Eleanor m'a dit que la collecte de fonds s'était bien déroulée, dit-elle enfin.

— En effet. Elle excelle dans l'art de réunir des invités et de leur faire sortir leur chéquier ! En fait, si je pouvais lui confier la responsabilité entière de ma réélection, je le ferais. Ça m'enlèverait un poids énorme.

Elle acquiesça, puis se lança timidement :

— Je… je regrette de m'être… presque déshabillée sur la terrasse.

— Vraiment ?

— Un peu… Je ne cherche pas du tout à vous mettre en difficulté, vous savez. Je sais que votre job est très important pour vous… mais parfois vous me désapprouvez tellement que je cherche à vous… comment dire… à vous provoquer, à vous secouer un peu…

— C'est réussi, reconnut-il.

— Sur le moment, j'y ai pris plaisir… mais maintenant je sais que j'ai exagéré.

Il se tenait devant elle dans la pénombre, un peu énigmatique. Que pensait-il ? Elle n'aurait su le dire.

— Euh… Eleanor dit que vous manifestez peu d'enthousiasme pour votre campagne électorale…

— Je n'aime pas faire campagne. Je souhaite juste pouvoir faire mon travail et… faire en sorte que vous ne me manquiez pas. Je ne veux pas que vous me manquiez.

— Pourquoi vous manquerais-je ? Vous savez exactement où je suis.

Sa propre audace plut à Lilah. Résultat de plusieurs flûtes de champagne et de la lingerie dans son sac.

Ashe se balança sur ses talons :

— Vous me prenez pour un idiot, n'est-ce pas ? Vous avez raison. C'est à peu près l'analyse que je fais de moi.

— Vous êtes très têtu. Vous avez décidé une fois pour toutes que je suis une source d'ennuis pour vous, et que rien ne serait simple entre nous. Eh bien, vous avez tort. Mais je ne risque pas de vous supplier de me mettre dans votre lit.

— Qu'allez-vous faire ? demanda-t-il d'un air sombre.

— Je vais continuer ma vie, répliqua-t-elle en se redressant. Et je vais essayer de ne pas faire les erreurs que certaines femmes de mon atelier commettent.

— Quelles sortes d'erreurs ?

— La plus commune consiste à recoucher avec son ex. Beaucoup d'entre elles se sentent tellement solitaires qu'elles le font. Pour ma part, solitaire ou pas, je n'en arriverai jamais là.

— Vous n'en aurez pas besoin. Vous êtes très belle, Lilah.

— Merci. Mais la situation générale n'est pas

encourageante. Statistiquement, les hommes choisissent des femmes de douze ans leur cadette. Le monde est injuste.

— J'entends dire que c'est la mode, ces temps-ci, pour les femmes de sortir avec des hommes beaucoup plus jeunes qu'elles.

— Pas si répandu que ça. Au fait, je ne vous ai jamais demandé votre âge ?

— Trente-huit ans.

Un homme magnifique de trente-huit ans, songea-t-elle.

— Et vous ne me demandez pas le mien ?

— Ce genre de question ne se pose pas.

— J'ai trente et un ans.

— Nous ne correspondons donc pas au cliché.

En aucun cas, songea-t-elle. Lui était homme à refuser de faire l'amour avec une femme. Même sans aucun engagement.

— Si je comprends bien, vous vous remettez sur le marché de la séduction ? demanda-t-il.

Elle opina de la tête et s'enquit :

— Vous avez des conseils à me donner ?

Il haussa les épaules avec désinvolture.

— Au risque de vous mettre de nouveau en colère, je vous conseillerais de vous tenir à l'écart des hommes récemment divorcés. Soyez prudente, Lilah. Ne permettez à personne de vous blesser.

Le conseil lui fit l'effet d'un uppercut. Ashe était un homme bon, et il lui manquait. Il lui manquait tant qu'elle en ressentait une douleur physique en cet instant même. Elle avait envie de parler, de rire, de flirter avec lui, de l'embrasser. Elle le savait, l'homme qu'elle rencontrerait un jour ou l'autre ne souffrirait pas la comparaison avec lui.

Quelle conclusion en tirer ?

— Vous me manquez aussi, reconnut-elle.

Pris de court, il fut incapable de dire quoi que ce soit.

Qu'avait-elle à perdre, sinon un peu de sa dignité ? se demanda-t-elle. Forte de cette pensée, elle fit un pas vers lui, se hissa sur la pointe des pieds et lui effleura la bouche de ses lèvres.

Un baiser doux, lent, qui n'en finissait pas. Elle entrouvrit la bouche et lui mordilla les lèvres.

Avec un long gémissement, il posa ses mains sur ses hanches et l'attira contre lui. Son corps était fort et dur, parcouru d'une brûlante chaleur.

Il marmonna quelques mots avant de glisser sa langue dans sa bouche. Sans interrompre leur baiser, il la plaqua contre le mur de brique et colla son corps contre le sien.

Le corps en émoi, elle s'accrocha à lui. En cet instant, elle sut qu'il pourrait faire d'elle ce qu'il souhaitait. Elle laissa courir ses mains le long de son dos, depuis sa nuque puissante, ses épaules larges, son buste, ses hanches. Dieu qu'il était beau et fort…

De sa bouche, Ashe traça un sillon enfiévré le long de sa joue, de son cou, de ses seins. Ses lèvres s'emparèrent d'un mamelon à travers l'étoffe de son vêtement. D'une main hâtive, il souleva le chemisier qui le séparait de sa peau délicate et commença à sucer son sein.

C'était divin. Elle enfouit ses doigts dans ses cheveux, se pressa davantage contre lui et noua ses jambes autour de sa taille. S'ils n'y prenaient garde, il allait tirer la fermeture Eclair de son pantalon, baisser sa culotte et la prendre dans cette ruelle.

Elle se mit à rire, heureuse et libre, pleine d'audace. Ils haletaient tous les deux, dans la pénombre qui les isolait comme dans une bulle.

Puis sa bouche ralentit la caresse sur son sein. La fougue laissa place à un désir plus posé. Que se passait-il ? Un instant, elle eut la tentation de prendre les choses en mains. Mais ils se trouvaient au centre-ville. A cette heure-ci, le calme y régnait ; pourtant, les rues n'étaient pas désertées. Si quelqu'un les découvrait et reconnaissait le juge…

— Nous devrions arrêter, dit-il, sa bouche toujours sur le mamelon de Lilah.

— Comme tu veux…

— Non, pas comme je veux, protesta-t-il d'une voix où la colère perçait de nouveau. Est-ce que tu essaies de me rendre fou ? Si c'est ton but, tu réussis à la perfection.

Alors, il l'embrassa à pleine bouche et elle lui rendit son baiser avec la même violence.

Quand il releva enfin la tête et la reposa par terre, il avait l'air défait.

— Je ne comprends pas, dit-il. Tu es comme ça avec tous les hommes ?

Lilah blêmit.

— Depuis mon divorce, je ne suis sortie avec aucun homme. Et avant mon mariage, j'en ai connu très peu. Donc, non, je ne suis pas comme ça avec tous les hommes !

Une colère montait en elle. Elle se sentait insultée.

— Qu'ai-je donc encore fait de mal ? demanda-t-elle, intriguée. Devrais-je faire semblant de ne pas te désirer ? Devrais-je te rejeter ? Ou bien dois-je t'en faire baver encore un peu avant que tu obtiennes ce qui te fait manifestement tellement envie ?

Ashe haletait toujours. Il relâcha cependant son étreinte.

— Ça n'a aucune importance, déclara-t-elle en le repoussant.

D'un pas énergique, elle se dirigea vers la rue principale et sa voiture.

— Lilah, attends ! cria-t-il dans sa direction.

Elle continua à marcher. Il la suivit jusqu'à sa voiture. Quand elle sortit les clés de son sac, il tendit la main vers elle pour l'arrêter.

Courroucée, elle se tourna vers lui.

Il paraissait incapable de parler. Enfin, il ouvrit la bouche.

— Je suis désolé, déclara-t-il platement.

— J'en étais sûre…

Elle s'installa derrière le volant et démarra.

Ashe attendit trois jours entiers avant de consulter Wyatt.

— Tu me trouves idiot, n'est-ce pas ? demanda-t-il.

Wyatt éclata de rire.

— Nous le sommes tous, parfois, répondit son ami. Surtout à propos des femmes.

— Je n'arrête pas de penser à elle.

— Ce n'est pas grave ! Je sais que tu observes des règles précises pour toutes ces choses-là. Mais tu n'es pas toujours obligé de les appliquer.

Ashe secoua la tête. Ce n'était pas aussi simple que

ça. Oublier les règles ? S'il avait des règles de conduite, c'était pour une bonne raison. Elles lui facilitaient la vie. Elles lui permettaient d'éviter les complications et les erreurs. Car il détestait les complications. Quant aux erreurs, il les avait aussi en horreur.

Mais il voulait Lilah.

— Réfléchis à ce que je te dis, conseilla Wyatt avec un grand sourire.

— Je ne suis pas très doué pour transgresser les règles, surtout celles que je m'impose. Nous sommes des hommes de loi, que diable ! Notre vie entière tourne autour des règles.

Wyatt haussa les épaules.

— Ecoute, vieux. Personne ne va venir t'arrêter parce que tu ne respectes pas tes propres règles ! Personne ne le saura, pour commencer !

En somme, il pouvait avoir Lilah, songea Ashe. Il pouvait l'avoir quand il voulait, à condition qu'elle ne soit plus en colère contre lui. Et, même si elle lui en voulait encore, il se faisait fort de lui faire oublier ses rancœurs. De cela, il était certain.

— Arrête de trop penser, lui enjoignit son ami. Ne t'en fais pas, sois bien avec elle, c'est tout. Tu peux même être heureux !

Serait-ce aussi simple que ça ? Ashe ne parvenait pas à y croire.

— Qu'est-ce que je fais ? demanda-t-il. Je lui dis que j'ai changé d'avis ?

— Tu trouveras quoi faire, le moment venu, répliqua Wyatt sur un ton bon enfant. Et puis, il faudrait aussi te concentrer sur ce que tu as à faire, si tu comptes être réélu.

— Je sais… En fait, j'ai embauché pour ma campagne une personne que m'a conseillée Eleanor. Mais je n'ai pas fait grand-chose d'autre, à part me tenir éloigné de Lilah.

— Pas besoin de vivre comme un moine pour être réélu ! remarqua Wyatt. Contente-toi de ne pas prendre des allures de play-boy, ça suffira.

— Cette femme est tellement imprévisible… Mais je ne peux pas lui demander de changer pour moi. Son ex-mari le lui a demandé, et je veux agir différemment. Et puis… je ne veux pas la mettre en danger, prendre le risque qu'un de mes adversaires l'utilise dans le but de me nuire. Elle mérite mieux que ça. Et si je me tiens à l'écart d'elle, c'est aussi pour d'autres raisons.

Il repassa dans sa tête ses différents arguments. Elle était vulnérable, ne savait pas vraiment où elle en était, ce qu'elle voulait, et avait tendance à le rendre fou. Dans ce cas, pourquoi ne pas la chasser de son esprit ? D'ordinaire, il se comportait en homme rationnel et discipliné, qui faisait toujours le bon choix.

Qu'y avait-il de si différent dans la situation actuelle ?

La seule différence, c'était elle. Jamais auparavant il n'avait jugé une femme irrésistible. Des maîtresses, il en avait eu. Beaucoup. Mais sans jamais s'engager dans des relations désastreuses. Après son divorce, il s'était comporté de manière très avisée avec les femmes. Ce n'était certainement pas le moment de changer d'attitude.

Oui mais… Lilah était si sexy, si vivante, audacieuse et insouciante, intelligente et généreuse à la fois. Surtout, tellement sexy… Elle était encore déstabilisée par son mariage raté et son divorce, il en était certain. Si elle aidait d'autres femmes à surmonter leur divorce, c'était sans doute pour se forcer à mettre derrière elle son passé. Très généreux et intelligent de sa part. Du Lilah tout craché.

Il avait le plus grand mal à se concentrer sur son travail, ce qui ne lui était jamais arrivé auparavant. Chez lui, il ne trouvait plus ni paix ni sérénité. Il s'attendait à ce qu'Eleanor le convoque au domaine. Elle voudrait savoir pourquoi il ne remplissait pas sa part de leur contrat, pourquoi il ne mettait pas Lilah dans son lit. A ce moment-là, il serait bien obligé de lui dire qu'on n'achète pas un juge, que c'était contre la loi.

En résumé, sa vie jusqu'à maintenant raisonnable, logique et rassurante sombrait dans le chaos. Et la seule chose dont il avait envie rendrait sa vie encore plus chaotique.

La seule chose dont il avait envie, c'était mettre Lilah dans son lit.

- 11 -

La vie d'Ashe devenait intenable. Son existence autrefois ordonnée et paisible avait basculé dans un chaos qui tournait autour de Lilah. Il pensait à elle jour et nuit, la désirait, passait une partie de son temps à redouter ce qu'elle et ses dangereuses amies concoctaient pour le déstabiliser davantage encore. Elle avait envahi jusqu'à sa maison, où elle n'avait pourtant séjourné que peu de temps. Il la revoyait dans son salon, sentait le goût de sa peau, son odeur.

Il y avait urgence à changer le cours des choses. En conséquence, un après-midi de la semaine suivante, il se rendit chez Eleanor après son travail.

S'armant de courage pour le cas où il rencontrerait Lilah, il sortit de sa voiture et se dirigea à grandes enjambées vers la porte latérale. A peine avait-il fait quelques pas qu'il entendit la voix de la jeune femme en provenance du petit jardin. Contournant la maison, il l'aperçut sur la pelouse. Munie de son appareil photo, elle évoluait autour d'une jeune fille. Au moins cette fois-ci son modèle était-il vêtu ! Subjugué, il observa la scène un moment. D'une voix gaie et claire, elle incitait la jeune fille à sourire, à se comporter avec insouciance, elle la faisait rire.

Il eut une soudaine fulgurance : Lilah rendait les

gens heureux. Même lui, lorsque le désir ou l'agacement ne l'aveuglaient pas, se sentait heureux en sa compagnie. Il ne parvenait pas à quitter des yeux le modèle et la photographe. A quoi cette nouvelle photo servirait-elle ?

Quelques instants plus tard, Eleanor s'avança vers lui et lui demanda :

— Monsieur le juge, que me vaut l'honneur de votre visite ?

Comme si elle ne le savait pas !

— Je voulais échanger quelques mots avec Lilah, répondit-il. Mais elle a l'air très occupée. Savez-vous combien de temps va durer la séance ?

— Je suppose qu'elle en aura bientôt terminé. Elle donne un cours ce soir, et les participantes ne vont pas tarder à arriver.

Il opina de la tête. C'était mieux ainsi. De toute façon, que lui aurait-il dit, si elle avait eu du temps à lui consacrer ?

— Dans ce cas, je lui parlerai une autre fois, dit-il. Je ne veux pas interrompre le déroulement de sa séance de photos. Quel sera le thème du cours de ce soir ?

— La séance photo n'a pas de rapport avec son cours. Elle rend juste un service à… Eh bien, je croyais que c'était pour vous. Vous ne reconnaissez pas la jeune fille ?

— Non, répondit Ashe, les sourcils froncés.

Quelque chose dans la jeune fille lui était familier. Cependant, il ne la remettait pas. De plus, il n'avait demandé aucune faveur à Lilah.

— Mon Dieu, j'ai fait une gaffe ! s'exclama la vieille dame. Elle vous réservait peut-être une surprise ?

Ashe n'aimait pas les surprises. La simple idée de Lilah lui en concoctant une le stressait.

Comme si elle lisait en lui, Eleanor le tranquillisa :

— Ne vous inquiétez pas. Il s'agit de la jeune fille qui voulait quitter l'hôpital pour mourir chez elle. Vous vous en êtes occupé, je crois.

— Impossible, répliqua-t-il en examinant la jeune fille. Elle était chauve, pâle, avec de grands cernes sous les yeux. Elle semblait prête à s'écrouler d'un instant à l'autre.

Et maintenant, elle riait et flirtait avec l'appareil photo sur la pelouse. Elle était belle. Elle avait une abondante chevelure blond foncé, un joli visage illuminé de plaisir. Elle donnait tous les signes de bonne santé et de normalité.

— Je ne comprends pas, dit-il.

— Le mieux, c'est que Lilah vous explique elle-même, suggéra Eleanor en fronçant les sourcils. Voulez-vous que je lui dise de vous téléphoner après son cours ?

— Non merci. Je la contacterai moi-même.

Il rentra chez lui pour travailler, mais la curiosité et le désir brûlant de la voir le poussèrent à retourner au domaine à la fin du cours. Une des femmes qui partait lui indiqua que la classe s'était achevée autour d'un feu.

Autour d'un feu ?

Remontant la file des femmes qui s'en allaient, il tomba sur un feu de camp tout au bout du domaine. Lilah s'y trouvait seule. Adossée à un gros rocher, elle était assise sur une couverture et contemplait les flammes. En le voyant, elle parut surprise. Peut-être un peu heureuse, aussi ? crut-il remarquer.

Elle était belle. Ses cheveux frôlaient ses épaules en ondulations un peu folles. La lueur du feu y faisait rougeoyer des reflets roux. Elle portait un de ses petits hauts à fines bretelles dont elle avait le secret, et une ample jupe à fleurs. Avec ses pieds et ses bras nus, elle attirait le regard. Le simple fait de se trouver à quelques mètres d'elle le rendit ridiculement heureux.

— Quelle surprise ! dit-elle.

— Ceci en est une autre, répondit-il en montrant le feu. S'agit-il d'un de ces rites païens ancestraux ? Danses-tu nue sous la pleine lune ? S'agit-il d'une autre baliverne du même ordre ?

Elle eut un rire clair, qui exacerba son désir.

— Personne ne s'est déshabillé ce soir, et la lune ne sera pleine que dans une semaine. Cependant, j'adore la pleine lune, elle brille spécialement ici, en l'absence des lumières de la ville.

Il se tenait debout près d'elle.

— Si c'était la pleine lune, tu serais ici, si je comprends bien ? dit-il.

— Oui. Tu ne prends jamais le temps de l'admirer ?

— Dernièrement, la lune a été le cadet de mes soucis.

— Assieds-toi, dit-elle en tapotant la couverture près d'elle. La nuit est belle, je suis sûre que tu sauras l'apprécier. Tu ne fais jamais rien pour te détendre ?

Il veilla à ne pas s'installer trop près d'elle. Adossé au rocher, il leva la tête.

— Joli, reconnut-il.

Pleine aux trois quarts, la lune flottait bas dans le ciel, juste au-dessus des arbres. L'air nocturne était frais, le feu crépitait dans de joyeuses étincelles et dégageait une délicieuse odeur. Une splendide nuit d'automne.

— Je suis venu dans l'après-midi, et j'ai assisté à une partie de ta séance photo, dit-il au bout d'un moment. Eleanor m'a dit que la jeune fille s'appelait Wendy Marx. Que fais-tu avec elle ?

— Une faveur, tout simplement.

— Comment ça ?

— Après notre conversation à son sujet, j'ai beaucoup pensé à elle. Son envie d'avoir l'air normal me touchait.

— En quoi tout ça te concerne-t-il ?

— C'est une adolescente. Elle a envie d'être jolie, et je sais rendre les gens beaux. Je connais des maquilleurs, et Sybil et moi l'avons emmenée faire les magasins. J'ai une amie costumière qui m'a fourni une perruque de qualité. Dans le commerce on en trouve, mais à des prix prohibitifs pour une bourse modeste. Wendy adore celle que je lui ai procurée.

— Je ne l'ai même pas reconnue…

— Elle était belle, n'est-ce pas ? demanda Lilah avec un sourire radieux. Et très heureuse aussi. Elle connaît un garçon auquel elle voudrait plaire, mais c'était pour ses parents, aussi. A cause de son cancer, elle est chauve et pâle sur toutes les photos qu'ils ont prises d'elle ces trois dernières années. Elle voulait qu'ils aient une photo d'elle qui ne les rendrait pas tristes. Elle pensait peut-être aussi à la jeune fille qu'elle aurait pu être, si la maladie ne s'était pas abattue sur elle.

Lilah sourit à Ashe à travers les larmes qui perlaient à ses yeux.

— Tu t'es donné beaucoup de mal pour organiser tout ça.

— Quelques coups de fil ont suffi, plus une séance de photos, et un peu de shopping. Le plus long a été d'attendre la perruque. Mais une adolescente qui subit de telles souffrances mérite qu'on s'occupe d'elle. Je suis heureuse de l'avoir fait sourire, ne serait-ce qu'un tout petit moment.

Ashe sentit son cœur se gonfler d'admiration. Même si elle le rendait fou parfois, cette femme était généreuse, elle se donnait sans compter pour les autres.

— Tout cela te pose un problème ? demanda-t-elle.

— Non.

Il était honteux de l'avoir soupçonnée une nouvelle fois de le manipuler d'une manière ou d'une autre.

— Tu es sûr ? insista-t-elle. Si rien ne te tracassait, tu ne serais pas venu. Depuis quelque temps, nous sommes passés maîtres dans l'art de nous éviter.

Elle lui avait tant manqué…

— Eleanor a insinué que tu faisais tout cela pour me rendre service…

— Peut-être un peu, en effet, reconnut-elle. T'occuper de ce cas t'a donné du mal, et tu avais l'air malheureux de ne pouvoir faire davantage pour Wendy. A ce propos, elle te tresse des couronnes à longueur de journée. Elle raconte que tu l'as écoutée quand personne d'autre ne le faisait. Et tu as su convaincre ses parents d'accepter sa volonté de mourir chez elle. Un parcours sans faute.

Ashe aurait aimé la croire, mais c'était difficile. On pouvait si peu pour cette adolescente condamnée.

— Je reconnais que je pensais à toi en décidant de m'occuper de Wendy. Il m'a semblé que ça te rendrait heureux de la savoir heureuse.

Il ne savait que dire. Il s'était trompé du tout au tout. Cette femme n'essayait pas de s'immiscer dans sa vie. Elle tentait seulement de rendre heureuse une jeune fille malade et de faire qu'il se sente mieux dans cette situation éprouvante.

Devant son silence, Lilah demanda :

— J'ai eu tort de le faire ?

— Non, bien sûr que non !

— Alors, qu'est-ce qui ne va pas ?

— Rien. Je suis content que tu l'aies fait, c'est très gentil à toi et je t'en remercie.

— Tu ne me croyais pas capable de gentillesse ? Tu as l'air si gêné… Je suis sûre que quelque chose cloche.

Il hocha la tête en regardant la lune.

— J'ai juste été surpris… Mon travail n'est pas simple. On est seul avec ses questions, les décisions à prendre, les frustrations ressenties face à ce qu'on ne peut pas faire… L'histoire de Wendy a été très difficile. C'est comme si…

Comme si Lilah avait essayé de l'aider, de prendre soin de lui, en quelque sorte.

Il n'avait pas l'habitude de se faire aider et n'en éprouvait d'ailleurs pas le besoin. Autonome et confiant dans sa capacité à résoudre les problèmes qui se présentaient, il se prenait très bien en charge tout seul.

Raison pour laquelle il trouvait étrange et inhabituel

que quelqu'un ait envie d'aplanir un peu pour lui les difficultés. Il en éprouvait un profond sentiment de plénitude. Certes, Lilah se montrait parfois problématique et trop insouciante, mais au moins n'était-elle pas exigeante. Elle était même surprenante, amusante et, à bien y réfléchir, attentionnée et généreuse.

Que faire de cette découverte ?

— Je suis content que tu te sois occupée de cette gamine, répéta-t-il. Tu as fait du bon boulot.

Elle lui décocha un grand sourire.

— C'est parfait, dans ce cas. Nous avons tous passé de bons moments avec elle. Wendy est adorable et intelligente.

Il acquiesça. Ensuite, il ne trouva plus rien à dire. Il avait simplement envie de rester assis sur cette couverture et d'admirer la lune avec Lilah, en cette belle nuit d'automne. A dire vrai, il avait bien d'autres envies, comme toujours en sa présence.

— Je ne cesse de penser à toi, avoua-t-il tout de go.

— Mais… c'est horrible, ça ! répliqua-t-elle avec un grand sourire.

— Ce n'est pas facile. Wyatt me dit que je me débrouille comme un idiot.

— Il dit ça ? Je l'adore, ce garçon ! Devons-nous continuer à respecter tes règles tordues ?

Ashe acquiesça.

— Tu ne les brises jamais ?

— Non, dit-il.

Puis il se mit à rire. C'était si bon de rire. Surtout en compagnie de Lilah. Elle le faisait rire plus que tout le monde. Sauf quand il s'imaginait la prendre contre un mur en plein cœur de la ville.

— Tu ne penses jamais que tu pourrais avoir tort, en ce qui concerne notre relation ?

— Il paraît que mon principal défaut est de toujours croire que j'ai raison, avoua-t-il.

En l'occurrence, que se passerait-il s'il renonçait à ses règles ? S'il reconnaissait que cette femme pouvait changer sa vie en profondeur ?

Mais d'autres pensées, plus pressantes, l'envahissaient, comme le désir intense de la toucher, de l'embrasser, de la serrer contre lui, et même de la dénuder pour la prendre sous la lune.

Bon sang ! Bondissant sur ses pieds, il dit en hâte :

— Je dois partir.

— Bien sûr, répondit-elle avec une certaine amertume. Pas question de faire des choses que tu regretterais plus tard.

— Je te raccompagne jusqu'à la maison ?

— Non merci. Je vais profiter encore un peu de la nuit.

— Encore merci pour ce que tu as fait pour Wendy, dit-il en hochant la tête.

— Ça a été un plaisir pour moi.

Il tourna les talons et s'éloigna sans l'avoir touchée une seule fois.

Lilah fut sombre toute la semaine suivante.

Ses cours se passaient bien, les femmes inscrites à son cours progressaient psychologiquement. Eleanor et ses amies demeuraient envers elle d'adorables vieilles dames. Quant à elle, elle était redevenue une femme libre. Elle possédait même les papiers qui le prouvaient. Elle passait du bon temps avec Sybil et se réjouissait de voir à quel point Wendy Marx resplendissait sur les photos qu'elle avait prises d'elle. Seule fausse note, l'ex-mari d'Erica, dont la colère montait au fur et à mesure que la date de leur divorce approchait.

Mais Ashe lui manquait affreusement. Elle avait envie de le titiller jusqu'à ce qu'il n'y tienne plus et l'embrasse comme un fou. Sa frustration atteignait parfois un degré insupportable. Au point qu'un jour, elle demanda conseil à Eleanor.

— Que devrais-je faire ? Le chasser de mes pensées une fois pour toutes ?

— Je suis perplexe, reconnut sa cousine. Tout me semblait si facile, au départ. Il paraissait fou de toi. Mais il est têtu comme une mule.

— De temps en temps, il a l'air si seul, dit Lilah. On dirait qu'il ne se tient pas seulement à l'écart des femmes…

La vieille dame demeura un instant songeuse.

— Ça ne m'étonnerait pas, déclara-t-elle. Il n'a pas grandi sous les meilleurs auspices.

— Que veux-tu dire ?

— Il vaudrait mieux qu'il te le raconte lui-même. Ceux qui vivent ici depuis longtemps le savent, il n'a pas grandi dans un foyer très stable. En fait, c'est un homme qui s'est fait tout seul.

— Parfois, j'ai envie de le prendre dans mes bras et de le cajoler, dit Lilah. Son travail est ingrat, souvent pénible, et personne ne prend soin de lui quand il rentre le soir. Mon premier mariage m'a appris qu'il n'est pas bon de donner trop de soi-même pour rendre un homme heureux. Et pourtant, voilà que je recommence.

— Mon petit… Prendre soin d'un homme, c'est

une tâche exaltante, même si de nos jours elle semble démodée. S'attacher à un homme bon, qui vous aime en retour, c'est très différent de ce que tu as vécu au cours de ton mariage.

— Tu as tout à fait raison. Mon ex n'était pas un homme bon. Pas pour moi, en tout cas. Il ne prenait aucun soin de moi.

— Le juge Asheford, en revanche, est un homme très valable. Un homme digne qu'on l'attende, je dirais.

Lilah opina de la tête. Ashe était têtu, accroché à ses opinions, mais il était foncièrement bon.

— Que pourrais-je faire pour que la situation progresse entre lui et moi ? demanda-t-elle.

— Je vais en parler à Kathleen et à Gladdy. S'il en sort quelque chose, je te tiens au courant.

En d'autres circonstances, cette phrase aurait alarmé la jeune femme. Mais, dans sa recherche désespérée d'une solution, elle lançait les trois vieilles dames aux trousses d'Ashe, sans en éprouver le moindre remords.

Après sa longue journée de travail, Ashe rentra chez lui. La pleine lune scintillait au-dessus de la route. Il pensa à Lilah. Avait-elle allumé un feu de camp ? Contemplaient-ils la même lune, en cet instant même ? Il résista à l'impulsion de faire demi-tour pour se rendre au domaine. Elle serait si belle, sous la lune… Elle le lui avait déclaré à mots couverts, elle serait sienne quand il le voudrait.

Peut-être aurait-il fait demi-tour, au bout du compte, mais, quand il arriva chez lui, la voiture de Lilah était déjà garée dans son allée. Etrange. Elle n'était jamais venue ici par ses propres moyens. Il jeta un regard dans sa voiture. Rien. Il fit le tour de sa maison. Tout paraissait normal. Un juge ne pouvait se montrer trop prudent, par les temps qui couraient.

Puis il aperçut la jeune femme au fond du jardin, lovée dans une balancelle.

Elle portait une de ses longues jupes fleuries qu'elle affectionnait, et un haut tout simple à fines bretelles qui découvrait ses jolies épaules. Elle avait posé ses sandales à côté d'elle. Elle était décoiffée, et de grosses larmes coulaient de ses jolis yeux. Elle avait l'air de quelqu'un qui a beaucoup pleuré.

— Tu connais la nouvelle ? demanda-t-elle d'une voix brisée.

— Quelle nouvelle ? Que se passe-t-il ? Tu es blessée ?

Il s'assit à côté d'elle et repoussa d'une main douce les cheveux qui cachaient le visage de Lilah.

Comme elle ne répondait pas, il fut pris d'une peur panique.

— Lilah, tu me fais peur. Qu'y a-t-il ? Quelque chose est arrivé à Eleanor ?

— Non, c'est Wendy, répondit-elle d'une voix blanche. Elle est… partie. Hier. Eleanor l'a entendu de la bouche d'une personne qui travaille à l'hôpital.

Ashe reçut la nouvelle comme un choc.

— Wendy ? Ça fait à peine un mois qu'elle a demandé à rentrer chez elle. Les médecins lui donnaient beaucoup plus longtemps que ça.

Les larmes coulaient le long des joues de Lilah. Il les séchait du revers de sa main.

— Les médecins pensent qu'elle est morte sans souffrir, pendant son sommeil. Sa mère l'a découverte en venant la réveiller pour lui donner ses médicaments. C'est tellement triste…

Ashe ne parvenait pas à articuler un mot. Il prit Lilah dans ses bras et la tint serrée contre lui jusqu'à ce que ses larmes se tarissent. C'était comme si elle pleurait pour tous les deux, toutes ces larmes qu'il ne s'autorisait pas à verser.

Cette pauvre jeune fille malade, partie pour toujours ? Une fêlure soudaine s'ouvrait en lui, par laquelle tous ses sentiments s'échappaient. Impuissant, il restait assis là, serrant contre lui Lilah dont le cœur se brisait. Il respira profondément, avec calme, pour garder un contrôle minimum de lui. En vain. Son corps ne parvenait plus à canaliser ses émotions.

Lilah se lovait contre lui, le visage enfoui dans son cou, ses joues humides contre sa peau. Il la serrait de toutes ses forces, mais cela ne semblait pas suffisant. Rien ne paraissait en mesure de la consoler.

Tout à coup, faire que Lilah cesse de pleurer lui parut être la priorité absolue. Il ne supportait plus ses sanglots. Pour la calmer, il lui caressa les cheveux, le dos, essaya ses larmes du revers de la main. Il pressa sa joue contre sa joue mouillée de larmes.

— S'il te plaît, Lilah, ne pleure plus, supplia-t-il.

Un long frisson la parcourut.

— Excuse-moi, haleta-t-elle, je n'arrive pas à m'arrêter.

Elle tremblait comme une feuille, sa peau était froide, il ne parvenait pas à la réchauffer.

Tournant très légèrement la tête, il pressa sa bouche contre ses lèvres frémissantes, but ses larmes, les lécha de sa langue, lécha les larmes sur ses joues, sur ses yeux magnifiques.

— Ne pleure plus, suppliait-il, fou du désir de mettre fin à la douleur de cette femme exquise.

La réconforter, prendre soin d'elle, devenait une chose essentielle à ses yeux.

Il l'embrassa de nouveau, entrouvrit ses lèvres de sa langue, s'y fraya un passage. Un baiser doux mais déterminé. Il ne fallait pas qu'elle se sente seule, songea-t-il. Ni elle ni lui n'étaient seuls. Il ne la laisserait pas se morfondre de chagrin sans l'aider.

Au début, elle ne bougea pas, lovée contre lui, passive, le laissant agir à sa guise.

Une petite voix résonnait dans la tête d'Ashe, lui intimant d'arrêter. Ces mots s'adressaient-ils à lui ou à Lilah ? Il n'aurait su le dire, car ni l'un ni l'autre ne semblaient les entendre, ni les prendre en considération.

Il continuait à l'embrasser, à sécher ses larmes du bout des doigts, à laisser courir ses mains sur le corps voluptueux collé contre le sien, désireux de la réconforter, de faire cesser le tremblement incoercible qui la secouait.

Pour la distraire de sa douleur, il glissa ses mains sous son T-shirt et prit ses seins d'une douceur insoutenable. Abandonnant ses lèvres, sa bouche s'aventura le long de son cou, de ses seins, jusqu'à ses mamelons qu'il titilla du bout de sa langue, avant de l'aspirer de ses lèvres gourmandes.

Enfin, elle sembla lui prêter attention. Son corps s'arqua soudain contre le sien, et elle renversa la tête. Puis elle enfouit ses doigts dans sa chevelure et s'offrit à lui tout entière.

Il prenait son temps, savourant son goût, la douceur de sa peau, son grain lisse, son odeur, la caresse de ses cheveux défaits contre ses joues. Il percevait la fraîcheur de l'air, la clarté de la nuit qui les enveloppait, la quiétude de l'atmosphère, la solitude.

Il la saisit à la taille, la souleva un peu, lui écarta les cuisses et la fit basculer sur ses genoux.

Elle le chevauchait soudain, consciente de son érection sous son pantalon et de son propre désir. Elle ajusta son corps au sien. Chaleur contre chaleur, seul un peu d'étoffe les séparait.

D'un geste décidé, il lui enleva son haut et lécha ses seins ronds tel un homme affamé. Elle gémit, ses doigts enfouis dans ses cheveux. Ses hanches ondulaient au rythme ardent de son désir, plongeant son amant dans un plaisir sans borne.

Cette jouissance, il souhaitait la partager avec elle. Ses mains vagabondèrent le long de son corps, s'aventurèrent sous sa jupe, la soulevant d'abord jusqu'aux genoux, puis jusqu'aux cuisses, enfin jusqu'à la taille. Ses paumes se refermèrent sur ses cuisses fermes, caressèrent sa délicieuse peau nue.

L'espace d'un instant, il crut qu'elle ne portait pas de culotte. Seul un petit bout de dentelle minuscule le séparait du nirvana. Ne pas se presser, songea-t-il en relevant la tête pour regarder autour de lui. Ils se trouvaient au fond du jardin, séparés du reste du monde par un épais rideau d'arbres. Une intimité totale, jugea-t-il. Depuis des semaines, il se promenait avec un préservatif dans son portefeuille, comme le plus niais des écoliers, au cas où…

Le moment était venu. Cette fois-ci, il irait au bout.

Il fit rouler Lilah sur le dos sur la balancelle, et la débarrassa du string qui barrait son accès à la volupté.

Puis, agenouillé entre ses cuisses, il défit son ceinturon, abaissa la fermeture Eclair de son pantalon, qu'il enleva en même temps que son caleçon.

Il avait eu l'intention d'attraper en hâte un préservatif. Cependant, la vue du corps de Lilah étendu sous lui lui tourna la tête. Comment résister à ces cheveux longs étalés sur les coussins moelleux, ces yeux encore rougis de larmes, ces lèvres gonflées des baisers qu'il lui avait donnés, ces seins nus qui pointaient vers le ciel ? Sa jupe soulevée laissait voir ses jambes écartées, sa jolie toison rousse bouclée. Elle était si belle, si libre, si sauvage…

Il aurait voulu attendre encore avant de caresser ces poils si doux, mais sa patience atteignait ses limites. Il posa sa main sur le petit triangle soyeux et la caressa avec habileté. Sous ses doigts précis et fermes, elle se tordit et gémit, tendant son corps vers lui, exigeant toujours plus. Au prix d'un énorme effort sur lui-même, il n'accélérait pas la cadence, laissait Lilah supplier, murmurer son nom, se tordre. Enfin il lui donna ce qu'elle exigeait de tout son corps, de toute son âme, et enfonça en elle deux doigts.

Elle cria et il lui couvrit la bouche de ses lèvres pour assourdir le son de son plaisir.

— Bon sang, murmura-t-il entre ses dents.

Son sexe érigé, long et dur, palpitait près du sexe humide et brûlant de Lilah. Chaleur contre chaleur.

— Ne bouge pas, lui intima-t-il.

Sans l'écouter, elle bougea légèrement ses hanches

contre lui, les mains accrochées à ses épaules, ses lèvres cherchant les siennes.

Il aurait dû tout de suite le lui dire, il n'avait pas enfilé de préservatif.

Mais elle écarta les cuisses encore davantage, lui entoura la taille de ses jambes, arqua son ventre contre lui. Il n'avait pas eu l'intention de la pénétrer. Mais il se retrouva en elle. Profondément en elle.

Il grogna, tenta de se retenir. Mais elle était si parfaite… Son fourreau l'enserrait comme un gant très serré, doux et chaud. Elle n'avait pas dû faire l'amour depuis longtemps, songea-t-il dans une brume voluptueuse. Et cela l'enchanta.

La petite voix dans sa tête, qui le pressait d'arrêter, de se relever, de partir, il l'occultait. Il s'enfonça plus profondément en elle, une fois, deux fois, perdu dans des sensations exquises. Elle ondulait contre lui, s'arquait contre son corps tendu, exigeait toujours davantage.

Vaincu, il se laissa enfin aller, s'autorisa à la posséder totalement. Il se retirerait au dernier moment, décida-t-il confusément. C'était dangereux, mais sur le moment il ne trouva pas d'autre solution.

Le moment était si délicieusement bon… un plaisir aveuglant. Il ne sentait plus rien que la peau douce de Lilah, son corps ensorcelant, ses courbes voluptueuses, ses mains et sa bouche avides, sa chaleur humide.

Il laissa libre cours à son corps, le rythme de ses va-et-vient s'accéléra.

Elle sentit monter en elle un orgasme d'une puissance inédite, et elle se tordit en convulsions infinies, criant son nom, encore et encore.

Le plaisir montait en lui. Il voulait s'interrompre,

se retirer. Au moins pour la protéger, elle. Mais les douces mains de sa compagne lui enserraient les cuisses, le plaquant contre elle. Elle arqua contre lui son corps moiré de sueur, et il perdit toute velléité de responsabilité. Oubliant toute prudence, il laissa la jouissance le submerger, enfouit sa tête dans le cou de Lilah pour étouffer les sons qui s'échappaient de sa gorge. Son corps explosa, un raz-de-marée de sensations. Vague après vague, le plaisir déferla, jusqu'à ce qu'il retombe sur son corps, comblé, haletant, le cœur battant à cent à l'heure, incapable de rien d'autre que de se blottir entre les bras de cette femme délicieuse.

Quand elle rouvrit les yeux, Lilah sentit sur son corps nu l'air frais du matin. Elle avait froid d'un côté et éprouvait de l'autre une douce chaleur.

Elle était allongée sur Ashe, nue, sur la balancelle au fond du jardin. Etourdie. Epuisée. Heureuse.

Elle voulut relever la tête, mais la main d'Ashe vint se plaquer doucement sur ses seins ; de l'autre, il lui caressait légèrement la hanche.

Elle était comblée à en pleurer.

Ashe.

Mais la réalité la rattrapa aussitôt. Elle se sentit coupable. Comment pouvait-elle être si heureuse, alors que Wendy venait de mourir ? Et puis… Ashe avait fait l'amour avec elle pour la consoler. Le regretterait-il, au réveil ? Serait-il en colère ?

A cet instant, il ouvrit les yeux et lui lança un regard langoureux. Puis il cilla et prit conscience de l'endroit où ils se trouvaient.

— Tu as froid ? demanda-t-il d'un air inquiet.

— Pas vraiment…

Apercevant la jupe de Lilah par terre, il la ramassa et lui en recouvrit le corps. Puis il se redressa et enfila son pantalon, tandis qu'elle enroulait sa jupe longue autour d'elle.

Puis il la souleva dans ses bras et la transporta jusque dans la maison, traversa le salon et gagna sa chambre.

Sans allumer la lumière. Dans l'obscurité, Lilah eut l'impression que la chambre était bien rangée, quoique meublée de façon spartiate. Un beau fauteuil en cuir, une commode en merisier, deux tables de chevet et un immense lit recouvert d'un couvre-lit chamarré.

Comme il la déposait sur le lit, elle tourna la tête vers la salle de bains.

— Accorde-moi une minute.

Avec un sourire nerveux, elle referma la porte derrière elle.

Seule, elle se rinça la bouche, s'aspergea le visage d'eau fraîche et se contempla dans la glace. Elle avait les yeux gonflés, les cheveux emmêlés, sa jupe était tortillée autour d'elle.

— Qu'as-tu fait ? murmura-t-elle à son reflet.

Au bout de quelques minutes, elle s'obligea à retourner dans la chambre. Ashe lui parut anxieux, mille questions se lisaient au fond de ses yeux.

— Tu préfères que je parte ? s'enquit-elle.

— Non, répondit-il, la mâchoire serrée. Et toi ?

— Non…

Il posa ses deux mains sur ses épaules et attendit qu'elle lève les yeux vers lui.

— Dis-moi… tu prends la pilule ? Utilises-tu un moyen de contraception ?

Pas un instant cet aspect de la question ne l'avait effleurée.

— Oui, répondit-elle, ne t'inquiète pas. Et j'ai passé tous les tests après avoir découvert que mon ex me trompait. Je suis saine.

— Moi aussi, répondit-il, sans paraître soulagé pour autant.

Elle en fut surprise.

— Tu n'as pas… Je veux dire, nous n'avons pas…

— Non. Je suis désolé, Lilah, je suis impardonnable.

Comme elle le regardait sans rien dire, il poursuivit :

— Je sortais avec une femme, qui m'a quitté il y a six mois. Depuis, je n'ai… il n'y a eu personne. Et j'ai passé un examen médical complet il y a deux mois.

Lilah allait de surprise en surprise.

Six mois ? Pour un homme comme lui, cela équivalait à l'éternité. Pourtant, que savait-elle vraiment des hommes ? Elle qui était restée dix ans mariée à un homme qu'elle avait connu au sortir du lycée.

— Tu ne crains rien, assura-t-il.

— Je te crois.

Ils demeurèrent face à face, sans savoir que dire.

Enfin, il la prit par la main et proposa :

— Tu veux bien venir dans mon lit ?

Elle opina de la tête et le suivit. Il ouvrit les draps, l'aida à s'allonger et lui ôta sa jupe lentement, en la couvant des yeux. Son regard lui brûlait la peau, incendiait tout son corps.

Avec des gestes lents, il se déshabilla à son tour, s'allongea le long de cette femme si convoitée et la prit dans ses bras.

*
* *

Ashe s'éveilla le lendemain matin, allongé sur le côté, bras et jambes enroulés autour de Lilah, lovée contre sa poitrine. Etait-il devenu fou ?

Il roula sur le dos, assez près d'elle pour sentir sa chaleur, mais pas davantage. Elle protesta dans son sommeil, puis se retourna, le visage enfoui dans l'oreiller, et se rendormit.

Lève-toi et pars ! s'intima-t-il.

Rase-toi, prends une douche, et dehors !

Le mieux était de la laisser dans son lit, de lui préparer une cafetière chaude avec un petit mot lui expliquant que du travail l'attendait au tribunal.

Et surtout ne parler de rien d'autre.

Ni de ce qu'ils avaient fait, ni pourquoi ils l'avaient fait, ni de ce que cela signifiait. D'ailleurs, que signifiait cette nuit ?

Rien. Il n'avait pas eu l'intention d'avoir un rapport sexuel, mais c'était arrivé. Et… il avait envie de le refaire dès que possible. De nombreuses fois. Sans que cela veuille dire quoi que ce soit.

Ce semblant d'explication ne conviendrait sans doute pas à Lilah, songea-t-il. Ni à ses trois anges gardiens, même s'il avait exaucé leur vœu de ré-initier leur protégée aux relations amoureuses. D'abord, il avait oublié d'utiliser un préservatif. Ensuite, il avait omis de prévenir Lilah que tout ce qu'ils feraient ensemble ne signifiait rien. Grossière erreur, reconnut-il. Surtout pour un homme qu'on ne prenait jamais en défaut.

A son front perlaient de fines gouttes de sueur, comme après une cuite carabinée. S'en voulait-il d'avoir trop bien fait l'amour ? Ou de s'être comporté comme un idiot ?

Il quitta le lit et fit sa toilette. Tout en nouant sa cravate, il s'approcha du lit et la contempla. Elle était allongée sur le ventre, un pied dépassant du drap, son dos nu exposé.

L'envie le prit de s'asseoir sur le lit et de caresser ce dos magnifique, toute cette peau nue.

Décontenancé, il s'efforça de réfléchir. Que lui arrivait-il ? D'ordinaire, il savait s'y prendre dans ce type de situation. Pourquoi n'agissait-il pas selon ses règles habituelles ? Pourquoi lui accordait-il ses pensées ? Pourquoi la désirait-il de plus belle ? D'ordinaire, il serait parti travailler sans se retourner. Il y avait un moment pour tout. Et le moment était venu de travailler, non de penser au sexe.

Il finit par quitter la chambre, se prépara une tasse de café et lui laissa le reste de la cafetière au chaud.

Dans le jardin, il ramassa leurs vêtements, plaça les siens dans la corbeille de linge sale et plia ceux de Lilah avec soin, avant de les placer dans la salle de bains, avec des serviettes de toilette propres. Sur le lit, il déposa pour elle une sortie de bain en éponge épaisse.

Puis il songea au petit mot. Il lui fallait écrire un petit mot.

Il devait au moins lui laisser le code de l'alarme de la maison, pour qu'elle le compose avant de partir à son tour. Pouvait-il se contenter d'écrire : « Voici le code de l'alarme. Tape-le avant de partir » ? Non, impossible.

Il se mit en quête d'un crayon et d'un bloc-notes, et contempla la page blanche.

Merci.

Désolé, je n'avais pas l'intention de faire ça.

De retour à 18 h 30. Tu veux m'attendre ici ? On pourrait refaire l'amour.

Toutes ces pensées lui vinrent à l'esprit. Il les rejeta toutes.

En désespoir de cause, il opta pour :

On m'attend au tribunal. Fais comme chez toi. Installe l'alarme avant de partir, s'il te plaît. Le code : 63696. Ashe.

Il enverrait des fleurs, décida-t-il. Les femmes aimaient les fleurs. Lilah lui rappelait les fleurs sauvages, une brassée de fleurs colorées et folles. Ce genre de bouquet lui plairait sans doute. Mais, dans ce cas, il devrait joindre une carte. Et là, les choses se corseraient de nouveau. Que lui dire ?

Il tergiversait. Ne valait-il pas mieux téléphoner ? Mais le problème demeurait le même. Que dire, au bout du fil ? Cette satanée femme ne comprenait rien à ses règles, de toute façon. Ses explications ne serviraient à rien. De cela au moins il était sûr.

Pourquoi ne pas se tenir éloigné d'elle, tout simplement, sans le moindre mot d'explication ? L'idée lui déplut. Il n'était ni un goujat ni un grossier personnage. Il était seulement perdu, un peu dérouté.

Le temps pressant, il opta pour les fleurs. Il les commanderait par téléphone, à l'heure du déjeuner. D'ici là, il aurait peut-être trouvé quoi dire.

- 12 -

Pour rattraper son retard, Ashe avait projeté de rester au bureau toute la journée. Il déjeunerait rapidement d'un sandwich et téléphonerait à une fleuriste pendant sa pause.

Pourtant, quand l'heure du déjeuner arriva, il se sentit nerveux, impatient. Que faisait Lilah ? Comment prenait-elle tout ce qui s'était passé la nuit dernière entre eux ? Elle n'avait pas appelé. Il avait plusieurs fois vérifié son portable, consulté la messagerie vocale de son fixe et avait interrogé sa secrétaire. Rien.

Que lui dire ? Il n'en avait toujours pas la moindre idée. Même les quelques mots à coucher sur une carte de visite attachée à un bouquet de fleurs lui posaient problème.

Il décida de sortir. Traversant la rue, il se dirigea vers la fleuriste au coin de la rue. Il entra dans la boutique et contempla les fleurs d'un regard vide.

La fleuriste eut l'air surprise.

— Monsieur le juge ! s'exclama-t-elle. Il est bien rare de vous voir dans ma boutique. D'habitude, vous téléphonez pour votre commande…

Les mains enfoncées dans les poches de son pantalon, il éluda :

— La journée est belle…

— Que puis-je faire pour vous ?

— Avez-vous des fleurs sauvages ? Quelque chose de coloré et… de joyeux ?

Exubérant, aurait-il dit, s'il ne s'était pas imposé une certaine réserve. Quelque chose de gai. D'un peu osé, même.

— Elle aime les couleurs vives, finit-il par dire.

— Suivez-moi, dit la fleuriste en opinant de la tête.

Il choisit avec soin, en fonction de ce qu'il connaissait des goûts de Lilah. Puis la fleuriste lui tendit une carte, qu'il mit une éternité à remplir. Les formules tournoyaient dans sa tête, plus stupides les unes que les autres, à ses yeux.

Au moment de payer, il se souvint de Wendy Marx.

— J'ai besoin d'autre chose, dit-il. Pour une jeune fille de quinze ans.

— Pourquoi pas des roses ? Les jeunes filles rêvent qu'un garçon leur en offre. Pour quelqu'un de si jeune, je propose des roses parme.

— Ce sera parfait pour des obsèques, répliqua Ashe. Mais je ne sais pas où…

— C'est pour Wendy Marx ? devina la fleuriste. Nous avons déjà fait beaucoup de compositions pour elle. Ne vous inquiétez pas, elles arriveront à temps.

— Merci. Le service a lieu aujourd'hui ?

— A 17 heures, je crois.

Bon sang !

Lilah aimerait-elle s'y rendre ? Pas lui, en tout cas.

Elle irait seule, et reviendrait pleurer dans ses bras. Il la reconduirait dans son lit. Une nouvelle fois, ils s'entraideraient, pour oublier qu'une très jeune fille était morte et qu'eux n'avaient rien à faire ensemble.

Il se reprocha son cynisme, mais c'était la première chose à laquelle il avait pensé. Si Lilah avait beaucoup de chagrin, il pourrait profiter d'elle une fois encore. Cette pensée lui fit honte. Une femme pleurait, et il en profitait pour faire d'elle ce qu'il voulait ?

Il se trouva des excuses : de toute façon, elle se rendrait aux obsèques, qui la feraient pleurer. Ensuite, elle aurait besoin de quelqu'un pour la consoler. Qui, sinon lui ?

— Quelque chose d'autre ? s'enquit la fleuriste.

La voix le tira de ses pensées.

— C'est tout, merci, dit-il.

Il paya et quitta le magasin.

Lilah dormit tard. Puis elle quitta la maison d'Ashe, se précipita chez elle, pour en repartir aussi vite. Tout pour s'occuper et ne pas penser à Ashe.

Il l'avait surprise plus qu'elle n'aurait pu le dire.

D'abord, en s'autorisant enfin à lui faire l'amour, lui qui semblait si décidé à résister. Ensuite, parce qu'elle s'était attendue à ce qu'il se montre policé et un peu distant au lit. Or il avait agi en homme passionné et tendre à la fois, capable d'une sexualité débridée et pleine d'émotion. Le regretterait-il ? Il serait sans doute furieux de l'avoir laissée pénétrer son intimité.

Sans relâche, ses pensées la ramenaient à lui. A ses grandes mains chaudes et douces, qui devenaient par moments dures et exigeantes, n'hésitant pas à se servir à leur gré. A ses yeux sombres et à la tristesse de son beau visage, parfois. Son corps si puissant, ses cheveux si doux…

Elle se sentait à la fois étonnée et heureuse. Jamais

elle n'avait connu d'expérience sexuelle aussi intense. Même si cela déplaisait à Ashe.

Toutes ces pensées tournoyaient dans sa tête quand elle passa devant un fleuriste. Elle se souvint alors d'envoyer des fleurs aux obsèques de Wendy Marx.

A l'intérieur du magasin, une fleuriste composait un bouquet magnifique. Couleurs éclatantes, textures fragiles et gaies, qui lui firent penser à des fleurs sauvages.

— Elles sont splendides, dit-elle à la fleuriste.

— Merci, répondit celle-ci. Puis-je vous aider ?

— Je voudrais envoyer un bouquet pour Wendy Marx. Mais je déteste les fleurs funéraires, qui ont toujours l'air si morbides.

— Euh… vous êtes sûre de vouloir le faire ? s'enquit la fleuriste. Vous êtes bien Lilah Ryan, parente d'Eleanor Barrington ?

— En effet…

— Je le savais ! J'ai déjà fait de nombreux arrangements floraux pour le domaine. Le juge Asheford était ici tout à l'heure, et il a choisi un bouquet pour les obsèques de la jeune Marx.

— Et alors ?

— Il a signé de son nom et du vôtre la carte qui accompagnera la composition, répondit la fleuriste avec un sourire.

Les larmes montèrent aux yeux de Lilah à la vue des roses délicatement parme.

— Il est venu au magasin, ce qui ne lui arrive jamais, poursuivit la fleuriste. Il avait vraiment envie de choisir lui-même… et il vous a aussi envoyé des fleurs, ajouta-t-elle, les yeux rivés à ceux de sa cliente.

— Oh ! murmura Lilah.

Bien joué, Ashe…

A moins que ce ne soit une habitude, avant de quitter une femme ? songea-t-elle.

— Il a choisi chaque fleur une à une, reprit la fleuriste.

Une bouffée de plaisir envahit Lilah.

— Ecoutez, dit la fleuriste. Je n'ai jamais l'occasion de voir le visage des personnes qui reçoivent les compositions que je leur destine. Je serais heureuse de lire votre émotion sur votre visage en découvrant votre bouquet. Suivez-moi… Voici ce que le juge a choisi pour vous.

Bouche bée, Lilah contempla le bouquet.

Elles étaient parfaites, lui correspondaient en tout point. Toutes ces belles couleurs vibrantes, un peu sauvages.

Ashe la voyait telle qu'elle était.

Il la comprenait.

Il faisait attention à elle.

Elle en fut touchée au plus profond d'elle-même et se sentit au comble de la joie. Elle sourit et cilla pour refouler ses larmes. Décidément, la journée était riche en émotions inattendues.

— Voici la carte qui accompagne le bouquet, dit la fleuriste.

Les mains tremblantes, elle ouvrit l'enveloppe. D'une main ferme et sans complexe, Ashe avait écrit : « Elles m'ont fait penser à toi. Ashe. »

— Eh bien, dit Lilah, le souffle court, merci beaucoup, elles sont superbes.

*
* *

Bien qu'il n'en ait pas eu l'intention, Ashe se rendit au cimetière pour les obsèques de Wendy. Il y avait une foule immense. Il resta à l'arrière, dans l'espoir que les parents ne le remarquent pas. Sans doute étaient-ils encore en colère du soutien qu'il avait apporté à leur fille.

Sa place était ici, au milieu des autres. Néanmoins, il se sentait gêné et cherchait à faire abstraction des gens qui l'entouraient. Il se sentit soudain ridicule. Etait-il venu au cimetière par souci de bienséance ? Non. Alors à quoi rimaient ses pensées ridicules ?

Submergé d'émotions contradictoires, il avait la gorge serrée. Il n'était pas sûr de parvenir à les garder pour lui bien longtemps.

Tout à coup, au milieu de l'assemblée, il aperçut Lilah. Elle se frayait tranquillement un chemin vers lui.

Il sentit sa respiration se bloquer, et se raidit, sans savoir pourquoi. Les yeux rougis par les larmes, les cheveux flottant sur ses épaules, elle était triste et très belle, dans une large jupe aux motifs noirs et blancs et une petite veste noire cintrée.

Triste, sans doute, mais le visage empreint de bonté et d'espoir.

Elle s'arrêta à côté de lui et lui adressa un sourire tendre. Elle glissa sa main dans la sienne, qui y demeura toute la cérémonie. Le contact de sa main procura à Ashe un apaisement total.

Bien sûr, les émotions qu'il s'efforçait de contenir

continuaient à l'étouffer. Mais il n'était pas le seul dans cet état. Dans sa grande main, la main délicate de Lilah tressautait par moments, des larmes coulaient le long de ses joues, elle respirait difficilement. Elle aussi domptait à grand mal ses émotions.

« Qu'elle pleure », songeait-il. Cela soulagerait sa souffrance. Quel dommage qu'il ne puisse la prendre dans ses bras pour la bercer jusqu'à ce que ses larmes se tarissent.

Il lui serra la main plus fort et elle posa la tête contre son épaule. Le service religieux semblait interminable, tout le monde pleurait sans se cacher. Enterrer une jeune fille si jeune semblait presque contre nature. Toutes les personnes présentes en avaient le cœur lourd de chagrin.

Le service s'acheva enfin. En silence, tout le monde se dispersa peu à peu. Lilah demeurait dans la même position, la tête posée sur l'épaule d'Ashe. Au bout d'un moment, elle murmura :

— Merci d'avoir envoyé les fleurs de notre part à tous les deux.

— Comment le sais-tu ?

— Je suis allée chez la même fleuriste que toi. La patronne m'a expliqué que tu en avais déjà envoyé de notre part. La composition que tu as choisie est magnifique.

— La fleuriste m'a dit que toute jeune fille rêve qu'un garçon lui envoie un jour des fleurs. Tu crois que c'est arrivé à Wendy ?

Sans doute la question était-elle stupide, car Lilah eut un petit sanglot et détourna la tête. Imbécile qu'il était, il la faisait pleurer de nouveau. Il entoura la jeune femme de ses bras et l'attira contre lui, sans se soucier du qu'en-dira-t-on. Les gens piétinaient, peu désireux de se séparer, de rompre le flot d'émotions qui les unissait.

Il ferma les yeux. Une main dans les cheveux de Lilah, un bras passé autour d'elle, il aurait aimé avoir le pouvoir d'absorber ses larmes. Le pouvoir de la soulager de sa tristesse.

Le corps léger de Lilah tremblait contre le sien. Il essuyait ses larmes du revers de la main, au moment où Eleanor s'avança vers eux.

— Quelle terrible journée, marmonna-t-elle.

Lilah renifla et leva la tête en direction de sa cousine.

— Devons-nous partir maintenant ?

— Moi, je le dois, répondit la vieille dame. Mais monsieur le juge te raccompagnera peut-être plus tard, si tu veux rester ?

— Je repars avec toi, déclara Lilah.

Mais Ashe ne l'entendait pas de cette oreille. Sans même réfléchir à ce qu'il disait, il lui prit la main et dit à Eleanor :

— Je m'occupe d'elle, tout ira bien.

Lilah suivit Eleanor du regard, puis elle contempla sa main dans celle d'Ashe.

— Je n'étais pas sûre que tu serais au cimetière, expliqua-t-elle. Je n'avais pas la force de venir seule, mais je n'ai pas osé te téléphoner.

— Je n'avais pas l'intention de venir, reconnut-il. Mais, à la dernière minute, j'ai ressenti le besoin d'y aller.

— Tu as compté dans la vie de Wendy. Tu lui as

accordé ce qu'elle désirait, alors que personne d'autre ne l'y autorisait. Tu as pris la bonne décision au bon moment. Je suis sûre que tu fais presque toujours les bons choix.

— Pas la nuit dernière, en tout cas, répliqua-t-il avec une colère contenue.

Elle leva les yeux vers lui, rivant son regard au sien. Une ombre passa sur son visage. Elle lui lâcha la main et s'écarta de lui.

Jurant entre ses dents, il lui emboîta le pas.

— Attends ! Ce n'est pas ce que je voulais dire.

— Oh que si ! rétorqua-t-elle en faisant volte-face. Je me suis juré de ne pas me laisser bouleverser par ce que tu pourrais dire sur ce qui s'est passé entre nous hier. Si nous n'étions pas dans ce cimetière, ce que tu dis ne me ferait rien. Mais aujourd'hui, je suis trop émotive, à cause de la mort de Wendy.

Elle pivota sur ses talons et se remit à marcher. De nouveau, il lui emboîta le pas, la prit par le bras et l'escorta, non sans effort, vers sa voiture. Il ouvrit la porte passager.

— Je t'en prie, monte.

Elle gardait les yeux fixés au sol.

— Ecoute, tu n'as pas d'explication à me donner, déclara-t-elle enfin. Je craignais que tu réagisses ainsi, après la nuit dernière. Ce n'est pas grave. Je savais que tu ne voulais pas que ça arrive…

— Arrête ! Tu sais très bien que je te voulais autant que toi. J'aurais voulu ne pas te désirer, je ne le nie pas. Mais il semblerait que je sois incapable de m'en empêcher. Et tu le sais très bien.

Elle le fixait maintenant, à la fois têtue et blessée.

— S'il te plaît, monte dans la voiture, supplia-t-il.

Enfin, elle accepta.

Il ne restait plus qu'à trouver quoi lui dire quand ils arriveraient chez lui.

- 13 -

Lilah s'efforça de rester aussi calme que possible. Faire une scène, aucun des deux n'en avait la moindre envie, elle le savait.

Il passa devant le domaine d'Eleanor sans s'arrêter. Elle ne protesta pas. S'ils devaient avoir une explication, autant qu'elle se déroule en privé. Quelques minutes plus tard, ils pénétrèrent chez lui et se retrouvèrent bras ballants dans son salon.

Par la baie vitrée, elle aperçut la balancelle au fond du jardin. A la pensée de ce qu'il s'y était passé la veille, elle sentit ses joues s'empourprer. Ashe rougit aussi légèrement, puis se rembrunit.

— Je suis désolé, commença-t-il.

— J'aimerais que tu ne te sentes pas obligé de dire ça…

Il leva les mains au ciel, frustré.

— Mais si, je dois m'excuser.

— Pas du tout. Tu ne voulais pas faire l'amour avec moi, tu me l'avais dit très clairement. Je n'aurais pas dû…

— Non ! C'est moi. La seule chose que tu aies faite, c'est venir chez moi.

— C'était une erreur de ma part.

— Pas d'accord ! Tu étais triste, et je n'ai pas

supporté de te voir malheureuse. Je voulais juste que tu arrêtes de pleurer. Et alors… tu connais la suite.

— Je te le répète, nous n'avons pas besoin d'en parler. Je sais ce que tu ressens.

Elle se tut et attendit. Ils se regardaient sans bouger, méfiants, sérieux, tristes. Quelle journée horrible, songea-t-elle. Et leurs explications ne faisaient qu'empirer les choses. N'y avait-il pas mieux à faire ?

Timidement, elle avança de quelques pas et s'enhardit jusqu'à poser ses mains à plat sur son torse. Elle se hissa sur la pointe des pieds et déposa un baiser sur sa joue.

— Moi aussi, je déteste te voir triste, dit-elle.

Il la foudroya du regard, comme s'il ne voulait sous aucun prétexte qu'elle le touche. Mais sa colère n'était que faux-semblant. Il était en proie à une grande confusion, sous le coup d'émotions qu'il ne parvenait plus à contenir.

— Que fais-tu ? demanda-t-il enfin.

Elle lui offrait simplement un peu de réconfort, pensa-t-elle d'abord. Un petit baiser, les mains sur ses pectoraux, l'espace d'une minute. Pourtant, sa réaction lui redonna espoir. Hier, elle était venue chez lui parce que la pauvre Wendy les avait quittés. Eux étaient vivants, tristes et seuls. Et, quand ils sont tristes et seuls, les êtres humains s'autorisent des choses qu'ils ne feraient pas en temps ordinaire. Etait-ce si difficile à comprendre ? Ou si horrible ?

— Je fais ce que j'ai envie de faire, plutôt que me disputer avec toi.

— Tu aimes te disputer avec moi, répliqua-t-il.

— Parfois, peut-être. Mais pas maintenant, répondit-elle en posant sa tête contre son torse.

Il la prit par le bras avec brusquerie, comme pour la repousser.

— Tu peux tout prendre de moi, aujourd'hui, expliqua-t-elle. Tu n'auras pas à rendre de comptes plus tard. Si je suis venue hier soir, c'est parce que j'avais besoin d'être avec toi, pour t'aider à rendre la mort de Wendy plus acceptable. Et c'est la même chose en ce moment.

— Bon sang, Lilah ! On ne dit pas des choses pareilles à un homme !

— C'est à toi que je le dis, pas à n'importe quel homme.

Il sentait sa détermination vaciller. Elle s'offrait de nouveau à lui, sans promesses ni attentes d'aucune sorte.

Il la plaqua contre le mur et pressa son grand corps dur contre le sien.

— Tu ne penses pas ce que tu dis, lâcha-t-il.

— Mais si… Hier soir c'était une nuit difficile, et aujourd'hui c'est une journée difficile aussi. C'est tout. Je comprends cela très bien.

Elle ne voyait pas d'autre argument pour l'inciter à la reprendre dans son lit. Et elle souhaitait plus que tout faire l'amour avec lui.

Que tout cela était triste… De nouvelles larmes lui piquèrent les yeux. Elle les refoula, par peur qu'il se sente manipulé.

Pourtant, il les remarqua. Jurant entre ses dents, il lui prit le visage entre ses mains.

— Ne pleure pas, murmura-t-il. Ne fais pas ça.

— Je deviens triste, alors je pleure, et ça passe. Ça n'a pas tant d'importance…

— Ça en a pour moi, rétorqua-t-il d'une voix rauque. Je ne veux pas que tu sois triste.

Elle lui sourit et répliqua :

— Aussi déterminé, puissant et parfait sois-tu, crois-tu pouvoir rendre une femme heureuse tout le temps ? C'est une idée utopique, mais elle est très douce.

— Je ne suis pas doux, déclara-t-il, les sourcils froncés.

Il avait l'air d'un homme en guerre contre lui-même.

Se penchant vers elle, il l'embrassa une fois, puis deux. De longs baisers profonds qui agissaient sur elle comme une drogue ensorcelante. Ses genoux flageolaient, elle s'accrocha à ses épaules. Elle sentait la pointe de ses seins durcir contre son torse, et tout son corps tremblait d'attente, de convoitise.

N'y tenant plus, il la souleva dans ses bras et la porta dans sa chambre.

— J'ai perdu la raison, avoua Ashe à Wyatt le lendemain, pendant une pause, au tribunal.

— Toujours Lilah ?

— Oui, elle. Personne d'autre ne me fait perdre la tête.

— Permets-moi de souligner l'essentiel, au cas où tu ne l'aurais pas remarqué. Soit tu te trouves une autre femme, soit tu prends Lilah dans ton lit. Sans ça, elle va continuer à te rendre fou.

— C'est déjà fait, avoua-t-il.

Il ne se reconnaissait pas, lui qui détestait se vanter de ses succès féminins.

— Tu as fait quoi ? Trouvé une autre femme ?

— Non, pas une autre. Lilah. Elle dort peut-être encore dans mon lit, à l'heure qu'il est.

— Je n'y comprends rien. Si tu couches avec elle, tu devrais être heureux. Qu'est-ce qui cloche ?

— Je ne devrais pas coucher avec elle. Je ne le voulais pas… Je n'ai pas pu résister. Et maintenant, on dirait que… je ne sais pas…

— On dirait que tu en veux toujours davantage ? suggéra Wyatt.

— Ce n'est pas faute d'essayer d'arrêter. Ça fait deux nuits, maintenant.

Deux nuits, et un très agréable matin…

— Profite d'elle à satiété, conseilla Wyatt. Après, il sera plus facile de t'en séparer.

— Tu crois ?

Or l'autodiscipline ne semblait pas fonctionner. En revanche, profiter de la présence de Lilah lui semblait davantage à sa portée.

— Fais comme les lapins, poursuivit Wyatt. Jusqu'à ce que…

— Ce n'est pas comme ça entre nous ! rétorqua Ashe d'un ton sec.

— Ah bon ? C'est comment ?

— Je n'en sais rien.

— Je croyais que tu voulais coucher avec elle, rien de plus ? Je pensais que tu la considérais comme une jolie complication sexy, qui débarquait dans ta vie au mauvais moment.

— En effet.

Une merveilleuse complication très sexy, et l'agenda n'était pas bon. Aucun doute à ce sujet.

— Mais ? relança Wyatt.

— Elle est… intéressante. Un défi perpétuel. Elle aime me pousser dans mes retranchements, hors de ma zone de sécurité… Elle est intelligente, idéaliste à l'excès parfois, elle a bon cœur, elle est drôle et gaie. Ce qu'elle a fait pour Wendy Marx, cette fille qui voulait quitter l'hôpital pour mourir chez elle…

— J'ai lu l'histoire dans les journaux. C'est dur… Tu sais que, sur une des photos au cimetière, on te voit avec Lilah ?

— En train de faire quoi ?

— Rien d'inconvenant, pas de panique ! Elle a l'air bouleversée, et vous vous tenez côte à côte. Vous avez l'air de deux amis, peut-être un peu plus qu'amis, qui assistent ensemble à des obsèques… Raconte-moi ce que Lilah a fait pour Wendy Marx.

— Une séance photo… Elle l'a rendue jolie, vêtements, maquillage, éclairage, tout. Jolie et normale, exactement ce que la jeune fille souhaitait être. Même si ce n'était que l'espace d'une photo.

— Celle qui a paru dans le journal ?

— Je ne sais pas. Je n'ai pas lu le journal, hier, reconnut Ashe.

— Sur la photo, elle n'a pas l'air malade du tout. Dehors, en train de sourire, de rire. Lilah l'a fait ressembler à une ado tout à fait normale et heureuse. Je suis sûr que Wendy a dû lui en être très reconnaissante.

— Les parents de Wendy aussi, maintenant que leur enfant a disparu. Au moins ont-ils une belle photo d'elle.

— Si je comprends bien, Lilah est une femme très intéressante mais très compliquée ?

Ashe opina de la tête.

— Je te l'ai déjà dit, tu n'as pas besoin d'être un saint pour être réélu. Contente-toi de bien te comporter dans tes relations avec les femmes. Rien d'ouvertement dépravé ou de trop étrange. Ensuite, c'est à toi de décider si tu veux de cette femme dans ta vie pour un certain temps, complications ou pas.

Pour une complication, elle en était une, songea Ashe. Mais… la vouloir dans sa vie « pour un moment » ? Il n'avait pas la moindre envie de la voir disparaître, ni de se retrouver sans elle pour toujours.

— Tu es un type intelligent, vieux, déclara Wyatt d'un ton encourageant. Je suis sûr que tu sauras quoi faire.

Dans ce cas, pourquoi se sentait-il si mal à l'aise ?

Lilah se réveilla tard. Elle nageait en plein bonheur, dans le lit d'Ashe, épuisée et repue de tout le plaisir qu'il lui avait donné.

Regrettait-il leur nuit ensemble, comme il avait regretté la nuit d'avant ? Elle espérait que non. Pourvu qu'il ne s'excuse pas encore et encore. Qu'elle ne soit pas obligée de le convaincre une fois de plus qu'ils n'avaient rien fait de mal et qu'ils pouvaient continuer.

Un sourire radieux aux lèvres, elle regarda autour d'elle. Ashe avait laissé un peignoir de bain au pied du lit, et ses vêtements bien pliés se trouvaient dans la salle de bains. Elle prit son temps pour faire sa toilette et s'habiller, puis descendit dans la cuisine, où une cafetière encore chaude l'attendait.

Pas de petit mot, ce matin.

Et elle n'avait pas sa voiture, elle s'en souvenait seulement à l'instant.

Elle pouvait appeler un taxi, ou Eleanor, ou… Elle jeta son dévolu sur Sybil. Elle avait besoin d'un avis féminin, donné par une femme de sa génération sur un homme de leur génération.

Vingt minutes plus tard, Sybil vint la chercher dans une petite voiture de sport rouge, un sourire éclatant aux lèvres.

— Il a fini par céder ! dit-elle. J'en suis ravie pour toi !

Les joues de Lilah s'empourprèrent.

— Et, à te voir, on dirait bien que le juge est à la hauteur de sa réputation, ajouta-t-elle d'un air coquin en démarrant.

Lilah hésita. Parler de ce qui se passe dans l'intimité de l'alcôve, ce n'était pas son genre. Mais Sybil avait déjà tout deviné. Apparemment, ce matin, on lisait à livre ouvert sur son visage !

— Vraiment ? Aussi bien que ça ? insista Sybil.

Lilah acquiesça :

— Aide-moi, je ne sais pas quoi faire, maintenant. Trouvons un endroit calme et à l'écart. Il serait de mauvais goût qu'on me voie en public avec les vêtements que je portais aux obsèques. Ça ferait jaser.

— Je connais un endroit…

Quelques minutes plus tard, elles s'assirent dans un petit bar à la périphérie de la ville. Lilah mourait de faim et commanda un copieux déjeuner, ce qui provoqua une fois de plus les taquineries de Sybil.

— Tu as dépensé tant de calories que ça ?

— Nous n'avons pas dîné hier soir, reconnut Lilah.

— Toute la soirée au lit ? Quelle décadence !

— Je ne sais pas quoi faire, Sybil. Tout a été si parfait entre lui et moi. Je n'ai pas beaucoup d'expérience. Je me suis mariée jeune et je viens juste de divorcer… mais c'était si bon… Je n'ai aucune envie que ça s'arrête.

— Après une seule nuit ? protesta Sybil en roulant les yeux au ciel.

— Deux…

— La nuit dernière et…

— Celle d'avant. Mais la première fois, il était fâché contre lui-même. Il ne faisait que s'excuser, disant que cela n'aurait jamais dû se passer.

— Je vois… et il s'est empressé de recommencer hier soir !

— Et ce matin.

Sybil eut un hochement de tête approbateur.

— Comment fonctionne ce genre de relation ? reprit Lilah. Que suis-je censée faire ? Rester à l'écart et ne pas l'appeler ?

— Les règles, ce sont celles sur lesquelles vous vous êtes mis d'accord avant de commencer. Si vous n'avez rien décidé, il ne s'agit que de sexualité. A moins que vous ne soyez tous les deux d'accord sur le fait que les choses ont évolué. Sois prudente, en tout cas. Si tu espères trop, tu risques d'être déçue.

— Notre base, la voici : j'avais envie de faire l'amour avec lui, et lui pensait que ce n'était pas une bonne idée.

Lilah soupira et ajouta :

— Hier soir, je lui ai dit que ça pouvait n'être que pour une nuit, rien de plus.

Sybil parut désolée.

— Mais ce n'est pas vrai, reprit Lilah. Je veux davantage. Je le veux, lui. Que faire ?

— Attends qu'il vienne à toi.

— Et s'il ne vient pas ? Je ne veux pas le harceler…

— Bien sûr que non ! De toute façon, on ne harcèle pas un juge.

Tout à coup, Lilah se sentit épuisée.

— Je n'ai aucun élément de comparaison, reprit-elle d'une voix lasse. La dernière fois que j'ai eu un petit ami, j'étais adolescente.

Peut-être les choses se passaient-elles toujours bien entre Ashe et ses maîtresses ? Peut-être que ce qui s'était passé entre eux n'avait rien de spécial. Comment savoir ?

Il était si attirant… A cette pensée, le corps de Lilah se réveilla. Mais il était bien davantage que sexy. Il avait du cœur, inspirait la confiance, se montrait responsable. Il était fort. Bien entendu, il était aussi agaçant, têtu, batailleur. Bref, globalement adorable !

— Attends de voir ce qu'il va faire, lui conseilla Sybil. Si ça s'est bien passé pour lui, il ne renoncera pas. Que ce soit moral ou pas, les hommes abandonnent rarement ce qui leur fait du bien. Sauf si la femme est folle ou constitue une source intarissable d'ennuis.

— Pour lui, je suis justement une source de problèmes, déclara Lilah avec tristesse. Il juge que notre relation arrive trop tôt après mon divorce, que je ne sais pas encore comment orienter ma vie. Il respecte un code de conduite très strict envers les femmes récemment divorcées et ne veut pas en démordre.

— Pourtant, avec toi, il a déjà enfreint l'une de ses précieuses règles ! Il n'y a aucune raison que ça ne se renouvelle pas.

Préoccupée, Lilah ferma les yeux. La pire des perspectives se profilait.

— Et si je tombe vraiment amoureuse de lui ? Et si… et si je l'aimais déjà ?

— Protège-toi de toi-même, lui conseilla Sybil.

Lilah ne se hasarda pas à poursuivre. Elle refusait de mettre des mots sur ce qu'elle savait déjà, au fond de son cœur.

Il était déjà trop tard. Elle l'aimait.

A chaque pause entre les audiences, Ashe bataillait avec lui-même. Appeler Lilah ? Il valait mieux ne pas le faire. Lui envoyer des fleurs ? Il l'avait déjà fait la veille. Pour éviter de lui téléphoner, justement. Et puis, envoyer des fleurs deux jours de suite, ce n'était pas une bonne idée. Même si elle avait eu l'air très heureuse, la première fois.

L'ignorer ? Ne plus lui donner le moindre signe ? Cela ferait de lui un cuistre, un mal élevé, un goujat. S'il le faisait, il ne pourrait plus se regarder en face.

Alors, aller la voir ? La remettre dans son lit ? Cela ne résoudrait rien ; le lendemain, il serait face au même dilemme. Il n'y voyait qu'un avantage : il l'aurait tout à lui encore une fois. Plusieurs fois, même ? De la sorte, il s'en lasserait peut-être, à la longue ? Dans un an ? Dans dix ans ? Il ne voyait pas d'issue.

Soudain, une solution surgit dans son esprit. Jamais

encore il n'avait invité Lilah au restaurant. Jamais il ne s'était comporté envers elle comme un prétendant. Quel genre d'homme se permettait de coucher avec une femme sans même l'avoir invitée une fois à dîner ? De nouveau, il se sentit grossier et goujat, et ne put le supporter.

Immédiatement, il lui téléphona et la convia à dîner le soir même.

Parfait. Il allait la revoir. Il y aurait beaucoup de monde autour d'eux, ce qui les forcerait à rester habillés au moins un moment.

La revoir, c'était bien beau. Mais encore faudrait-il aussi qu'il lui parle.

Pour lui dire quoi ?

- 14 -

Lilah s'attendait à être quittée au cours du repas.

Ashe avait eu tout le temps de réfléchir. Il regrettait certainement leur nuit ensemble. La rupture était donc au rendez-vous. Ce n'était pourtant pas une raison pour lui faciliter la tâche, décida-t-elle.

Elle s'exhorta au calme, utilisant toutes les techniques de relaxation qu'elle connaissait. Il allait lui briser le cœur. Ce cœur qu'elle avait eu tant de mal à remettre en route après son divorce. Avec fatalisme, elle apporta le plus grand soin à son maquillage, se parfuma d'une goutte d'huile essentielle, noua ses cheveux en un chignon fantasque. Elle enfila une robe toute simple de soie noire, qui dénudait ses bras et s'échancrait vertigineusement dans le dos. Enfin, elle mit des pendentifs à ses oreilles et entoura ses épaules d'un châle de dentelle couleur crème.

Elle jeta un regard approbateur à son reflet dans la glace de sa salle de bains. S'il la laissait tomber, Ashe mesurerait ce qu'il perdait ! De son côté, elle se débrouillerait très bien sans lui, se jura-t-elle. Elle avait Eleanor, Kathleen, Gladdy, Sybil, ses « étudiantes » et un travail qu'elle aimait. Elle se jetterait à corps perdu dans ses ateliers à venir. Les cours actuels touchaient à leur fin, l'heure de la cérémonie de divorce approchait. Difficile de croire que sa relation avec Ashe avait commencé avec ce projet de cérémonie. Sans compter l'intervention intempestive d'Eleanor, de Kathleen et de Gladdy, bien entendu !

Elle consacrerait aussi davantage de temps à Erica. Celle-ci redoutait la réaction de son mari, une fois le divorce prononcé. Si la dangereuse tension persistait entre eux, elle recommanderait à la jeune femme de quitter la ville quelques semaines. Le temps que les choses s'apaisent.

Et puis, il y avait Sybil. Toutes les deux envisageaient différentes façons de resserrer leur collaboration professionnelle. Leurs idées foisonnaient, passionnantes et drôles. Avec tout ça, elle survivrait à cet échec avec Ashe.

Il se présenta à l'heure dite, impeccable comme à son habitude, sérieux et policé, courtois, le chevalier servant idéal. Il avait réservé une table dans le restaurant le plus chic de la ville, à en juger par le décor. Et le plus couru, à en juger par le nombre de tables occupées. Le personnel semblait bien le connaître. Le maître d'hôtel vint le saluer en l'appelant par son nom. Plusieurs personnes lui serrèrent la main. Il présenta Lilah. Certains ne cachèrent pas leur surprise.

Tiens ! songea-t-elle. On ne la cachait plus ? Voilà qui la prenait de court.

Elle n'avait plus provoqué de scandale involontaire dans le petit microcosme de cette ville. Pourtant, le patron d'Ashe continuait à le surveiller de près. Et une photo d'eux aux obsèques de Wendy avait paru dans le journal local. Rien de choquant. Seulement deux personnes tristes qui se soutiennent. Mais deux personnes très proches, à l'évidence.

Regardant Ashe à la dérobée, elle le trouva nerveux. A l'idée de la laisser tomber ? Etonnant de sa part, lui qui devait être coutumier du fait. Peut-être même usait-il d'un mode de conduite bien codifié pour rompre avec ses compagnes gênantes ?

D'un autre côté, cet endroit superbe ne convenait pas à une rupture…

Par dépit, ou pour titiller Ashe, elle laissa tomber son étole de ses épaules au moment où il lui avançait sa chaise.

Il ne la toucha pas, ses mains demeurèrent rivées au dossier de la chaise. Pourtant, elle perçut avec netteté le moment où il découvrit son décolleté plongeant dans le dos. Il s'immobilisa. Elle sentit son regard trouble sur sa peau nue. Il se racla la gorge, poussa la chaise, puis s'assit à son tour d'un air sombre.

— Ne recommence pas ! lança-t-elle, agacée. Je t'ai déjà dit que tu n'avais pas besoin de…

— Pas besoin de quoi ? De te nourrir ? Même pas une fois de temps en temps ? Je t'ai mise dans mon lit deux soirs de suite sans même t'offrir à manger ! Et le matin, je t'ai quittée sans rien te laisser si ce n'est un peu de café…

— Nous sommes ici parce que tu te sens coupable de ne pas m'avoir nourrie ? demanda Lilah, prise de court.

— Ce n'est pas exactement de la culpabilité, répondit-il.

— Quoi d'autre ? Les bonnes manières ? dit-elle en riant. Que disent les manuels de bonnes manières de deux personnes qui passent deux nuits ensemble dans un lit sans manger ? Il n'existe pas de guide pour ces choses-là, ne t'en fais pas.

— Eh bien, si ! Je m'en inquiète.

— Les femmes avec lesquelles tu couches commencent par dîner avec toi, si je comprends bien ? Une des petites règles dont tu as le secret ?

Il les mettait dans son lit, mais avec tous les usages, enragea-t-elle. Pourquoi cette idée la rendait-elle furieuse ?

— Nous sommes ici pour quelle raison, à ton avis ? demanda Ashe.

— Pour que tu me laisses tomber avec classe, répondit-elle du tac au tac.

— Pardon ? s'enquit-il, perplexe.

— Ecoute, détends-toi. Nous ne nous sommes pas fait de promesse, et je n'en attends aucune. Je ne vais pas te donner de fil à retordre. Tu veux que ça s'arrête, ça s'arrête. Point final.

— Qu'est-ce qui te dit que je veux arrêter notre histoire ?

— Parce que notre histoire, comme tu dis, te met mal à l'aise depuis le début.

C'était vrai, songea-t-il. Il ne pouvait le nier.

Adossé à sa chaise, il l'examina.

— Cette affaire m'a pris par surprise, reconnut-il. Je n'avais pas l'intention de…

— Oh ça, je le sais !

— Mais je n'arrive pas à le regretter, affirma-t-il.

— Vraiment ? demanda-t-elle d'un air de défi.

— Je le regrette parfois, mais jamais bien longtemps, poursuivit-il en haussant les épaules. Je sais que j'aurais dû agir autrement. Je me dis que je devrais y mettre fin. J'y crois pendant cinq minutes. Et puis je me remets à rêver de te voir nue, je songe à ta beauté quand tu dors, un drap enveloppé autour de tes jambes. Tu dors comme une femme sauvage. Tu prends toute la place, tu t'étales sur moi. Je ne m'en plains pas, d'ailleurs.

Le cœur de Lilah se mit à battre la chamade. Maîtrisant l'espoir soudain qui l'habitait, elle dit d'un ton calme :

— Ça, c'est la chose la plus honnête que tu m'aies dite.

— Je n'ai jamais été aussi honnête avec qui que ce soit, répliqua-t-il en riant. Ce n'est pas le genre de conversation que je m'autorise d'ordinaire. Mais ça m'a aidé…

— Il te faudrait quelqu'un pour parler de ces choses-là. Nous avons tous besoin d'un confident ou d'une confidente qui s'intéresse à nous.

— Quelqu'un qui nous aide à devenir un peu moins sots ?

Le cœur de Lilah battit encore plus vite.

— C'est drôle que tu dises ça, poursuivit-il. Aujourd'hui, j'ai parlé à Wyatt. Je n'aurais pas dû, et je ne voudrais pas que tu croies que je parle à tout le monde de ce qui se passe entre nous…

— Je le sais bien…

— Je lui ai assuré que j'avais l'intention de rester loin de toi. Pourtant, je n'arrive à tenir mes résolutions que quelques heures. Ensuite, je flanche, reconnut-il en plongeant un regard brûlant au fond des yeux de Lilah.

— Qu'a dit Wyatt ?

— C'est trop grossier pour que je te le répète.

— Il t'a conseillé de prendre tout ce que tu pouvais de moi, tant que tu pouvais. C'est bien ça ?

Il opina de la tête.

— Jusqu'à ce que tu te lasses de moi ? poursuivit-elle.

— En effet, avoua-t-il.

Elle ne s'en offusqua pas. Ce plan avait le mérite de lui permettre de passer encore un peu de temps avec lui. Avec le temps pour allié, qui sait ce qui pouvait arriver ? Aussi lança-t-elle d'un ton léger :

— Vas-y, essaie de te lasser de moi ! Je te mets au défi d'y parvenir !

Sur le visage d'Ashe passèrent d'abord la surprise, puis l'agacement :

— Tu ne veux pas dire que…

— Pourquoi pas ?

— Parce que tu n'es pas ce genre de personne.

Le serveur les interrompit pour prendre leur commande. Après avoir choisi une bouteille de bon vin et un menu raffiné, ils se retrouvèrent seuls.

— Ne parle pas à ma place, dit-elle. Ne me dis pas quel genre de femme je suis, ni ce que je veux ! Nous ne sommes pas au tribunal. Ce n'est pas à toi de prendre toutes les décisions.

— Lilah… tu me l'as dit toi-même, tu as été mariée au même homme pendant dix ans, et tu lui as été fidèle.

— Et maintenant, je ne le suis plus…

— Je sais quelle sorte de femme tu es. Cessons de faire semblant qu'entre nous, ce n'est qu'une affaire de sexe.

Elle en resta bouche bée.

— Nous avons fait mine de le croire, mais ce n'est

pas la vérité, insista-t-il. Quand il s'agit d'une simple affaire de sexualité, je ne me donne pas autant de mal. Je n'en ai pas besoin.

— Autant de mal ?

— La sexualité, c'est simple. Mais, entre toi et moi, il se passe bien davantage. Pouvons-nous… en parler ouvertement ?

— Pas besoin de te donner autant de mal. Tu peux avoir une sexualité simple et sans problème avec une autre.

— Je n'en veux pas ! Apparemment, je suis à la recherche de… complications et… de je ne sais quoi encore. Mais avec toi. Toi seule.

Toi seule.

La rancœur de Lilah s'évanouit d'un coup et elle en eut le souffle coupé.

— Euh… je croyais que…

— Moi aussi. Soit je me trompais, soit j'ai changé d'avis… Tu es une femme très intéressante et compliquée, et… tu me plais. Je te veux dans ma vie. Au lit et en dehors.

Elle était incapable de trouver les mots.

— Tu pourrais me dire que tu ressens la même chose, suggéra Ashe pour l'aider un peu.

— C'est le cas, parvint-elle à balbutier.

— Bien.

Sa tête lui tournait, elle avait du mal à respirer. Elle lui plaisait ! Il la voulait dans sa vie !

Ces mots si simples venaient de sortir de la bouche de cet homme si complexe. Des mots qui la faisaient vibrer, l'excitaient, l'enchantaient, tout en l'effrayant un peu.

Ils passaient à autre chose, songea-t-elle. Il était un autre homme, et elle une femme différente.

— N'aie pas peur ! lui souffla-t-il en riant. Toi qui as été si audacieuse pendant que je tergiversais.

— Tu as émis tant de réserves, au fil des jours… Que sont-elles devenues ? Tu ne crains plus pour ton élection ?

— Je ne vais pas te demander de changer pour moi, si c'est ce qui t'inquiète. Jamais je n'exigerais une chose pareille.

— Vraiment ? Parce que…

— Je t'aime comme tu es. En dehors du fait que ce serait hypocrite, je ne voudrais pas te blesser.

Chaque parole sonnait comme du miel à ses oreilles. Elle eut envie de pleurer.

— Ashe, balbutia-t-elle.

— Disons, reprit-il en souriant, que, si nous restions habillés tant que nous sommes en public, cela me suffirait. Bien que je sois davantage fautif que toi sur ce point.

Elle acquiesça. Cette conversation était-elle réelle ? Rêvait-elle ?

— Je promets de bien me tenir, si tu y arrives aussi, dit-elle.

— Voilà donc une affaire close !

— Attends un peu. Ce n'est pas aussi simple. Je connais l'importance que revêt ton travail à tes yeux. Ta place est au tribunal, et je ne veux pas te mettre de bâtons dans les roues, d'aucune façon.

— Merci, répliqua-t-il avec sincérité. Tout sera peut-être plus facile que nous ne le pensons.

*
* *

Au cours des semaines qui suivirent, Ashe se sentit heureux. Contrairement à ses craintes passées, tout se passait très facilement avec Lilah.

De son côté, elle nageait dans le bonheur. Elle dispensait ses cours avec enthousiasme. Eleanor et ses amies lui semblaient délicieuses, malgré leur intervention intempestive dans la vie d'autrui. Dans l'ensemble, Ashe les appréciait aussi, dans les moments où il ne craignait pas les conséquences néfastes de leur créativité sur sa réélection.

Sybil et Lilah devenaient de vraies amies. Connaissant la réputation de la jeune femme en ville, cela inquiétait un peu Ashe. Mais cette amitié présentait un avantage. Lilah revenait souvent avec de magnifiques sous-vêtements qu'elle portait pour lui. Il n'était pas assez hypocrite pour réprouver Sybil d'un côté et de l'autre adorer les articles qu'elle vendait à son amante.

C'était une femme intelligente, au grand cœur, belle, passionnée au lit, aventureuse et délicieuse. Un soir, elle avait porté le petit caraco de dentelle de leurs débuts, ce qui l'avait rendu fou de désir. Il l'avait prise sur la table de son bureau, à la maison, après l'avoir dévorée du regard puis des lèvres.

Elle était parfaite. Et pourtant, une petite voix dans sa tête lui soufflait avec réalisme une évidence : aucune femme n'est parfaite. Aucun homme ne l'est non plus. Aucune relation humaine n'est idéale.

Pour lui, sa relation avec Lilah demeurait donc une énigme.

Trop belle pour être vraie.

Sa vie entière, en cet instant, lui paraissait trop belle pour être vraie.

Bien entendu, le quotidien apportait quelques bémols. Par exemple, il lui fallait de toute urgence s'occuper de sa réélection, ce qui l'ennuyait au plus haut point. Sa charge de travail demeurait très lourde. Il n'avait jamais passé toutes ses nuits avec une femme depuis son bref mariage, quinze ans plus tôt. Toutes ses habitudes en étaient chamboulées. Mais il avait gagné le bonheur de passer toutes ses nuits avec Lilah.

Par ailleurs, une menace diffuse pesait sur lui. Elle provenait d'un ex-mari, qui se jugeait injustement traité au tribunal. Cela arrivait de temps en temps et ne l'inquiétait pas outre mesure. C'étaient les risques du métier. Des gardes du corps lui avaient été affectés pour quelques jours. Le temps pour la police de pister l'homme et de décider de son degré de dangerosité.

Il devait prévenir Lilah.

Il le lui dirait ce soir, au lit, décida-t-il. Pour ne pas l'inquiéter, il lui présenterait les choses comme bénignes, ce qui était sûrement le cas.

En fait, si tout continuait ainsi dans sa vie, il serait le plus heureux des hommes.

Ce soir-là, tandis qu'il travaillait encore au bureau, un policier pénétra dans son cabinet, le visage défait. Il comprit sur-le-champ que quelque chose de grave était arrivé.

— Que se passe-t-il ? demanda-t-il.

— Nous avons pisté l'homme qui vous a menacé. Un certain Joe Reynolds.

— Où est-il ?

— Au domaine Barrington.

Il sentit un frisson lui parcourir le dos.

— Lilah, dit-il avec difficulté… c'est ma… c'est la femme…

La femme dont je suis fou, avec laquelle je suis si heureux.

Mais cette description était inadéquate. Il lutta pour ne pas dire « la femme de ma vie ».

— Oui ? demanda le policier.

— Elle travaille et vit là-bas. Elle va bien ?

— On ne nous signale aucun blessé pour le moment, mais… d'après ce que j'ai entendu à la radio, il faut aborder ce type avec précaution.

L'aborder ? Que voulait-il dire ?

Soudain, il comprit.

— Il a pris des otages ? demanda-t-il, atterré.

— Je ne sais pas. Nous avons eu un appel d'urgence. Un homme s'est introduit bruyamment dans la maison, à la recherche de sa femme. Il ne l'a pas trouvée à l'intérieur, mais il a aperçu un feu de camp au fond de la propriété, et s'y est précipité.

— Lilah a cours ce soir, confirma Ashe. Avec une douzaine de femmes nouvellement divorcées ou séparées. Une de ces femmes est harcelée par son ex, je crois. Bon sang ! Elle et moi avons tous les deux affaire au même couple, au même homme !

Ashe n'avait pas encore parlé à Lilah des menaces qui pesaient sur lui. La menace étant anonyme, il n'avait pas de nom à lui donner. Et puis, leurs champs d'activité professionnelle étaient trop mêlés. Dans cette petite ville, ils s'occupaient tous les deux de gens qui divorçaient. Ils mettaient donc un point d'honneur à ne jamais parler de cas spécifiques. Il avait interrogé

Lilah, pour savoir si une femme de son groupe avait un mari ou un ex violent. « Non », lui avait-elle répondu. Mais il sentait qu'une personne au moins l'inquiétait d'une manière ou d'une autre. Par discrétion, il n'avait pas creusé davantage, lui faisant seulement promettre d'être prudente.

Mon Dieu, comment avait-il pu être aussi négligent ?

— Allons-y ! dit-il.

— Monsieur le juge, je ne peux pas vous laisser faire, intervint le policier.

— Je me moque de votre avis ! J'y vais.

Sans un mot de plus, il se précipita vers sa voiture. Le policier lui emboîta le pas et monta avec lui au dernier moment. Pendant tout le trajet, il tenta de le dissuader d'intervenir. La route parut interminable à Ashe. Au domaine, des voitures de police avec gyrophares stationnaient. Il coupa le moteur, et se précipitait dans l'allée quand le policier qui l'accompagnait le retint par le bras.

— Ne vous lancez pas là-dedans tête baissée, monsieur le juge.

— Cet homme en a après moi, répliqua-t-il. C'est moi qui ai prononcé son divorce. Je vais lui dire que je peux tout annuler.

Le policier l'étudia d'un air perplexe. Annuler le divorce ?

Ashe sentait les idées bouillonner dans sa tête. Il accomplirait la cérémonie que voulait Lilah depuis le début, mais en sens inverse. Au lieu de défaire un mariage, il déferait un divorce.

— Monsieur, argua le policier. Il n'est pas dans nos fonctions de donner un juge en gage à un forcené.

Ashe se dégagea d'un coup d'épaule et se précipita vers la maison. Dans sa lettre anonyme, l'homme avait déclaré qu'il voulait la peau du juge Asheford. Il allait donc faire en sorte que le type mette la main sur lui. C'était aussi simple que ça.

Lilah serait saine et sauve.

Mais les policiers présents sur place refusèrent de le laisser passer. Ils n'arrêtaient pas de lui demander ce que Lilah Ryan faisait autour d'un feu de bois avec ces femmes. Que répondre ? Leur expliquer qu'elle aimait la pleine lune, les rituels, brûler des choses, symboles de tout ce dont on souhaite se séparer dans l'existence ? Non ! Les policiers n'étaient pas en mesure de comprendre ce genre de propos. Cela n'avait d'ailleurs aucune importance.

Un des policiers reposa ses jumelles.

— Est-il possible que toutes ces femmes portent des robes de mariée ? Des robes déchirées, tachées, tout abîmées ? Qu'est-ce que cet homme leur a fait, bon sang !

Ashe gémit intérieurement. Ce soir, se souvint-il, c'était la nuit où les femmes détruisaient leur robe de mariée. Et maintenant, tous les yeux des flics se braquaient sur lui, dans l'attente d'une explication.

— Un homme les menace d'un revolver ! hurla-t-il. Ce que portent les otages n'a aucune importance !

— Exact. Désolé, monsieur le juge.

— Ecoutez, je me souviens de cet homme. J'ai accordé à sa femme le droit de ne plus être approchée par lui. Je peux revenir sur cette décision. Ce qu'il souhaite, c'est pouvoir reparler à sa femme. Ensuite, tout ira mieux.

Il essayait de parler d'un ton le plus raisonnable possible. Mais la situation le bouleversait.

— Annoncez-lui ma présence. Dites-lui que je pense avoir été un peu injuste avec lui, et que je suis prêt à lui accorder une audience d'urgence. Sur-le-champ. A condition qu'il relâche tout le monde.

La réponse fusa :

— Nous ne lui donnerons pas un juge en pâture !

— Je connaissais les risques de mon métier quand je l'ai choisi, insista Ashe. Mieux vaut moi qu'une douzaine de femmes innocentes, ce qui est le cas actuellement.

— Mon chef me destituerait si je faisais une chose pareille.

— Il est beaucoup plus facile de protéger une personne que douze, vous êtes d'accord avec moi ? Offrez le marché à cet homme. Dites-lui que nous tiendrons audience dans le jardin… Non, dites-lui plutôt qu'une audience n'est légale qu'en présence d'un greffier, qui note le déroulement de l'action de justice. Ce dernier a besoin d'une prise électrique pour brancher son ordinateur. Donc l'audience se tiendra à l'intérieur. Disposez vos hommes autour de la maison avant qu'il n'y pénètre. J'attendrai dans la maison qu'il me rejoigne.

Ashe s'exprimait d'un ton grave et péremptoire. Au bout du compte, l'officier de police donna son accord. Les préparatifs prirent un certain temps, y compris le choix d'une policière pour jouer le rôle de greffière.

Après bien des palabres, l'homme armé accepta la proposition.

Quelque temps plus tard, les femmes arrivèrent les

unes derrière les autres, dans leurs robes de mariée en piteux état. Les policiers étaient sidérés.

La tenue de ces femmes importait peu à Ashe. Il ne répondit à aucune des questions qu'on posait autour de lui. Une seule chose lui importait.

Lilah.

Quand elle arriva, leurs yeux se rencontrèrent longuement. Elle affichait calme et détermination. Comme elle ne semblait ni blessée ni bousculée, Ashe respira plus librement.

Mais elle avançait bras dessus bras dessous avec une Erica Reynolds terrifiée. Son mari lui broyait le bras d'une main, et tenait son arme dans l'autre.

Evidemment ! enragea Ashe. Il fallait que Lilah se trouve à côté de cette femme menacée ! S'exposer au danger, c'était dans sa nature !

Il bouillait. Tout le monde s'immobilisa. Lui et la fausse greffière se tenaient derrière un bureau dans la véranda, que les policiers avaient choisie à cause de ses fenêtres. De la sorte, ils surveillaient la pièce et avaient placé leurs tireurs d'élite en dû lieu.

Lilah embrassa du regard le faux tribunal. Elle avait l'air furieuse. Tant pis ! songea Ashe. Elle avait des ennuis, et il faisait tout son possible pour lui venir en aide. C'était dans l'ordre des choses, dorénavant. Autant qu'elle s'y fasse le plus tôt possible. D'ailleurs, lui aussi était en colère contre elle. Avait-elle besoin de choisir un métier qui la mette ainsi en contact avec des ex armés de revolver, qui perdaient parfois les pédales ?

Les autres femmes du cours avaient été raccompagnées à leurs voitures. Ne restaient que Lilah, Erica et son mari. Ashe s'attendait à ce que Lilah se retire aussi. Comme elle faisait mine de quitter la salle, l'autre femme la retint par le bras et la supplia du regard. Tiraillée, elle hésita.

Ah non ! Elle n'allait pas rester ! fulmina-t-il. Au comble de la tension, il criait dans sa tête.

Mais elle choisit de rester et rassura Erica du regard.

— Ceci est une audience privée, intervint-il d'un ton de juge autoritaire. Moi, la greffière, Mme Reynolds et son mari, c'est tout, Lilah.

A ces mots, Reynolds pointa son revolver en direction de Lilah. Le cœur d'Ashe s'arrêta. Le monde cessa de tourner. Pourquoi les flics ne tiraient-ils pas ? Aux aguets, il s'apprêtait à sauter sur le forcené et à faire justice lui-même.

Le regard de Reynolds passa d'Ashe à Lilah.

— Une seconde, dit-il. Vous vous connaissez, tous les deux ? Vous êtes de mèche pour m'éloigner d'Erica ?

— Nous ne voulons pas vous séparer. Lilah et moi, nous nous connaissons, en effet, répondit Ashe d'un ton maîtrisé. Nous avons une relation ensemble. Pour cette raison, je ne peux intervenir dans un cas vous concernant, vous et votre femme. Si je le faisais, il y aurait conflit d'intérêts. Je suis désolé. Jusqu'à aujourd'hui, je ne savais pas que Lilah travaillait avec votre femme. Maintenant que je suis au courant, je vais invalider toutes les décisions que j'ai prises à votre sujet. C'est la seule chose légale et juste à faire. Vos formalités de divorce vont reprendre depuis le début.

Tout à coup, Reynolds sembla s'effondrer sur lui-même. Le visage empreint de désespoir, il parut rétrécir.

— Ça ne servira à rien, gémit-il. Prise d'otages, menace avec revolver… je suis cuit.

Il baissa la tête et contempla son arme, puis la souleva lentement. Tout le monde frémit. Cet homme allait tuer quelqu'un.

En une seconde, tout fut fini.

Les policiers intervinrent. L'un d'eux se jeta sur l'homme et le mit à terre. D'autres, surgis de tous côtés, l'immobilisèrent, le désarmèrent et lui passèrent les menottes. Dans ce chaos, Ashe traversa la pièce et prit Lilah dans ses bras.

Il tremblait encore plus qu'elle, mais qu'importait ! Elle était saine et sauve. Elle était à lui. Jamais de sa vie il ne s'était senti aussi soulagé.

Il fallut plusieurs heures pour que tout rentre dans l'ordre. Le temps que les policiers fassent leur enquête, que Lilah calme les femmes de son cours, s'occupe d'Erica et rassure Eleanor, Gladdy et Kathleen.

Ashe la suivit pas à pas, foudroyant du regard quiconque tentait de les séparer. Avant de se retrouver enfin seuls, ils durent affronter les journalistes massés à l'entrée du domaine. Personne ne prenait jamais d'otage dans cette petite ville sans histoires, et les langues allaient bon train. Il souhaitait s'éclipser en douce, mais Lilah n'était pas de cet avis. Elle voulait saisir cette occasion pour évoquer le problème des violences domestiques.

Il se tint donc à son côté pendant qu'elle parlait. Il la trouva brillante, passionnée, forte et engagée. Bien sûr, certains reporters ne s'intéressaient qu'à la tenue étrange des femmes du cours de Lilah. Elle ne s'énerva pas et en profita au contraire pour expliquer le contenu et le but de ses ateliers.

Ashe était fier d'elle.

Il y eut aussi quelques questions sur leur relation, et d'hypothétiques conflits d'intérêts entre son travail et celui d'Ashe. Il répondit lui-même à ces questions techniques. Enfin, il put ramener Lilah chez lui et claquer la porte au nez du monde extérieur.

Il la serra contre lui à l'étouffer.

— Je vais bien, je t'assure, lui répéta-t-elle.

Malgré son soulagement, il demeurait irrationnel. Son cœur battait à tout rompre, il manquait d'air.

Elle est saine et sauve, se répétait-il dans sa tête, encore et encore. Mais cela ne le rassurait pas pour autant, même s'il sentait battre le cœur de la femme de sa vie contre son buste et ses seins se soulever à chaque respiration.

— Quand j'ai appris que ce type te gardait en otage, je suis devenu fou, reconnut-il enfin.

Elle rejeta la tête en arrière, prit le visage d'Ashe entre ses mains et murmura :

— Crois-moi, je vais très bien. Ne t'en fais plus.

Il avait le sentiment de s'enfoncer dans des sables mouvants, comme si le monde tout entier basculait.

Lilah le poussa doucement vers un fauteuil de cuir, puis s'assit sur ses genoux et l'entoura de ses bras. Elle l'embrassa sur les lèvres, tendrement, sans hâte, sans exigence.

— Ça va mieux comme ça ? demanda-t-elle.

— Oui, reconnut-il. Continue.

Voilà, c'était tout Lilah, songea-t-il. Il avait besoin

d'elle, et elle donnait sans compter. Quel cadeau inestimable…

Wyatt avait tort. Il n'existait aucun moyen de se lasser d'une telle femme. La vie était tellement meilleure avec elle à son côté. Pleine de plaisir, d'émerveillement, et du réconfort dont il n'avait jamais bénéficié auparavant. Elle apaisait en lui toute tension, lui rendait le monde compréhensible et vivable. En même temps, elle le rendait fou. Il n'arrivait pas à comprendre ce qui lui arrivait.

Le monde semblait tout à coup tourner rond et receler des trésors de plaisir. Voilà ce qu'il avait découvert avec elle.

Comme elle l'embrassait de nouveau avec une absolue tendresse, il lui murmura :

— Je t'adore.

— Moi aussi.

Il se dévoila un peu :

— J'ai besoin de toi. Au point que cela m'effraie.

— Pareil pour moi, souffla-t-elle.

— Je ne peux plus imaginer la vie sans toi. Je ne veux même pas essayer.

Ça y est, il l'avait dit ! songea-t-il.

— Rien ne te force à essayer, répondit-elle.

A cet instant précis, il sut.

Non, il avait su un peu plus tôt dans l'après-midi.

Il aimait cette femme.

Tout se passait comme si Ashe s'était réveillé dans un autre monde, un monde merveilleux.

Il était allongé sur le dos dans son lit, et Lilah s'était enroulée autour de sa taille. Dans son sommeil, ses cheveux s'étalaient sur son torse, elle avait la tête posée sur son abdomen, il sentait son souffle régulier au niveau de son nombril. Si elle se réveillait dans cette position, elle se mettrait à le lécher. Cette simple idée le fit frissonner de tous ses membres.

Il avait beaucoup de choses à dire à certaines personnes, songea-t-il, et ne savait pas comment celles-ci réagiraient.

Dès qu'elle sortit des limbes du sommeil, il lui caressa les cheveux et déclara :

— Si tu restes avec moi, tu vas mourir de faim.

Elle frotta son nez contre sa peau et lui embrassa le ventre.

— Ça m'est égal, répondit-elle.

— Je pourrais au moins acheter de quoi petit-déjeuner le matin.

— Tu n'es jamais chez toi pour le petit déjeuner, lui rappela-t-elle.

— Mais toi, tu y es.

Il l'attira contre lui et l'embrassa sur les lèvres.

— Je veux prendre soin de toi, Lilah. C'est ce que les hommes sont censés faire avec les femmes.

— Que tu es démodé ! répliqua-t-elle en riant.

Elle ne perdait rien pour attendre, songea Ashe. Et, une fois qu'il lui aurait dit ce qu'il comptait lui dire, il ne pourrait plus faire machine arrière. Entre eux, tout fonctionnait à merveille.

Mais ce n'était pas assez.

La veille le lui avait démontré sans équivoque.

Il consulta le réveil et soupira :

— Je dois me rendre au tribunal. Je vais annuler

mes audiences de la journée, mais je dois quand même y aller pour une ou deux heures. Attends-moi ici.

— Tu dois vraiment partir ?

— Oui. Il faut que je présente mes excuses pour la façon dont je suis intervenu dans une affaire policière. Et m'expliquer auprès des autorités judiciaires.

Cela ne serait pas facile. Il y a des choses qu'un homme dans sa position ne pouvait faire. Outrepasser une action policière ne seyait pas à un juge.

— Que vas-tu leur dire ? demanda Lilah.

— Je verrai. Ce n'est pas mon souci principal, pour l'heure.

Elle releva la tête et le regarda d'un air endormi.

— C'est quoi, ton principal souci ?

— Toi. Ce que je vais te dire, à toi, répliqua-t-il, les nerfs à vif.

Elle prit son visage dans ses mains et lui sourit.

— Tu n'as pas besoin de m'expliquer quoi que ce soit, dit-elle.

— Mais si.

Il mourait d'envie de savoir comment elle réagirait à ce qu'il allait lui dire. Mais bien entendu, pour cela, il fallait le lui dire. Que la vie était étrange et inattendue…

— Je comprends, dit-elle. Tu avais peur pour moi. C'est vraiment chouette de ta part.

— Chouette ? gronda-t-il. Il n'y avait rien de chouette ! J'étais terrifié à l'idée qu'il t'arrive malheur. Ça me paralysait.

— Je suis désolée, mais…

— J'ai encore peur, pour tout te dire. Excuse-moi, mais je dois vraiment me rendre à mon bureau. J'en ai pour deux heures, promis. Sois là pour mon retour, s'il te plaît.

— D'accord, répondit-elle d'une voix tout à fait décontractée et endormie, le corps tout chaud lové contre celui d'Ashe.

Il demeura avec elle jusqu'à ce qu'elle se rendorme, réfléchissant…

Elle avait dit « chouette » ?

Considérait-elle comme chouette ce qu'il éprouvait pour elle ? Cette femme pourtant intelligente ne percevait-elle pas les sentiments qu'il ressentait pour elle ?

Lilah dormit tard. En tant qu'ex-otage, elle le méritait bien ! En plus, elle adorait se retrouver dans le lit d'Ashe, le corps tiède et repu, détendue et heureuse.

La nuit précédente se perdait dans une sorte de flou. Le mari d'Erica brandissant un revolver. Toutes les femmes en état de choc. Mais Ashe était arrivé, il s'était offert en échange de Lilah et des autres otages. Dès qu'elle avait entendu sa voix, elle s'était sentie beaucoup mieux. En l'entendant suggérer une audience au mari d'Erica pour les libérer, elle et les autres femmes, elle avait pris la mesure de ce qu'il était capable d'entreprendre pour la sauver.

Et puis, la nuit dernière, une fois seuls…

Je n'imagine pas vivre sans toi. Je ne veux même pas essayer.

Elle frémit.

Ce matin, elle lui avait offert une porte de sortie. Elle avait qualifié de « chouette » la façon dont il s'était inquiété pour elle. Mais il n'avait pas gobé le mensonge. A l'évidence, il n'y avait rien de « chouette » dans ce qu'il éprouvait.

Lilah se leva, prit une douche, enfila un peignoir, et se préparait du café quand Sybil téléphona et l'incita à allumer la télévision sur-le-champ.

Sur l'écran, elle reconnut la façade de la maison d'Eleanor, entourée de voitures de police. La scène était filmée de loin et le journaliste expliquait la situation. Au plan suivant, on découvrait Ashe et Lilah quittant le domaine.

Il avait l'air si sérieux, si concentré. Une main passée autour de sa taille, il la tenait serrée contre lui. Des reporters hurlaient leurs questions. Elle se vit parler violences domestiques. Ashe avait répondu à certaines questions, se souvenait-elle dans une sorte de brouillard.

Quelqu'un s'était permis une remarque sur son cours « étrange ». Il avait répondu vertement et expliqué :

— Ses méthodes sont peut-être peu orthodoxes, mais son travail est de la plus haute importance. Je peux prononcer un divorce légal, mais un divorce émotionnel, c'est une tout autre chose. C'est pourtant indispensable pour guérir et poursuivre sa vie dans de bonnes conditions. Je le remarque chaque jour, dans ma pratique professionnelle, le processus d'un divorce ne s'arrête pas le jour où il est prononcé. La plupart des gens ont ensuite un long travail à accomplir, et Lilah Ryan les y aide. Je suis très fier de son action.

Il y avait eu ensuite une question concernant le rôle d'Ashe dans la fin de la prise d'otages. Il avait minimisé son action, affirmant que la police l'entourait et qu'il ne s'était jamais vraiment trouvé en danger. C'était la première fois qu'elle l'entendait mentir. La vérité était tout autre. Il avait de son plein gré affronté un homme armé. Tout aurait pu basculer.

La façon dont il l'avait défendue… Les louanges au sujet de son travail… Le fait de clamer haut et fort à quel point il était fier d'elle… C'en était trop.

Lilah se mit à pleurer.

Il l'admirait, même si elle avait introduit dans sa vie scandale et curiosité malsaine. Loin de s'arrêter aux apparences, il était fier d'elle. Aucun homme n'avait été fier d'elle auparavant. Aucun ne lui avait fait confiance, ne l'avait comprise à ce point.

Tout cela revêtait pour elle une importance capitale.

Quand Ashe revint du tribunal, il la trouva assise sur le canapé, des traces de larmes le long des joues. Il s'alarma :

— Que se passe-t-il ?

— Rien. Je viens seulement de regarder le reportage d'hier soir à la télévision.

— Ah bon ? Qu'ont encore bien pu dire ces imbéciles à ton sujet ? De toute façon, je m'en charge. Eleanor m'a téléphoné. Elle est ton plus ardent défenseur et organise toute une campagne. Les stations de télévision veulent interviewer les personnes qui ont assisté au drame, hier soir, et les femmes qui se trouvaient autour du feu de camp. Eleanor se charge des journalistes, elle leur chantera tes louanges, tu t'en doutes. Erica aussi, qui t'a trouvée étonnante de courage et de calme. Quant à la mère de Wendy Marx, elle t'est reconnaissante, et souhaite divulguer tout le bien que tu as fait à sa fille.

Lilah se remit à pleurer.

— Ma chérie, ne pleure pas, je t'en prie. Je suis désolé que les journalistes soient aussi insensibles.

— Ce n'est pas ça…

Il la tint un instant à bout de bras pour mieux l'étudier et demanda :

— Qu'est-ce que c'est, alors ?

— Toi.

Il cilla, perplexe.

— Qu'est-ce que j'ai fait ? Je vais réparer, je te promets…

— J'ai vu un clip de nous en train de quitter le domaine, hier soir… Tout ce que tu as dit à mon sujet, la façon dont tu m'as défendue…

— Dorénavant, je te défendrai toujours, déclara-t-il d'un ton péremptoire.

— Tu as dit que tu étais fier de moi et de mon action.

— Comment ne le serais-je pas ? Tu es une femme étonnante.

— Ton avis a tant d'importance à mes yeux…, dit-elle en reniflant. Il faut que je sois à la hauteur.

— Laisse-moi te répéter une chose : je ne supporte pas l'idée de vivre sans toi. Pas un seul jour. Je veux… tout de toi. Cette vérité m'a pris de court, puis m'a fait une peur bleue. Mais c'est la réalité.

Lilah le regardait sans un mot.

— Dis quelque chose, la supplia-t-il.

Elle en fut incapable. Les larmes roulaient le long de ses joues.

— Je… je suis surprise, balbutia-t-elle enfin.

— Quoi d'autre ? exigea-t-il. Tu me fais mourir à petit feu.

— Je me demandais si tu dirais cela un jour, dit-elle enfin.

— Lilah… Quand j'ai découvert que cet homme te retenait en otage, j'ai presque perdu la tête. Les flics ont menacé de me menotter pour m'empêcher d'intervenir. Des menottes… si j'en avais, je t'attacherais à moi sans état d'âme. J'ai trop peur de te perdre.

— Pas besoin de menottes…

— Je veux tout avec toi. Des vœux, une licence de mariage, une bague. Je veux que tu partages ma maison, que tu adoptes mon nom. Tout. Même si je sais que rien de tout ça ne garantit que tu ne me quitteras pas un jour. J'ai besoin que tu m'épouses. Je n'ai pas de bague, je n'ai même pas vraiment réfléchi à ce que je voulais te dire. J'ai juste…

Tout à coup, il s'arrêta et lui adressa un regard un peu égaré. Puis il annonça :

— Je t'aime, je te l'ai dit ?

— Pas encore.

— Bon sang ! Je fais tout n'importe comment !

— Mais non, protesta-t-elle en riant. Et… moi aussi, je t'aime.

— Et tu m'épouseras ?

— Oui.

— Comme ça, sans discussion ? dit-il en riant.

— Je te l'ai déjà dit, tu peux tout avoir de moi.

— C'est ce que tu voulais dire, tout ce temps-là ? demanda-t-il en essuyant les larmes qui coulaient toujours le long de ses joues.

— Pas au début. Au début, j'étais folle de désir, car je savais que ça ne ressemblerait à rien de ce que j'avais connu jusqu'ici. Et puis une part de moi voulait se prouver que j'avais le pouvoir de te séduire.

— Tu n'as eu aucun problème !

— Ensuite, j'ai eu peur parce que je te désirais trop, j'avais trop besoin de toi. Je ne m'y attendais pas, et je ne savais que faire de ces émotions violentes. Mais que devais-je faire ? Te dire de revenir plus tard, quand je serais fin prête à les accepter ? J'avais peur que tu partes.

— Je ne vais nulle part.

— Moi non plus. Je te veux tout entier. Mais Ashe, je m'inquiète… Ta campagne, ta réélection… Je ne voudrais pas mettre ta carrière en péril.

— Lilah… tous les gens qui te rencontrent t'adoptent et t'aiment. Je ne dis pas que ça va être facile. Il y aura des imbéciles pour dire des choses blessantes à notre sujet. J'en suis désolé. Mais il y a tant de gens prêts à te défendre et à te soutenir. Je déteste te demander de supporter tout ça pour moi, mais… peux-tu essayer ?

— Je ferais n'importe quoi pour toi.

— Moi aussi, tu sais. A deux, nous pouvons triompher de tous les obstacles. Tu y crois ?

— Dur comme fer.

— Et… acceptes-tu de devenir ma femme ?

— Oui ! Mille fois oui ! Eleanor, Kathleen et Gladdy vont être aux anges, poursuivit-elle en souriant. Tous leurs souhaits se réalisent. Leurs manigances ont fait merveille !

— Elles ont obtenu ce qu'elles voulaient, il y a de cela des semaines, corrigea-t-il.

— Non, depuis le début, c'est notre mariage qu'elles désiraient.

— Tu crois ?… Elles disaient ne vouloir qu'une chose : que je t'initie à la vie de célibataire libre. Ce qui a été pour moi un privilège et un honneur, entre parenthèses.

— Elles t'ont trompé sur toute la ligne, et tu n'y as vu que du feu ! Jane, la femme de Wyatt, est venue me voir hier. Elle m'a tout raconté. Toutes les trois se considèrent comme des marieuses d'exception. C'est leur hobby préféré, elles en font une profession ! Elles nous manipulent depuis le départ !

— Dans ce cas, leur triomphe va être complet ! Et elles continueront certainement à se mêler de nos vies avec entrain et enthousiasme !

— Si je leur demandais d'être mes demoiselles d'honneur ? suggéra Lilah.

— Excellente idée ! Ça va les enchanter. Dans le fond, elles ont été très chouettes avec moi. Avec nous. A notre mariage, elles auront tout loisir de jeter leur dévolu sur tout homme de plus de trente-cinq ans, et de faire son bonheur malgré lui !

— Elles choisiront peut-être de se mêler de la vie d'un couple constitué, pour tenter de l'embellir !

Ils éclatèrent d'un rire joyeux.

Puis leurs visages redevinrent sérieux, leurs regards se rencontrèrent et se rivèrent l'un à l'autre.

— Je t'aime, murmura Ashe, avant de l'embrasser éperdument.

Passions

Le 1er mars

Passions n°382

Laurel, princesse du désert - Tessa Radley

Epouser Rakin Whitcomb Abdellah, le sublime cheikh qu'elle vient de rencontrer ? Pour Laurel Kincaid, c'est la plus douce des folies – et elle y succombe avec délice. Après tout, ce mariage sera temporaire, et ne s'est-elle pas juré de pimenter sa vie ? Bientôt, pourtant, alors qu'elle découvre, au côté de son nouvel époux, le royaume de Diyafa et l'immensité du désert, Laurel sent le doute l'envahir. Parviendra-t-elle, quand il le faudra, à renoncer à Rakin, cet homme qui a bouleversé son existence et embrasé tous ses sens ?

La vengeance de Jack - Day Leclaire

« Je ne suis pas un Kincaid ». Toute sa vie, Jack s'est répété cette sentence. Enfant illégitime de la famille, il a vécu comme un paria, dans l'ombre de ces frères et sœurs auxquels il n'est lié que par un sordide héritage. Il a grandi seul. Et s'il s'est autorisé à aimer – une seule fois –, il le regrette amèrement. Car Nikki l'a piégé. Durant tout ce temps qu'elle a passé dans ses bras, dans son lit, elle travaillait pour les légitimes. Et cette odieuse et sulfureuse trahison n'a fait qu'attiser la soif de vengeance de Jack. Car hier comme aujourd'hui, il n'a qu'un désir : détruire les Kincaid.

Passions n°383

La rose de New Chance - Nora Roberts

Une petite ville poussiéreuse, désespérante, perdue sous le soleil implacable du Nouveau-Mexique. Enfin, Phil a trouvé le décor de son nouveau film. Mais il ne tarde pas à déchanter, lorsque la belle Tory, shérif de Friendly, le jette sans ménagement en prison, pour un délit ridicule. Pis, loin d'être impressionnée par sa célébrité, la jeune femme semble beaucoup s'amuser de la colère qui s'est emparé de lui. Aussi, dans sa cellule suffocante, Phil prend-t-il une décision : quoi qu'il lui en coûte, il fera payer à cette beauté sauvage son audace – en la faisant sienne...

Un homme à aimer - Nora Roberts

En louant une partie de sa maison à Cooper McKinnon, Zoe a fait une terrible erreur. Une erreur ô combien délicieuse... Depuis qu'elle vit sous le même toit que Coop, l'homme le plus séduisant qu'elle ait jamais rencontré, elle n'a plus un moment de répit. Jour et nuit, elle pense à lui, à son corps musclé, à son regard envoûtant. Pourtant, elle ne doit surtout pas céder au désir qu'il lui inspire. Car même si elle brûle de l'embrasser, Coop est un célibataire endurci, bien loin du père qu'elle recherche pour son petit Keenan...

Passions n°384

La tentation de ses bras - Fiona Brand

Dangereux, sexy, troublant – pour Lilah, Zane Atraeus est la tentation incarnée. Jamais elle n'oubliera l'instant où il l'a enlacée, l'odeur de sa peau, le goût de ses baisers. Pourtant, elle ne peut se permettre une telle faiblesse, car Zane, s'il a le pouvoir de lui faire perdre tout contrôle, n'est absolument pas un candidat crédible pour le mariage. Et si Lilah veut trouver l'homme idéal, elle doit à tout prix ignorer l'instinct destructeur qui la pousse dans les bras de Zane...

Un ténébreux voisin - Helen R. Myers

Retrouver Derek Roland au Colorado est un choc pour Eve. A travers lui, c'est le passé qu'elle a tant cherché à oublier qui resurgit. Fuir ? Impossible, elle vient de s'installer à Denver pour démarrer une nouvelle vie. Ignorer Derek ? Comment le pourrait-elle, alors qu'ils sont désormais voisins ? Alors, surtout, que cet homme charismatique lui porte un intérêt aussi inédit qu'envoûtant ? Oui, à la façon dont il fixe ses lèvres avec avidité, il est clair qu'il fera tout pour prolonger leur troublante proximité – ce qui, hélas, n'est pas pour lui déplaire...

Passions n°385

Sous un ciel d'orage - Karen Templeton

Une tornade s'est abattue sur Red Rock, Texas. Et Scott Fortune s'est retrouvé prisonnier des décombres, au côté de la douce Christina... Tandis que l'aube les délivre enfin de leur cachot de poussière, Scott comprend qu'il ne sera jamais plus le même. En l'espace de quelques heures cauchemardesques, alors qu'il tentait d'offrir chaleur et réconfort à la jeune femme, il s'est passé quelque chose en lui. Tandis qu'il l'embrassait passionnément, il a, pour la première fois de sa vie, tout oublié – son empire, ses responsabilités qui l'attendent à Atlanta. Et la conclusion qu'il doit en tirer est aussi limpide que troublante : lui, l'homme d'affaires impitoyable, est tombé amoureux d'une inconnue...

Une découverte inattendue - Robyn Grady

Jamais Trinity n'aurait imaginé partager un taxi avec Zack Harrison, cet homme d'affaires connu pour son opportunisme et ses frasques amoureuses. Et encore moins, découvrir avec lui... un bébé abandonné sur la banquette arrière. Désemparée, elle finit par accepter la proposition de Zack : passer la nuit chez lui, afin de veiller sur l'enfant. Même si les battements effrénés de son cœur résonnent en elle comme une mise en garde contre la tentation que représente ce dangereux séducteur...

Passions n°386

Le rêve d'une mariée - Stella Bagwell

« Tu seras ma femme ». En se rendant au grand prix d'Hollywood Park, Kitty ne s'attendait pas à recevoir une demande en mariage de Liam Donovan, l'homme qu'elle aime en secret depuis toujours. En effet, s'ils ont en commun leur passion des chevaux, Liam ne partage pas ses sentiments, elle ne le sait que trop bien. Et la nuit passionnée qu'ils ont vécue sept mois plus tôt n'était qu'une parenthèse aussi troublante qu'éphémère. Pour Kitty, le doute n'est pas permis : si Liam veut l'épouser aujourd'hui, ce n'est pas par amour, mais parce qu'elle porte son enfant...

Séduction secrète - Heather MacAllister

Collaborer avec Mark Banning, le sublime reporter au regard azur ? Pour Piper, cela ressemble à un cauchemar. En effet, si Mark est très talentueux, il est aussi incroyablement arrogant. Leur patron a beau exiger qu'ils travaillent ensemble, Mark refuse son aide avec acharnement. Seulement, Piper n'a pas le choix. Pour conserver son emploi, elle va devoir amadouer cet homme farouchement solitaire - et faire taire le trouble qu'il éveille en elle...

Passions n°387

Inavouables désirs - Cathy Yardley

« J'aimerais intégrer le Club des Joueurs ». En prononçant cette phrase sous l'œil inquisiteur de Lincoln Stone, Juliana sait qu'elle joue le tout pour le tout. Soit il accepte de lui faire passer les tests qui lui ouvriront les portes de cette mythique société secrète, et elle pourra monnayer l'expérience auprès d'une chaîne de télé, soit il demeure inflexible, et elle peut dire adieu à son seul moyen d'éviter la faillite personnelle. Alors elle doit trouver une solution pour le convaincre, coûte que coûte. Certes, elle sait qu'il la tient pour une jeune femme immature et capricieuse, et qu'il ne l'a reçue qu'à contrecœur, à la demande expresse d'un de leurs amis communs. Mais, à la manière dont il la déshabille du regard, elle sait aussi qu'elle le trouble. Infiniment. Aussi décide-t-elle d'en tirer parti...

Un piège exquis - Kira Sinclair

Si Simon veut pouvoir mettre un point final à son roman, il faut absolument que la belle Marcy, son bras droit sur l'île paradisiaque où il a fondé un hôtel de luxe, accepte de rester sur l'île le temps de la fermeture annuelle. Sauf qu'elle ignore qu'il est l'auteur de best-sellers, est persuadée qu'il passe ses journées à ne rien faire, et ne cesse de lui reprocher vertement de ne pas tenir son rôle de directeur. Aussi n'est-il pas surpris lorsqu'elle refuse tout net, en lui rappelant qu'elle a prévu depuis longtemps de partir à New York à cette période. Qu'à cela ne tienne : il va trouver un moyen de la retenir sur l'île, et lorsqu'ils ne seront plus que tous les deux, elle sera bien obligée de l'aider. Et, qui sait, cette proximité forcée lui permettra peut-être de la connaître de plus près. De bien plus près...

A paraître le 1er janvier

Best-Sellers n°543 • suspense

Le manoir du mystère - Heather Graham

Quand l'agent Angela Hawkins accepte de devenir la coéquipière du brillant et séduisant enquêteur Jackson Crow, elle est loin d'imaginer ce qui l'attend. Tout ce qu'elle sait, c'est que la femme d'un sénateur est morte en tombant du balcon de l'une des plus belles demeures historiques du quartier français de La Nouvelle-Orléans. Et que, pour presque tout le monde, elle s'est jetée dans le vide, désespérée par la mort récente de son fils. Mais à peine Angela commence-t-elle son enquête avec Jackson dans l'étrange demeure du sénateur que l'hypothèse du suicide lui semble exclue. Guidée par son intuition et par des visions inquiétantes où elle voit la jeune femme en danger, Angela est en effet rapidement persuadée que dans l'entourage du sénateur, chacun est moins innocent qu'il n'y paraît. Mais de là à tuer ? Et pour quel motif ? Décidés à dévoiler la sombre vérité, Angela et Jackson vont non seulement risquer leur vie… mais, aussi, leur âme.

Best-Sellers n°544 • suspense

Meurtre à Heron's Cove - Carla Neggers

Lorsqu' Emma Sharpe est appelée d'urgence au couvent de Heron's Cove, sur la côte du Maine, c'est en partie en qualité de détective spécialisée dans le trafic d'œuvres d'art au sein du FBI, et aussi en raison des années qu'elle a elle-même vécues ici. Mais elle n'a pas le temps d'en savoir plus, car quelques minutes à peine après son arrivée, la religieuse qui l'a contactée est retrouvée morte. Pour unique piste, Emma doit se contenter de la disparition mystérieuse d'un tableau représentant d'anciennes légendes. C'est alors qu'elle découvre, stupéfaite, que sa famille n'est pas étrangère à l'histoire de cette toile. Se pourrait-il qu'il y ait un lien entre ce vol, le meurtre et son propre passé ? Emma ne sait où donner de la tête. Heureusement, elle peut compter sur la précieuse collaboration de Colin Donovan, un agent secret du FBI solitaire et mystérieux. Même si elle conserve une certaine méfiance vis-à-vis de cet homme qui se moque des règles et semble n'en faire qu'à sa tête. Lancée dans une folle course contre la montre, elle s'immerge avec Colin dans un héritage fait de mensonges et de tromperies. Sans savoir qu'un tueur impitoyable les a déjà dans sa ligne de mire.

Best-Sellers n°545 • thriller

Dans l'ombre du bayou - Lisa Jackson

Lorsque Eve Renner accepte en pleine nuit le mystérieux rendez-vous fixé par Roy, son ami d'enfance, dans un cabanon du bayou, non loin de La Nouvelle-Orléans, elle n'imagine pas qu'elle met le pied dans un véritable guet-apens. Car elle découvre son ami poignardé, le chiffre 212 tracé sur un mur en lettres de sang. Pis encore : Cole, son fiancé, se trouve sur les lieux du crime et tente de la tuer elle aussi… Trois mois plus tard, Eve se remet difficilement de la trahison de Cole, qu'elle aime depuis toujours. Devenue amnésique, elle ne comprend pas ce qui a pu se passer lors de cette nuit de cauchemar. Jusqu'à ce qu'un mystérieux courrier l'incite à chercher dans ses souvenirs d'enfance. Et c'est là que se dissimule non seulement le secret du meurtre de Roy, mais aussi la clé d'autres mystères, plus troubles, plus dangereux encore…

Best-Sellers n°546 • thriller

Face au danger - Brenda Novak

Traumatisée par la violente agression dont elle a été victime trois ans auparavant, Skye Kellermann a mis du temps à surmonter ses angoisses. Ce n'est que depuis peu qu'elle reconstruit son existence autour de l'association d'aide aux victimes qu'elle a créé en Californie avec deux amies. Mais quand elle apprend que son agresseur est sur le point d'être libéré pour bonne conduite, bien avant la fin de sa peine, toutes ses peurs ressurgissent brutalement : comment oublier que c'est son propre témoignage qui a permis d'envoyer cet homme derrière les barreaux ? Lui n'a certainement pas oublié qu'il a tout perdu par sa faute. Le temps presse et Skye n'a qu'une solution : faire ce qu'il faut pour qu'il ne sorte pas de prison, en commençant par prouver son implication dans trois affaires de meurtres survenues à l'époque de son agression, et qui n'ont jamais été résolues... Heureusement, elle peut compter sur l'aide et le soutien inconditionnel de l'inspecteur David Willis, qui est venu la trouver. Car lui aussi en est convaincu : Burke n'en restera pas là.

Best-Sellers n°547 • roman

Le secret d'une femme - Emilie Richards

Lorsqu'elle arrive à Toms Brook, le village natal de sa mère, en Virginie, Elisa Martinez sait que ce qu'elle est venue chercher ici pourrait bien bouleverser sa vie à tout jamais. Aussi courageuse que farouche, elle a appris à cacher derrière une apparente réserve les lourds secrets de son passé. Un passé qui l'a toujours contrainte à fuir de ville en ville, à changer de nom, à taire tout ce qui pourrait la trahir. Pourtant, quand Sam Kincaid lui propose de travailler avec lui, elle sent qu'il lui sera difficile de ne pas ouvrir son cœur à cet homme séduisant et attentionné. Bientôt prise au piège de son attirance pour Sam, Elisa se retrouve déchirée entre la nécessité de protéger ses secrets et le désir de vivre cet amour qu'elle n'attendait plus – un amour qui pourrait bien être la promesse d'une vie nouvelle…

Best-Sellers n°548 • roman

Un si beau jour- Susan Mallery

Vivre enfin ses rêves. C'est le souhait le plus cher de Jenna lorsqu'elle retourne s'installer à Georgetown, dans sa famille, après un divorce douloureux et une vie professionnelle décevante. Aussi, sur un coup de tête, décide-t-elle de lancer un concept innovant : une boutique dans laquelle elle proposera à la fois des accessoires et des cours de cuisine. Une entreprise qui s'avère rapidement être un véritable succès. Mais à peine Jenna retrouve-t-elle sa sérénité et sa joie de vivre, qu'un couple de hippies, Serenity et Tom, débarque dans son magasin et se présente comme ses parents naturels. Bouleversée, Jenna s'insurge contre cette arrivée intempestive. D'autant plus que celle qui prétend être sa mère ne tarde pas à se mêler de sa vie privée. C'est ainsi qu'elle lui présente Ellington, un ostéopathe, certes séduisant, mais qu'elle n'a nullement l'intention de fréquenter ! Et pour couronner le tout, son ex-mari tente désormais de la reconquérir… Submergée par ses émotions, Jenna doute : peut-elle croire à une seconde chance d'être heureuse ?

Best-Sellers n°549 • historique

La rebelle irlandaise - Susan Wiggs

Irlande, 1658.

Lorsque John Wesley s'éveille sous un soleil brûlant, sur le pont d'un bateau voguant au beau milieu de la mer, il peine à croire qu'il est vivant. Autour de son cou, il sent encore la brûlure de la corde… Il aurait dû être exécuté pour trahison, alors pourquoi l'a-t-on épargné ? C'est alors qu'une voix s'élève au-dessus du vacarme des flots : Cromwell, l'homme qui a ordonné son exécution avant de lui offrir un sursis inespéré... Aussitôt, John comprend que son salut ne lui a pas été accordé sans conditions : s'il veut rester en vie et récupérer sa fille de trois ans que Cromwell retient en otage, il doit se rendre en Irlande et infiltrer un clan de rebelles pour livrer leur chef aux Anglais. Une mission simple en apparence, à condition de ne pas tomber sous le charme de la maîtresse des rebelles, la ravissante Catlin MacBride…

Best-Sellers n°550 • historique

Les amants ennemis - Brenda Joyce

Cornouailles, 1793

Fervente opposante à la monarchie, Julianne suit avec passion la tempête révolutionnaire qui s'est abattue sur la France. Et de son Angleterre natale, où les privilèges font loi, elle désespère de voir la société évoluer un jour. Aussi se réjouit-elle quand, au beau milieu de la nuit, un Français blessé débarque au manoir familial de Greystone et lui demande son aide. Julianne ne tient-elle pas là l'occasion rêvée d'apporter sa modeste contribution au mouvement qu'elle soutient ? Et puis, elle rêve d'en apprendre davantage sur le fascinant étranger qui l'a envoûtée dès le premier regard. Mais Julianne est loin de se douter que l'arrivée du mystérieux Français à Greystone ne doit rien au hasard…vivre sous son toit pendant trente jours…

Composé et édité par les

éditions HARLEQUIN

Achevé d'imprimer en France (Malesherbes)
par Maury-Imprimeur
en janvier 2013

Dépôt légal en février 2013
N° d'imprimeur : 178419